日本の歴史　四

揺れ動く貴族社会

川尻秋生
Kawajiri Akio

小学館

日本の歴史

揺れ動く貴族社会

第四巻

アートディレクション　原研哉
デザイン　竹尾香世子
野村恵

凡例

- 年代表示は原則として和暦を用い、適宜、西暦を補いました。
- 本文は原則として常用漢字および現代仮名遣いを用いました。また、人名および固有名詞は、原則として慣用の呼称で統一しました。なお、敬称は略させていただきました。
- 歴史地名は、適宜、（ ）内に現在地名を補いました。
- 引用文については、短歌・俳句なども含めて、読みやすさ、わかりやすさを考えて、句読点を補ったり、漢字を仮名にあらためたりした場合があります。
- 文献史料の読み下しは、原則として『新編日本古典文学全集』（小学館刊）に収められている史料はそれに依拠し、そのほかは適宜、筆者が読み下しました。
- 中国の地名・人名については、原則として漢音の読みに従いました。ただし慣習の表記に従ったものもあります。
- 朝鮮・韓国の地名・人名は、原則的に現地音をカタカナ表記しました。ただし、歴史的事柄にかかわる地名・人名などは漢音読みにした場合があります。
- この巻が扱っている時代の年表を巻末に掲載しました。
- 図版には章ごとに通し番号をつけ、それぞれの掲載図版所蔵者、提供先は巻末にまとめて記しました。
- おもな参考文献は巻末に掲げました。
- 五十音順による索引を巻末につけました。
- 本書のなかには、現代の人権意識からみて不適切な表現を用いた場合がありますが、歴史的事実をそのまま伝えるために当時の表記どおりに掲載しています。

1

祈りの時代
畏怖《いふ》から生まれた願い

◉広まる密教の教え
空海《くうかい》が中国から伝えた密教は、現世利益《げんぜりやく》を求める貴族たちに広く受け入れられた。東寺《とうじ》講堂《こうどう》の仏像群は、初期密教の教えをいまに伝えている。（金剛法菩薩坐像）

↓196ページ

列島を脅かす災害と疫病

2

◉疫神と庶民

疫神《えきじん》（屋根の上）が腰に下げている鑿《のみ》を打ち込まれると、死んだり病気になると信じられていた。室外には病人が伏せり、犬は吐瀉物《としゃぶつ》を食べている。（『春日権現験記絵巻《かすがごんげんけんきえまき》』）

↓118ページ

3

◉菅江真澄《すがえますみ》が描いた埋没家屋

十和田（湖《こ》）火山の噴火で、多くの家が火山灰の泥流《でいりゅう》に呑《の》み込まれた。江戸時代、それらが米代川《よねしろがわ》の氾濫《はんらん》によって川岸から現われ、人々の関心を呼んだ。

↓100ページ

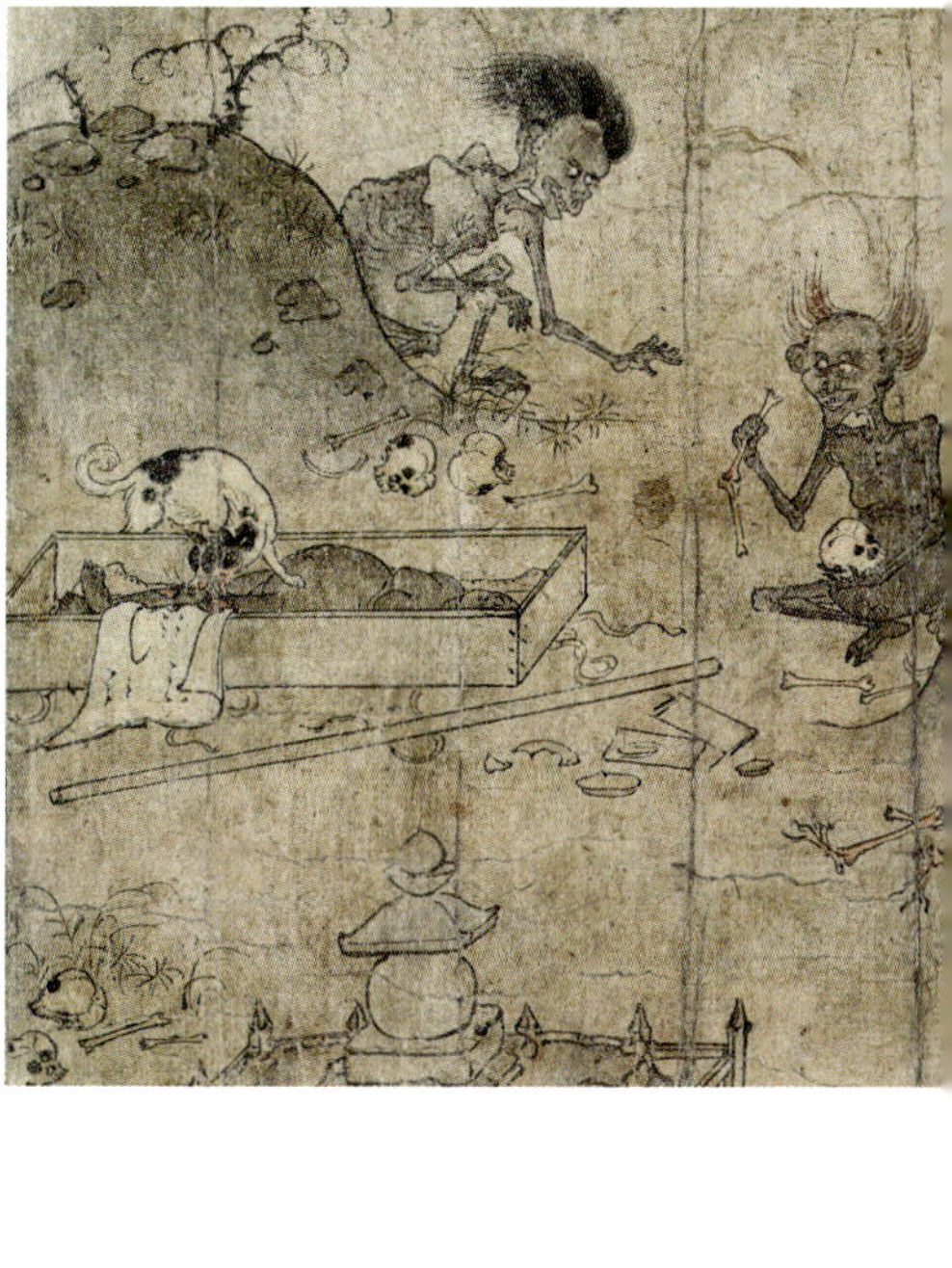

4

◉死者の風景

墓場に埋葬された死体を食らう犬や餓鬼を描く。疫病が蔓延《まんえん》すると、死者の多くは埋葬されずに遺棄され、都の道を塞《ふさ》いだという。（『餓鬼草紙《がきぞうし》』）

↓258ページ

各地で勃発する反乱

5

◉想像されたエミシ

九世紀中ごろ以降、正式な日本の外交が途絶えると、陸奥国《むつのくに》・佐渡国《さど》より外は、ケガレの地で、疫鬼《えきき》が住むと認識されるようになった。（『清水寺縁起絵巻《きよみずでらえんぎえまき》』）

↓265ページ

6

◉武士の出現

首に矢が刺さって落馬する武者、首を掻《か》き取られた人物、無数の矢が刺さる館《たち》を描く。武士は残虐《ざんぎゃく》な存在として、人々から恐れられた。（『後三年合戦絵巻《ごさんねんかっせんえまき》』）

↓157ページ

激動する社会に花開いた王朝文化

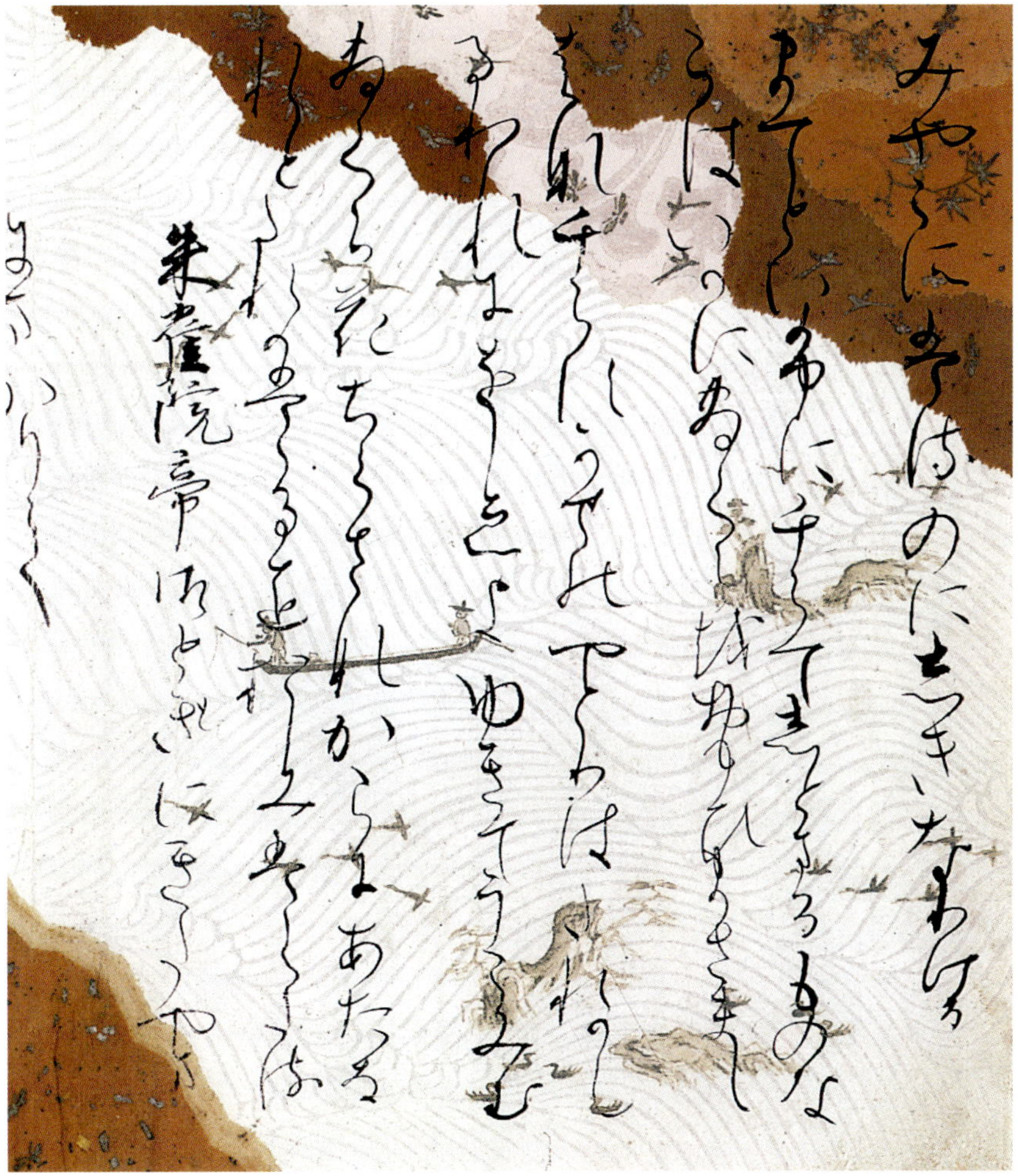

7

◉和歌の時代へ

昌泰《しょうたい》元年（八九八）、素性《そせい》は宇多《うだ》上皇の行幸に加わり、巧みに和歌を詠んで厚遇を得た。和歌への関心が一気に高まった行幸であった。（『本願寺三十六人集』のうち素性集）

↓22ページ

復元された斎王邸

斎王邸跡の発見は、具体的な貴族の生活空間を明らかにした。邸の北には池に張り出した泉殿、斎王の居所、儀式用の透廊《すいろう》、南には邸宅を支えた雑色人《ぞうしきにん》の居住区があった。池には洲《す》浜《はま》や荒磯《あらいそ》を表現し、庭には梅・桜・楓などを植え、また山々や大内裏を借景に取り込み四季の移ろいを愛《め》でた。日本人の美意識の原点がここにみられる。

イラスト　蓬生雄司
監修　京都市埋蔵文化財研究所

8

◉貴族の生活

几帳《きちよう》を置いて部屋を区切り、縫い物に励む女房たち。壁には秋草の絵が描かれている。左端に、乳母との別れを悲しむ中の君が見える。(『源氏《げんじ》物語《ものがたり》絵《え》巻《まき》』早蕨《さわらび》)

↓221ページ

極楽浄土への希求

9

◉浄土へのまなざし

阿弥陀《あみだ》如来《によらい》が、二十五菩薩を率いて、死に臨む者を来迎する瞬間を描く。末《まっ》法《ぽう》の世、人々は阿弥陀如来にすがって、極楽往生を希求した。(『阿弥陀二十五菩薩来迎図』)

↓206ページ

上西門
殷富門
藻壁門
内裏
二条大路
泉殿
泉
景石
斎王
斎王の居所

目次

日本の歴史　第四巻

揺れ動く貴族社会

第八章 東アジアとの外交と列島

揺れ動く貴族社会

はじめに

新しい時代像を求めて

1

自然災害・戦禍と歴史学

一般的に、平安時代に対するイメージは、平安貴族や貴族文化、あるいは貴族政治という言葉に代表されるであろう。いずれも「貴族」という言葉がキーワードとなっている。これまでにも平安時代を扱った通史はいくつもあったが、おおむね以上の内容を前面に押し出すものが多かったように思われる。

それでは、実相はどうだったのか。たしかに華やかな文化が花開いたことは事実である。しかし、当時の時代相を客観的に見つめてみると、旱魃《かんばつ》や大雨による飢《き》饉《きん》・疫病、そして噴火・地震などの自然災害が人々を苦しめていたことがわかる。

また、エミシとの戦乱、平将門《たいらのまさかど》・藤原純友《すみとも》の乱（天慶《てんぎょう》の乱）、そして東北を舞台にした前九《ぜんく》年《ねん》・後《ご》三年《さんねん》合戦など、戦乱による殺傷や荒廃が多発した時代でもあった。人々の生活は揺れつづけていたのだ。

一方、貴族は、一見するとこうした災害・戦乱と無関係にみえるが、つねに死と隣り合わせであった。たとえば、長徳《ちょうとく》元年（九九五）には、一年間に八人の公卿《くぎょう》が疫病その他で亡くなるというすさまじさである。そうでなければ、貴族たちが末法思《まっぽうし》想《そう》を深く信じ、死後の極楽往生を願

◉**紫宸殿《ししんでん》**
内裏の中心的建物で、南殿《なでん》・前殿《ぜんでん》ともいう。即位をはじめ、重要な儀式や政務が行なわれた。中央には天皇が着座する御帳台《みちょうだい》が設けられていた。　前ページ写真

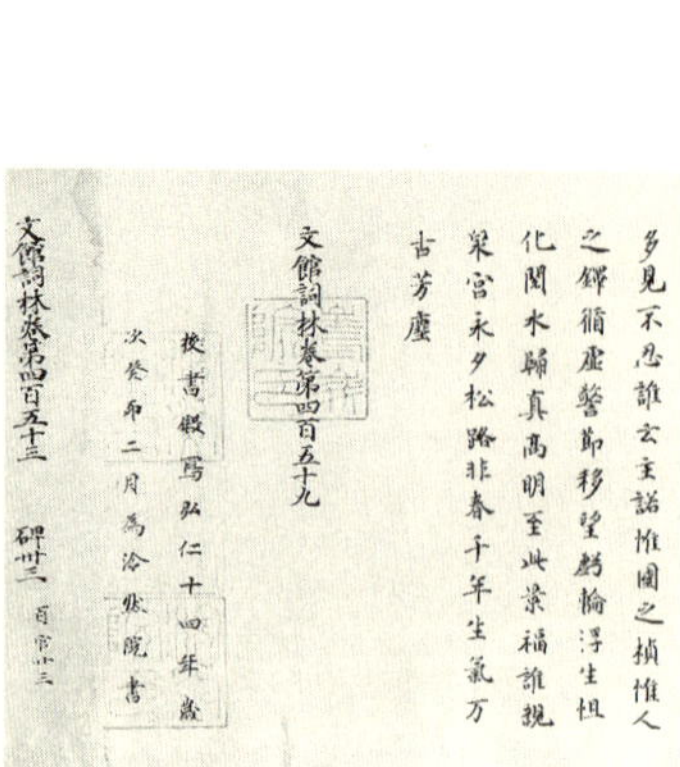

2

◉**『文館詞林《ぶんかんしりん》』**
初唐《しょとう》の勅撰の漢詩文集。嵯峨《さが》天皇の蔵書で、弘仁《こうにん》一四年（八二三）に校書殿《こうしょでん》（宮中の図書を収めた建物）で書写された。平安初期には、唐への憧れとともに、数多くの漢詩文が輸入・書写された。

う浄土教《じょうどきょう》を、あれほど篤《あつ》く信仰した理由は説明できないだろう。平安貴族たちは、たしかに奈良時代の貴族たちよりも物質的・文化的には豊かな暮らしをしていたかもしれない。だが、けっして安定したものではなく、ゆらぎつづけていたのである。

そこで、本巻では、こうした自然災害や戦乱の悲劇に対して、眼を背けることなく正面から取り組んでいきたい。現在、全世界的に、地震・津波・豪雨・旱魃などの自然災害が多発する一方、地球温暖化をはじめとする環境問題も深刻化している。また、テロリズムや戦争、そして軍隊による人権侵害も毎日のように糾弾されている。歴史学が過去を検証し、未来に資する学問であるからには、過去にさかのぼって、人間と自然とのかかわり、そして人間が犯してきた戦争を検証する必要があるように思う。

自然災害の興味深い例としては、江戸時代後期に菅江《すがえ》真《ま》澄《すみ》（口絵参照）や平田《ひらた》篤胤《あつたね》が描いた出《で》羽国《わのくに》の埋没家屋があげられる。これは、火山灰に呑《の》み込まれた古代の家屋が、偶然、米代川《よねしろがわ》の氾濫《はんらん》による崖崩れで出現したもので、彼らが残した絵によって、その詳細を知ることができる。しかも、発掘調査によって近辺からも同様の埋没した家屋が複数確認されており、自然災害の恐ろしさを実感することができるのである。

3

◉蔵王権現鏡像
末法思想の高まりとともに、吉野《よしの》金峯山《きんぶせん》では弥勒《みろく》信仰や蔵王権現《ざおうごんげん》信仰が盛んになった。とくに蔵王権現は日本独自のほとけで、釈迦・観音・弥勒があわさり仮に現われたと説かれ、修験者の信仰を集めた。

また、九世紀なかばごろには、のちの宗教界のもととなる仏教・神祇《じんぎ》などが再編され、陰陽道《おんようどう》の基礎も築かれるが、これなども気候不順に対する対処のひとつといえるだろう。これらの考察は、災害大国日本の立ち位置を再確認するためにも、必要な作業だと思う。

一方、戦争については、兵粮米《ひょうろうまい》を農村から掠奪《りゃくだつ》する軍隊や、残酷な拷問を受ける兵士、性暴力の対象となった女性などについて言及したい。筆者は、平将門の乱の平安貴族に与えたトラウマが、やがて武士という階層を発生させると考えているが、これもこの時期の戦乱が後世に与えた大きな影響だろう。

本巻の対象とする時代は、直接的には近・現代社会とつながっていないようにみえるが、日本列島の人々がどのように自然と対峙《たいじ》し、また戦乱の影響を受けてきたのかという点を、歴史をさかのぼって根本的に検証することは、意味のあることだと思う。

4

◉検非違使の一行
検非違使《けびいし》は都の治安維持にあたった令外《りょうげ》の官《かん》である。一〇世紀後半ごろから、桓武平氏《かんむへいし》や清和源氏《せいわげんじ》など、有力な武力団の長が尉《じょう》に任命されるようになり、のちの武士発生への足がかりとなった。（『伴大納言《ばんだいなごん》絵巻《えまき》』）

文学と歴史学

筆者は、本書を執筆するにあたって、もうひとつの目標を立てた。それは、なるべく平安時代という時代を具体的に叙述することである。いいかえれば人間の息遣いが聞こえる歴史を描き出すことである。

しかし、史料がとくに限られる古代では、この目標を乗り越えることはなかなか困難である。たしかに、近年の考古学的な発掘成果や木簡《もっかん》などの出土文字資料の出現によって、これまで文献史料に現われなかった具体像が明らかにされつつある。たとえば、斎王邸《さいおう》跡の発掘調査や木簡・墨書《ぼくしょ》土器などの出土文字資料から多くのことを学んだのもそのひとつである。しかし、残念なことに、木簡についていえば、奈良時代以前と比べて、平安時代はかなり少ない傾向にある。

それでは、新たに「人間生活」を補う史料はないのか。再度考えた結果、文学作品が有効なのではないかとの結論に至った。もちろん、これまでにも『源氏物語《げんじものがたり》』などの物語作品や、『今昔物語集《こんじゃくものがたりしゅう》』などの説話作品が、しばしば歴史叙述に用いられてきている。

しかし、そこには史料的な偏りがあったように思う。なぜなら、和歌が抜けていたからである。奈良時代以前の叙述には、少なからず『万葉集《まんようしゅう》』が用いられてきたが、平安時代では、ほとんど和歌は用いられなかった。こうした考えの背景には、おそらく、平安時代の和歌といえばただちに『古今和歌集《こきんわかしゅう》』を想起し、実生活とはほとんど無縁であるとの先入観があったように思われる。

だが、いったん日本の和歌を集大成した『新編　国歌大観《こっかたいかん》』、そして『私家集大成』をひもとくとき、そこにはのびやかな貴族の心情や生活、そして在地世界が広がっている。膨大な数の和歌ではあるが、それらを読み込んでいくと、正史や貴族の日記など、これまで歴史学で使用してきた史料からは見えなかった、豊かでいきいきとした世界がかいま見えてくる。

たとえば、大宰府《だざいふ》からどのような経路をとって上京したのか、陸奥守《むつのかみ》は多賀城《たがじょう》（陸奥国府）にいながら、都はもちろん、北海道から九州までの情報をどのようにして入手できたのか、また、大宰府で亡くなった大宰権帥《だざいのごんのそち》の葬儀に、博多に居住していた中国人が弔問に訪れたことなど、ふつうの歴史資料からは、うかがうことができないだろう。

とくに第一章では、従来、歴史研究にほとんど用いられたことのなかった『古今和歌集』を主として使用しながら、九世紀末から一〇世紀初めにかけて、社会構造が大きく変容した姿を描いてみたい。

律令制《りつりょうせい》の立て前では、縁故などによって私的に官人《かんじん》を登用することは禁じられていたが、この時期になると、天皇や上皇は、近臣を殿上人《てんじょうびと》として組織したり、蔵人《くろうど》などに登用するようになる。いわば、公的秩序に私的近臣関係が入り込み、社会の構成原理が大きく変化したのである。こうした変化は、その後、しだいに貴族層から在地の有力者にまで浸透し、長きにわたって日本社会の基層を形づくった。

この点を、本巻では、『古今和歌集』の歌人群と醍醐《だいご》天皇・宇多《うだ》法皇の関係から説き起こし、この勅撰和歌集が宇多・醍醐王統の近臣関係を象徴する政治的産物でもあったことを明らかにしたい。

しばしば、日本人は、公私の区別があいまいであるといわれるが、その端緒はこの時期に形成されたとみてよい。

さらに、文学作品は和歌にとどまらない。物語文学や説話文学は史料の宝庫であるし、菅原道真《すがわらのみちざね》や紀長谷雄《きのはせお》といった文人貴族の作品にも目配りすれば、さらに世界は広がりを見せる。紀長谷雄が著わした『競狩記《きそいがりき》』は、行事の様子を詳しく知ることのできる貴重な史料である。

文学作品が時代相の理解に有効であることが、これらの例からもわかるだろう。今後、平安時代でも、文学と歴史学の交流が、いっそう盛んになることを願ってやまない。

筆者は、以上の問題意識をもって本巻を書き進める。筆者のもくろみが成功したか否《いな》かは、読者の判断にまかせるほかはない。いよいよ平安時代へ旅立つときがきたようだ。

なお、本巻では、主として大同《だいどう》年間から治暦《じりゃく》年間（八〇六〜一〇六九）までを扱う。天皇でいえば平城《へいぜい》天皇から後冷泉《ごれいぜい》天皇まで、時代ならば平安前期から摂関《せっかん》期まで（院政期の前まで）ということになる。

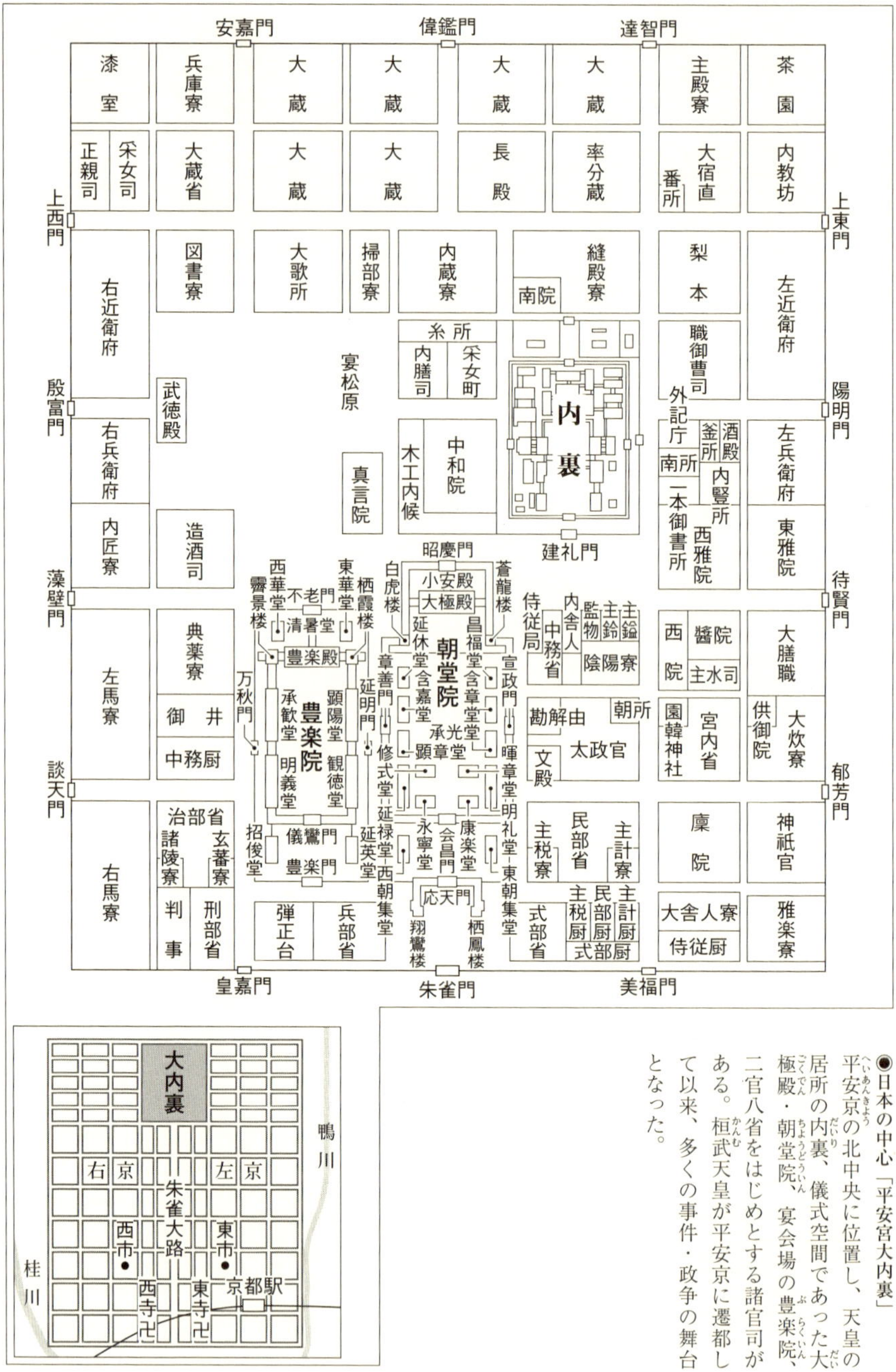

◉日本の中心「平安宮大内裏」
平安京《へいあんきょう》の北中央に位置し、天皇の居所の内裏《だいり》、儀式空間であった大《だい》極殿《ごくでん》・朝堂院《ちょうどういん》、宴会場の豊楽院《ぶらくいん》、二官八省をはじめとする諸官司がある。桓武《かんむ》天皇が平安京に遷都して以来、多くの事件・政争の舞台となった。

第一章

『古今和歌集』の時代を考える

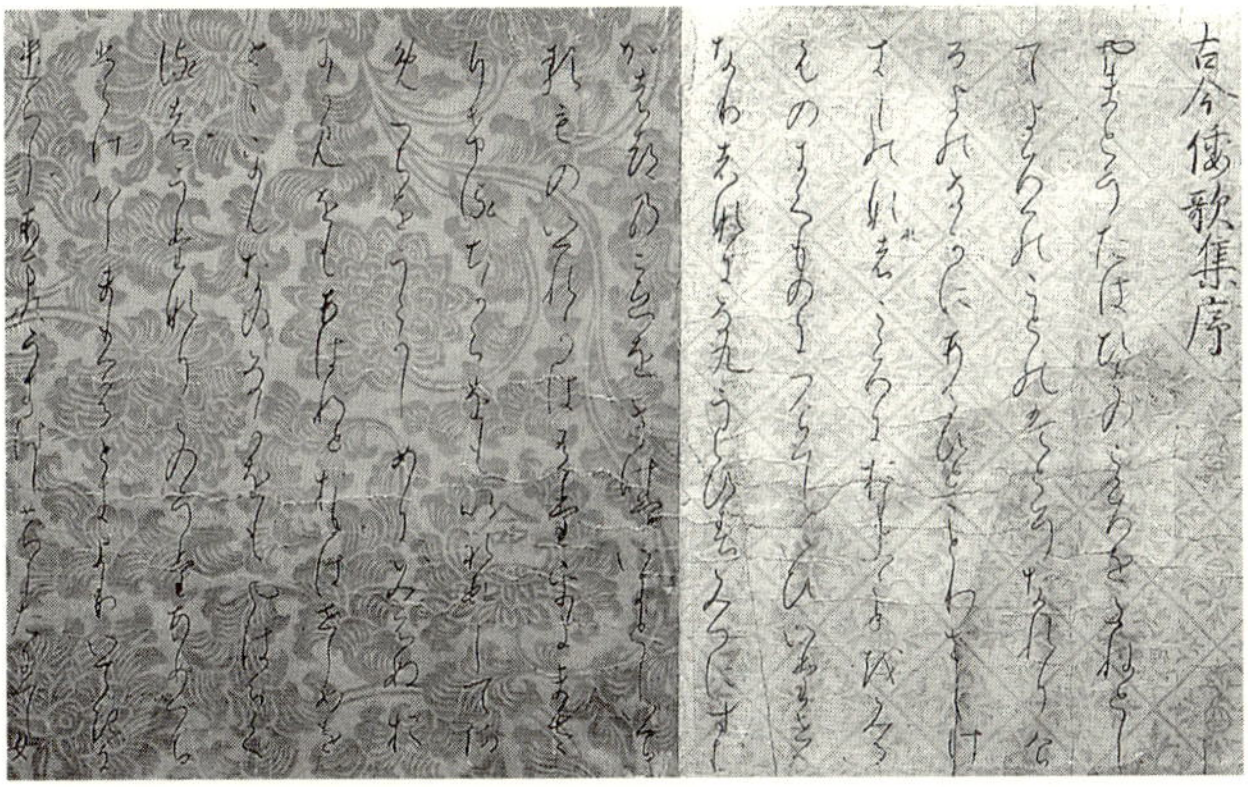

1

『古今和歌集』に歴史を読む

漢詩から和歌へ

九世紀の初め、天皇の命によって三つの漢詩集がまとめられた。嵯峨《さが》天皇による『凌雲集《りょううんしゅう》』『文華秀麗集《ぶんかしゅうれいしゅう》』、淳和《じゅんな》天皇による『経国集《けいこくしゅう》』である。これらの漢詩集が編纂《へんさん》された目的には、共通してみられる特徴がある。それは、『凌雲集』の序に引用されている「文章《もんじょう》は経国の大業にして、不朽の盛事」という魏《ぎ》の文帝《ぶんてい》（曹丕《そうひ》）の言葉からもわかるように、国家を治めるには文章（漢文）が不可欠である、という儒教《じゅきょう》の認識である（文章経国思想）。『経国集』という名称自体、この思想に基づいている。文章経国思想は、中国文化を積極的に輸入していた日本にも受容された。時あたかも唐風《とうふう》文化がもてはやされた時代である。

現在からみれば、漢詩をつくることは、余技や遊びと考えられがちだが、そうではない。「国を経《おさ》め、家を治めるは、文より善《よ》きはなし」といわれるように、まぎれもなく政《まつりごと》の一環であった。たとえば、渤海《ぼっかい》使節が訪れると、天皇は官人《かんじん》に漢詩の作成を命じ、できあがった漢詩は使節に贈られ、受け取った使節もまた漢詩をつくって天皇に献上した。渤海の使者に対しては接待役（領客使《りょうかくし》）が派遣されたが、漢文で意思の疎通を図るために、多くは文人貴族がその役に任じられた。当時の官人

◉『古今和歌集序』仮名序
巻末に漢字の真名序《まなじょ》もあり、成立時期の前後関係には諸説あるが、序が平仮名で書かれた意義は大きい。紀貫之《きのつらゆき》の作とする説がある。
前ページ写真

の素養として、漢文の作成能力は欠かせないものであった。
それでは、和歌はどうなのだろうか。和歌はもともと大和歌《やまとうた》と呼ばれ、記紀歌謡以来の伝統がある。万葉仮名《まんようがな》で書かれた『万葉集』はよく知られているが、九世紀に和歌は、いまだ歴史の表舞台には現われない。もちろん、和歌が詠まれなかったわけではない。『古今和歌集《こきんわかしゅう》』には、平城《へいぜい》天皇をはじめ仁明《にんみょう》・光孝《こうこう》天皇など、九世紀代の天皇や貴族の歌が多く収められている。そもそも在原業平《ありわらのなりひら》や小野小町《おののこまち》など、のちに六歌仙と呼ばれる人々が活躍したのも、九世紀なかば過ぎであった。

この点をよく物語る史料がある。嘉祥《かしょう》二年（八四九）三月、仁明天皇の四〇歳を祝って奈良・興福寺《こうふくじ》の僧侶が上京し、長歌《ちょうか》を奉った。柿本人麻呂《かきのもとのひとまろ》の長歌にはおよばないものの、かなりの分量である。その一部分を書き下すと、つぎのようになる。

大御世《おおみよ》を万代《よろずよ》祈り、仏にも神にも申し上る事の詞《ことば》は、この国の本《もと》つ詞に逐倚《おいよ》りて、唐の詞を仮らず書き記す。博士雇わず、この国の云い伝うらく、日本《ひのもと》の倭《やまと》の国は言玉《ことだま》の幸き

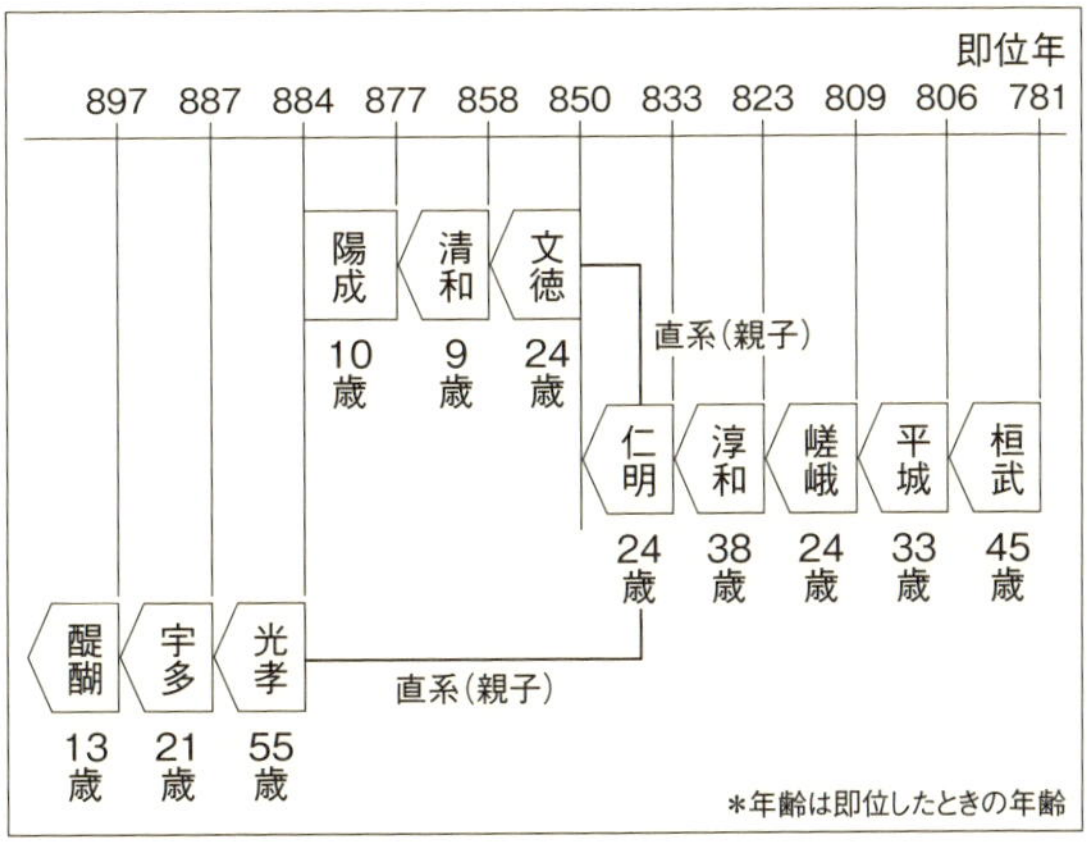

◉王統の変遷
天武《てんむ》系の王統が称徳《しょうとく》天皇で途切れると、かわって天智《てんじ》天皇の孫にあたる光仁《こうにん》天皇が即位した。その子の桓武天皇は、天武系から天智系への王統変化を王朝交替と考えた。一方、嵯峨天皇の子仁明から文徳《もんとく》・清和《せいわ》・陽成《ようぜい》までは父子相続であったが、陽成天皇は素行が問題とされ、退位させられた。こうして仁明天皇の子光孝天皇が即位し、宇多《うだ》・醍醐《だいご》天皇へと続いた。

国とぞ…。
（天皇の世の中が末長く続くように祈り、仏にも神にも申し上げ奉る言葉は、この国のもともとあった言葉で、中国の言葉を借りずに書き写す。漢文に長じた博士を雇わず、この国の言い伝えてきた倭の国の言霊が幸福を与える国だと…）

（『続日本後紀《しょくにほんこうき》』）

さしてじょうずな歌とも思えないが、漢語と大和言葉を比較し、日本の自覚を説く内容は注目される。しかし、筆者が興味をひかれるのはその点だけではない。『続日本後紀』を通読すると、この部分はきわめて異質に映る。一般的に、天皇の誕生日を祝う記事ならば、祝賀があったことを述べるだけで、その歌までは記さない。ほんの二〇字もあれば十分だし、それが国史としては普通である。ところが、この記事だけは、歌の全文を記載しているのだ。この謎を解く鍵は、文末にあった。

「そもそも倭歌《やまとうた》の体裁は、おかしくおもしろいことを優先させ、ややもすれば人の心を感動させることをもっとも大切にする。しかし、時代遅れになってしまい、和歌の道はすたれてしまった。だが、僧の歌のなかにはたいへん古い言葉が残っている。礼儀

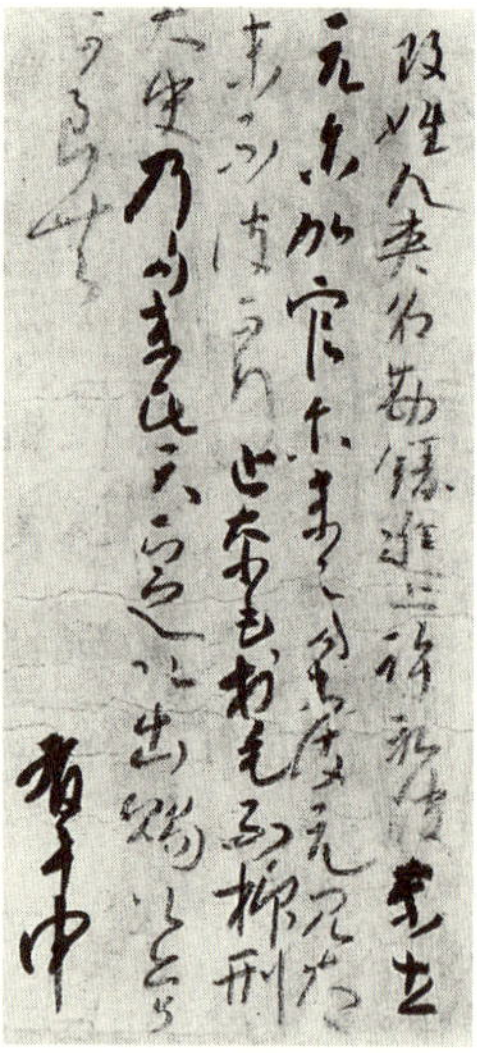
2

◉漢字から平仮名へ
讃岐介《さぬきのすけ》藤原有年《ありとし》が、貞観九年九月付の太政官《だいじょうかん》への報告書（『讃岐国解《さぬきのくにのげ》』）に書き添えたメモである。万葉仮名を崩し、平仮名に至る中間段階の書体（草仮名《そうがな》）を示している。

がなくなればそれを在野に求めるべきだ。そのためにこの歌を『続日本後紀』に採録した。そして、歌を奉った興福寺の僧たちは、右大臣藤原良房《ふじわらのよしふさ》の家に仮住まいした」

『続日本後紀』は、貞観《じょうがん》一一年（八六九）八月に成立し、完成時点の編者は藤原良房と春澄善縄《はるずみのよしただ》であった。そして『続日本後紀』には、良房の事績が強調されていることがわかっており、僧たちが良房の邸宅に逗留《とうりゅう》したとの内容も見える。和歌を全文載せたのは、良房とみて間違いないだろう。しかも良房の漢詩は、現在一編も知られていないのに対し、和歌は『古今和歌集』にも収められている。つまり、良房は、和歌をこよなく愛していたのだ。

和歌の詠者と王権

藤原良房《ふじわらのよしふさ》以降も基経《もとつね》・時平《ときひら》と三代にわたって、藤原氏の和歌が『古今和歌集《こきんわかしゅう》』に収められている。時平が『古今和歌集』の編纂《へんさん》に深く関与したことを想起すれば、藤原氏は一貫して和歌を庇護《ひご》してきたと考えられる。こうして和歌は、しだいに歴史の表舞台に登場するようになった。しかし、この段階での和歌は、あくまで漢詩が詠まれる余技としての位置づけでしかなかった。

だが、九世紀末の宇多《うだ》天皇の時代を迎えると、和歌の位置づけは大きく変化する。宇多の命で和歌を詠んだ人物像を分析してみると、彼らの多くが殿上人《てんじょうびと》や蔵人《くろうど》など、宇多の近臣であることが明らかになる。つまり、宇多は、不特定多数の人物に歌を求めたのではなく、近臣を集めた儀式・宴を催し、その一環として歌を詠ませたのである。この点は、菅原道真《すがわらのみちざね》が編纂したといわれる『新撰《しんせん》万葉集《まんようしゅう》』序に、宇多が「近習《きんじゅう》の才子《さいし》」に和歌を献じさせたと見えることからも裏付けられる。

ところで、和歌の興隆を示す好個の史料がある。文人として著名な紀長谷雄《きのはせお》が著わした『競狩記《きそいがりき》』である。昌泰《しょうたい》元年（八九八）一〇月、前年に譲位した宇多上皇が、一か月にもおよぶ奈良吉野の宮滝《みやたき》への行幸《ぎょうこう》（御幸《ごこう》とも）に旅立った。一〇月二一日には、和歌の名手として知られる素性法師《そせいほうし》が、単騎で古都平城京《へいじょうきょう》付近にいた宇多のもとに馳《は》せ参じ、しばらく合流した。素性法師とは、僧正遍昭《そうじょうへんじょう》の在俗時代の子で俗名を良岑玄利《よしみねのはるとし》といい、『古今和歌集』に三七首入集されている人物である。

同月二九日、宇多から賜わった御衣《ぎょい》をはおり、下賜《かし》された馬に乗って素性が雲林院《うりんいん》へ帰る際、宇多は皆に惜別の和歌を詠ませた。そのときのこととして『扶桑略記《ふそうりゃつき》』には、「人々以為《おもえ》らく、今日以後の和歌の興衰《こうすい》を」と記載されている。この文は、菅原道真が著わした『宮滝御幸記《みやたきごこうき》』からの引用と推定され、随行した者たちを代表して述べたと思われる。素性に対する宇多の厚遇を目のあたりにして、行幸に同行した者たちが、今後和歌が興隆することを確信したのだろう。今後、この言葉はもっと注目されてよい。漢詩に秀でた道真にとっては、複雑な心境であったと思う。

一方、宇多天皇の子醍醐《だいご》天皇の時代には、記録上、後宮《こうきゅう》での最初の公的な和歌行事といわれる藤《とう》花宴《かえん》が催されている。延喜《えんぎ》二年（九〇二）三月二〇日に行なわれた内裏飛香舎《ひぎょうしゃ》での藤花宴は、左大臣藤原時平が天皇に奉献（物や言葉を奉ること）したことをきっかけとして開かれた。宴もたけなわのころ、時平は右大将藤原定国《さだくに》に命じて歌題を献じさせ、和歌を詠ませている。

現在判明する確実な参加者は、醍醐天皇のほか、藤原時平、笛を吹いた敦固《あつかた》親王、歌題を献じた藤原定国、藤原忠房《ただふさ》（以上『醍醐天皇日記』逸文）、藤原定方（『新続古今和歌集』春歌下）のみである。しかし、「王卿侍臣」と見えるので、そのほかにも親王・公卿・侍臣が参加したことであろう。時平はいうまでもなく道真を追放した張本人で、妹の穏子《おんし》が醍醐の皇后となっている。定国は醍醐の母の兄弟、定方は定国の弟、敦固は醍醐の弟、忠房は醍醐朝の蔵人であった。「侍臣」とは、実質上殿上人と同等と考えられるため、結局のところ、参加者は天皇の近臣・近親であったといえる。醍醐朝でも、天皇の周辺で近臣が和歌を詠んでいたのである。

『古今和歌集』編纂の目的

『古今和歌集《こきんわかしゅう》』は、醍醐《だいご》天皇によって延喜《えんぎ》五年（九〇五）に編《へん》纂《さん》が命じられたとも成立したともいわれる最初の勅撰和歌集である。王権との関係からみれば、つぎの点が興味深い。

まず、『古今和歌集』編纂当時に生存していた天皇と天皇経験者、すなわち醍醐《だいご》天皇・陽成《ようぜい》上皇・宇多《うだ》法皇の和歌が収められていないことである。これは、天皇・上皇・法皇が詠んだ和歌の優劣の判断を撰者が避けたためだろう。この意識は、日本の律令《りつりょう》に天皇にかかわる規定がないことと同じである。つま

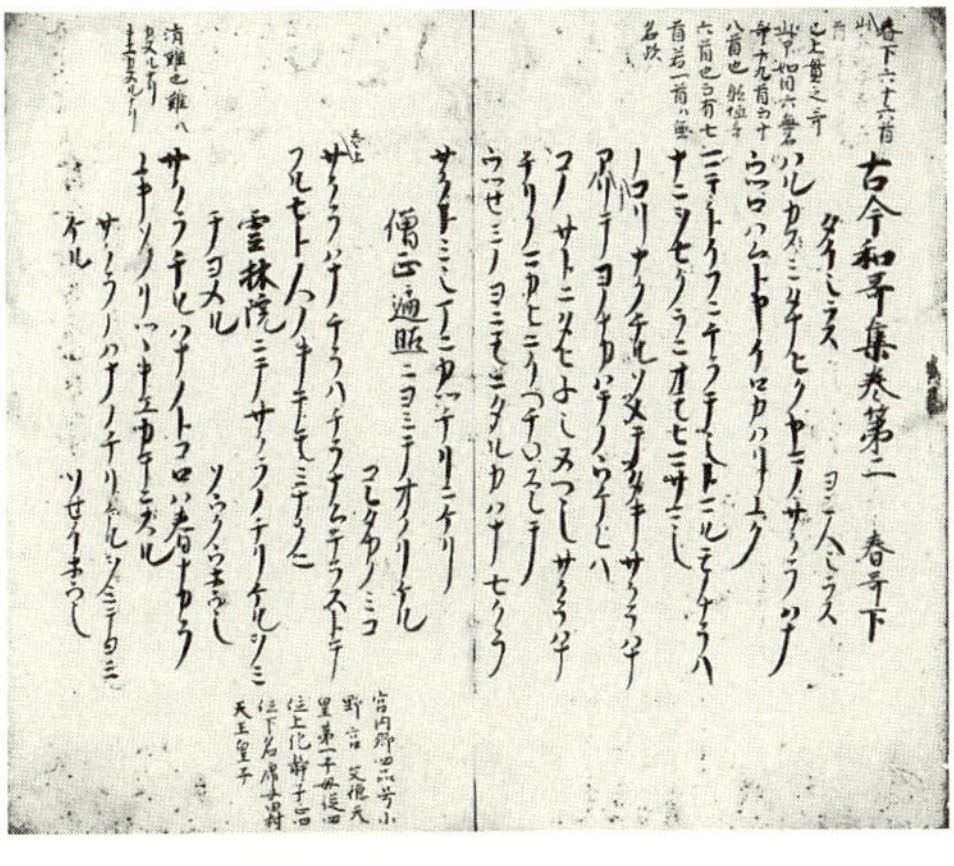

3

◉『古今和歌集』
一二世紀に活躍した歌人藤原清輔《きよすけ》が作成した写本に、清輔の義弟で歌人としても著名な顕昭《けんしょう》が注記を加えたもの。顕昭本のなかで最古の写本。

り、『古今和歌集』は、政治性を有する王権の歌集であることが強く意識されているのだ。

次いで『古今和歌集』巻二〇に、大歌所御歌《おおうたどころのおんうた》、神あそびの歌、東歌《あずまうた》などが収められている点である。これらは服属儀礼や大嘗会《だいじょうえ》などの儀礼でうたわれた和歌で、『古今和歌集』が記紀歌謡以来の宗教性を帯びた歌集であることをうかがわせる。

だが、いちばん重要なのは、和歌が公的性格をもったことである。漢詩は政《まつりごと》の場で詠まれたが、和歌にその要素は稀薄《きはく》だった。あくまで和歌は、「天地《あめつち》を動かし、目に見えぬ鬼神《おにがみ》をもあはれと思はせ、男女《おとこおんな》の中をも和《やわ》らげ、猛《たけ》き武士《もののふ》の心をも慰むる」(『古今和歌集』仮名序《かなじょ》)ものであった。ところが天皇の勅により、和歌集が編纂された。『古今和歌集』真名序《まなじょ》で、「和歌は人民の願いにかなうように官人《かんじん》の適正を選択するものだ」と述べているのは、和歌が表舞台に躍り出たことを示している。

このことを別の視点からみるために、『古今和歌集』に和歌が収められた人物と天皇・上皇・法皇との関係を調べてみると、延喜五年当時、存命が確実な作者は四〇人ほど確認でき

人名	想定される主人	主人との関係
藤原時平	醍醐	醍醐の妻の父
藤原国経	陽成・宇多?	陽成の蔵人、宇多の行幸に同行
兼見王	宇多	宇多の侍従
藤原菅根	醍醐	醍醐の蔵人
藤原仲平	宇多・醍醐	宇多・醍醐の蔵人
源宗于	宇多	宇多の甥
平篤行	宇多	祖父が宇多と兄弟
平中興	醍醐	醍醐の蔵人
藤原兼輔	醍醐	醍醐の蔵人
藤原兼茂	醍醐	醍醐の蔵人
藤原定方	醍醐	醍醐の叔父
藤原忠房	醍醐	醍醐の蔵人
藤原忠行	宇多	母が宇多の蔵人藤原敏行の姉妹
藤原俊蔭	宇多	宇多の蔵人
源当純	醍醐	父が醍醐の東宮傅
阿保経覧		
在原元方	陽成	妹が藤原国経の妻
凡河内躬恒	宇多?	宇多の行幸に同行
大友黒主		
紀貫之	宇多?	宇多の行幸に同行
紀友則	宇多?	宇多のもとに出入り
紀淑人	醍醐	醍醐の蔵人
紀淑望	醍醐	弟が醍醐の蔵人・醍醐の東宮学士
清原深養父		
酒井人真	宇多	宇多の中宮少属
坂上是則	宇多?	宇多の行幸に同行
平定文	宇多・醍醐	父は宇多の蔵人・醍醐の侍従
平元規	醍醐	醍醐の蔵人
高向利春	宇多	宇多の御給・院分受領に授かる
橘長盛	宇多?	宇多の行幸に同行
春道列樹		
藤原興風	宇多	宇多の母の年給にあずかる
藤原良風	宇多・醍醐	父は宇多の蔵人、醍醐の帯刀
源恵	宇多	宇多の院分受領にあずかる
御春有輔	宇多	宇多の蔵人藤原敏行の家人
壬生忠岑	陽成	陽成の命で甲斐国に下向
宮道清興	醍醐	醍醐の帯刀
聖宝	宇多	仏教関係
素性	宇多?	宇多の行幸に同行
二条后	陽成	陽成の母
伊勢	宇多	宇多の子を産む

る。そのうち下級の文人を除けば、彼らの多くが醍醐天皇・宇多法皇の近臣あるいは近臣の縁者であり、先に示した宇多天皇や醍醐天皇が主催した歌宴の参加者と同様の傾向にある。陽成上皇の近臣がほとんどいないのは、王統が異なっているうえ素行が悪く、なかば強制的に退位させられたためだろう。

もちろん、歌集に収めるには、近臣なら誰でもよいというわけではなく、巧みに和歌を詠むことが必要とされる。しかし、その前提として、天皇・法皇の近臣であることが求められたのだ。『古今和歌集』は、延喜五年当時に生きていた人間にとって、「王権近臣者の歌集」、さらにいえば「宇多(光孝)王統の歌集」と位置づけることができる。ちなみに、宇多法皇自身が『古今和歌集』編纂に直接関与した形跡はないが、和歌を撰するにあたって、宇多に配慮した可能性は十分に考えられる。

次節で詳しく述べるように、宇多朝は、昇殿制《しょうでんせい》や蔵人《くろうど》の整備など、本来天皇の私的な近臣である者たちが、公的な位置づけを認められるようになった時代である。じつは『古今和歌集』自体も、同様な目的で編纂されたのであった。

『古今和歌集』編纂以後、和歌は公的な位置づけを与えられ、『後撰《ごせん》和歌集』などの勅撰集が相次いで編纂されるようになる。その過程で、多くの歌人が入集するかどうかで気をもんだことが、いろいろな史料からうかがうことができる。それは、たんなる名誉なのではなく、当人の王権内での位置づけにかかわるからでもある。和歌を詠むことは、余技とばかりはいえなくなったのだった。

◉『古今和歌集』の歌人
『古今和歌集』に入集し、延喜五年当時に生存していた人物の多くは、宇多法皇・醍醐天皇の近親か、蔵人に任命された近臣である。

寛平御時、なぬかの夜、「うへにさぶらふをのこども、歌奉《たてまつ》れ」とおほせられける時に、人にかはりてよめる

天《あま》の河《がわ》浅瀬しらなみたどりつつ渡りはてねば明《あ》けぞしにける

ともの り

（『古今和歌集』秋歌上）

（天の川の浅瀬の場所がわからないので、白波が立っている場所をたどって行くと、渡り終わらないうちに夜が明けてしまったことよ）

宇多天皇に詠歌を求められた殿上人《てんじょうびと》のなかで、作歌が得意でない近臣たちは、のちに『古今和歌集』の撰者になる紀友則《きのとものり》に代作を依頼して面目を保とうとしたのだろう。また、宇多の宮滝行幸《みやたきぎょうこう》の折、「ヤタガラス」の五文字を折句《おりく》にして詠むことを求められた源昇《みなもとののぼる》・在原友于《ありわらのともゆき》たちが、食事や音楽を忘れて深く考え込んだものの、結局、詠めずに大いに嘆いた（『袋草紙《ふくろぞうし》』）のも、天皇と臣下の関係において、和歌の位置づけが重要性を増したことを示している。

九世紀末以降、位階のうえで五位と六位の格差はさらに広がり、身分は以前よりもいっそう固定されるようになった。その結果、下級官人はいかに努力しても、五位以上に昇進する望みはほとんどなくなった。だが、和歌の道に秀でていれば、天皇や上皇から声もかかり、近臣への道も開ける。下級官人にとっては、ひと筋の光明だったのだろう。『古今和歌集』の撰者には身分の低い者が多いが、彼らは自分の将来を和歌に託したに違いない。

行幸と近臣

『競狩記』を読む

昌泰《しょうたい》元年（八九八）一〇月、前年に退位した宇多《うだ》上皇は、一か月におよぶ鷹狩《たかが》りの行幸《ぎょうこう》に出た。皇位から解放された宇多にとって、心ゆくまで自由を満喫する旅であった。行幸の模様は『扶《ふ》桑略記《そうりゃっき》』に記されているが、そのもとになった史料が、当時、文人としても著名だった紀長谷雄《きのはせお》が著わした『競狩記《きそいがりき》』、菅原道真《すがわらのみちざね》の『宮滝御幸記《みやたきごこうき》』（原文ではなく省略本が現存）である。

行幸のコースは、平安京《へいあんきょう》から大和国吉野《やまとのくによしの》の宮滝を経て、龍田《たつた》道《みち》を通って摂津《せっつ》国住吉神社《すみよしじんじゃ》に詣《もう》で、還御《かんぎょ》するというものであった。その途中で鷹狩りを行ない、夜を徹して獲物《えもの》を肴《さかな》に酒を酌み交わし、宴が開かれた。また、道中では供の者たちに和歌や漢詩を詠ませた。

行幸に同行した者たちの経歴に注意すると、彼らの多くが宇多天皇時代の蔵人《くろうど》を経ていたことがわかる。彼らは宇多の近臣

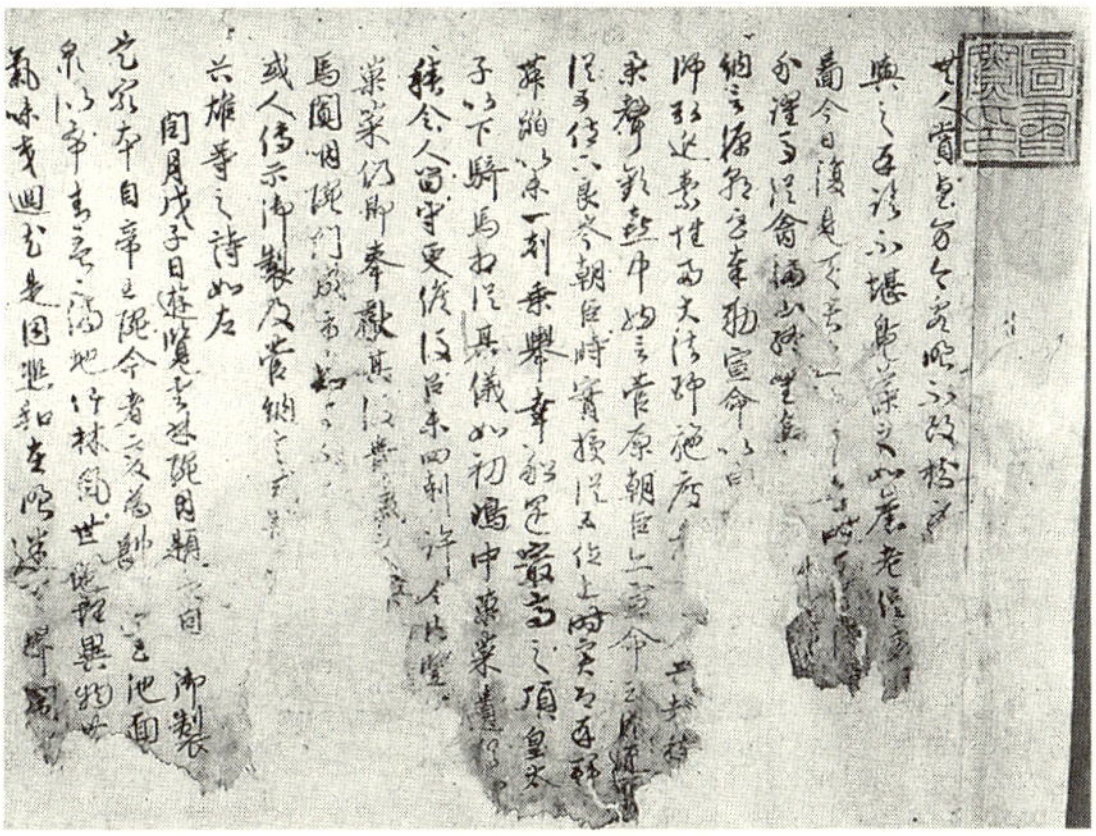

4

●『競狩記』
紀長谷雄の文集『紀家集』（一巻のみ現存）に収められる。当写本は、文人として著名な大江《おおえの》朝綱《あさつな》が、延喜一九年（九一九）に書写した。

であった。また、将来、醍醐《だいご》天皇の蔵人となる人物も数多く加わっている。つまり、この行幸は、宇多自身が近臣との関係を深めるだけでなく、息子の近臣となるべき者との絆《きずな》を深め、影響力を残そうとするためのものでもあった。この点は、左近衛将監藤原俊蔭《さこのえのしょうげんふじわらのとしかげ》と右近衛将監藤原忠房《ただふさ》が、「内裏蔵人（醍醐の蔵人）」として参加していることからも裏付けられる。

しかも、多くの近臣が、子供をはじめとする近親を伴っていた。たとえば、道真は子の景行《かげゆき》、藤原滋実《しげざね》も朝見《ともみ》を連れて参加している。おそらく開放的な行幸の場で、子弟を宇多と引き合わせ、近臣関係を再生産するねらいがあったと思われる。行幸というと、娯楽的要素ばかりが思い浮かぶが、臣下との結びつきを深める重要な行事でもあったのだ。

それでは、近臣には、どのようなタイプがあるのだろうか。①貞数《さだかず》親王（清和《せいわ》天皇の子）のような皇親、②菅原道真・藤原清経《きよつね》のような公卿、もしくは源昇《みなもとののぼる》のように、将来公卿に任じられる公卿予備軍、③中流貴族、④下級貴族の四つに分けられる。

また、職業から分類すると、武力に秀でた武官（元慶《がんぎょう》の乱《らん》に加わり陸奥守《むつのかみ》などを歴任した藤原滋実《しげざね》や、右衛門権佐《うえもんのごんのすけ》で検非違使《けびいし》でもある藤原如道《すけみち》）、漢詩に秀でた文人（菅原道真・紀長谷雄）、和歌に秀でた歌人（源昇・在原友于《ありわらのともゆき》など）、鷹飼などの下級氏族（坂上氏《さかのうえ》）などに分けることもできる。

なかには、思わず笑い出してしまう近臣もいる。それは、検非違使藤原如道である。彼は、奉献された秣《まぐさ》を争った下人たちを上皇の命で鞭《むち》打った人物だが、和歌が詠めないことでも有名だった。行幸中の一〇月二三日、大和《やまと》国高市郡《たけちぐん》にある菅原道真の山荘で、呼び出した素性法師《そせいほうし》を慰めるため、上皇は人々に和歌を詠むことを命じ、如道も和歌を奉った。そこまではよかったが、その後、如道はひとりで隅に向かって指を折って数えはじめ、三文字削ることを申し出たが許されなかった。字余りを口実に、和歌をつくり直そうとしたのだ。如道の歌下手は有名だったらしく、源昇と在原友于に「如道等、その道（和歌の道）を知らず」と酷評されている（『袋草紙《ふくろぞうし》』）。彼は諧謔《かいぎゃく》的笑いの対象として、作詩・作歌の場に呼ばれているように思われる。天皇や上皇のまわりには、いろいろな階層、そして各種の特技をもつ雑多な近臣がいたのである。

近臣と蔵人

律令制《りつりょうせい》では、位階は、正一位《しょういちい》から少初位下《しょうそいげ》まで三〇階に分かれ、それぞれの位階に相当する官職が決められていた。官人《かんじん》はそれぞれの能力と経験により、位階と官職が分け与えられるのを理想とした。実際、中国では根強い門閥《もんばつ》政治を克服するために、科挙《かきょ》と呼ばれる官吏登用試験があり、試

大宝令・養老令		
親王	諸王・諸臣	勲　位
一品	正一位	
	従一位	
二品	正二位	
	従二位	
三品	正三位	勲一等
	従三位	勲二等
四品	正四位上	
	正四位下	勲三等
	従四位上	
	従四位下	勲四等
	正五位上	
	正五位下	勲五等
	従五位上	
	従五位下	勲六等
	正六位上	
	正六位下	勲七等
	従六位上	
	従六位下	勲八等
	正七位上	
	正七位下	勲九等
	従七位上	
	従七位下	勲十等
	正八位上	
	正八位下	勲十一等
	従八位上	
	従八位下	勲十二等
	大初位上	
	大初位下	
	少初位上	
	少初位下	

●位階表
律令制下の位階は、正一位から少初位下まで三〇等級に分かれていた。五位以上が貴族で、正六位上から従五位下になるのは入内《にゅうない》といい、下級氏族には困難だった。

験に通れば庶民であっても、将来、宰相《さいしょう》をはじめとする政府の高官に任命される可能性があった。もっとも、その倍率たるや、現代日本でもっとも難関とされる司法試験をはるかに上まわる難関中の難関ではあった。

日本では、形式的に中国の科挙制度を継受したが、実態としてはあまり機能したとはいえない。それは、日本の氏族制が中国と比べて著しく貴族的だったことに原因がある。日本の皇親や貴族の子孫には、父祖の位階に応じて自動的に位階を授けられる蔭位《おんい》の制《せい》があり、この特権は中国よりも大きかった。日本では、昇進可能な氏族と、そうではない氏族がはっきり分かれていたのである。

一方、平安時代初期から、「近臣」という言葉がしばしば現われるようになる。もちろん、古今東西を問わず、権力者は、つねに自己に忠実な臣下を腹心、あるいは側近として取り立てた。しかし、律令制において、近臣にのみ与える官職は存在しなかった。ところが、こうしたポストや制度がしだいに現われてきた。それが、蔵人《くろうど》と昇殿制《しょうでんせい》である。

蔵人《くろうど》は大同《だいどう》五年（八一〇）三月、薬子《くすこ》の変《へん》の直前に設置された。当時、藤原薬子は、天皇の命令を伝達する尚侍《ないしのかみ》という後宮《こうきゅう》の官人であったため、平城《へいぜい》上皇と敵対する嵯峨《さが》天皇の情報を容易に知ることができた。そこで、女官とは別系統で、情報伝達を秘密裏に行なうために設置されたと考えられる。また、蔵人は、軍事的性格が濃厚で、嵯峨天皇の親衛軍としての機能もあり、薬子の変後も非常時に備えて存続した。

蔵人の基本的性格として、天皇の代ごとに任命されること、単独の官職として存在するのではなく、令制《りよう》の官職に任じられながら兼務することがあげられる。これは、衛府《えふ》の佐《すけ》や尉《じよう》が検非違使《けびいし》に任じられたのと同じである。武官や弁官など重要な官職についている人物を蔵人に任命することによって、天皇の意向を直接、官司《かんし》に反映させることが可能となった。こうした蔵人の性格は、それまでの律令官職にはなかったものである。

さらに、蔵人には重要な機能があった。それは、蔵人の側近としての性格である。たとえば、嵯峨朝と淳和《じゆんな》朝に蔵人となった人物の傾向は大きく異なるし、高橋文室麻呂《たかはしのふんやまろ》という人物は、琴に長《た》けていたために蔵人に任じられている。要するに、政治的のみならず、天皇との血縁関係や好みにも左右されたのだ。こうした蔵人の性格は、宇多《うだ》朝の蔵人に通じる。

宇多朝では、蔵人の地位も大きく変化した。それまで、蔵人には六位の官人が任命され、五位に昇叙《しようじよ》すると蔵人を辞めるしきたりであったが、仁和《にんな》四年（八八八）一一月、初めて五位の蔵人が置かれた（『職事補任《しきじぶにん》』）。また、それまでになかった蔵人所別当《くろうどどころのべつとう》も、寛平《かんぴよう》九年（八九七）に新設された。蔵人所の充実は、近臣の整備にほかならない。なかでも、五位蔵人の設置は、次節で述べる阿衡《あこう》事件の直後であったから、藤原《ふじわら》氏に対する宇多天皇の巻き返しとも解せる。

昇殿制の創設

昇殿《しようでん》とは、天皇が居住している清涼殿《せいりようでん》の「殿上の間《てんじようのま》」に昇ることができる資格を、天皇から与えられることである。つまり、昇殿を許可された人が、しばしば史料に現われる「殿上人」である。

本来、中務省《なかつかさしょう》に属して天皇に近侍し、天皇の職務を補佐する役職に侍従《じじゅう》があった。それが平安時代になると拡大し、次侍従と呼ばれる官職が生まれた。しかし、次侍従には、四位・五位の者が一〇〇人ほど任じられ、次侍従で四位の者は、誰でも昇殿することができた（延喜中務式《えんぎなかつかさしき》）。天皇の側近という性格をもちつつも、この段階ではかなり多くの人間が昇殿を許されていたことになる。

ところが、宇多《うだ》上皇が新帝の醍醐《だいご》に対して訓戒を示した『寛平御遺誡《かんぴょうのごゆいかい》』には、蔵人《くろうど》を含めて二五人、六位まで数えれば三〇人に昇殿を許すべきとの記載がある。宇多は近臣を厳しく吟味し、とくに親しく必要と認めた人物だけに昇殿を許したのであった。こうして天皇の近臣が、初めて政治の表舞台に登場するのである。

昇殿制の成立は、政務の面からも裏付けられる。平安時代前期には、天皇は紫宸殿《ししんでん》で政務を執り、それが終わると私的居所であった清涼殿に戻った。ところが正確には不明だが、宇多朝のころは、清涼殿が日常的な政務の場として使われるようにな

5

◉清涼殿
平安宮内裏《だいり》にあり、仁寿殿《にんじゅでん》の西に位置する。本来は天皇の日常生活の場所であったが、宇多天皇のころから儀式や政務の場となった。

った。つまり、政務の場とプライベートの場が一緒になったのである。そのため、当然、近臣の控える場所、そして近臣と天皇が交流する場所が必要になった。そこで生まれたのが、殿上の間である。

殿上の間には、「日給簡《にっきゅうかん》」と呼ばれる木札があり、その上に殿上人の名前が書かれた紙が貼られることになっていた。現在でいえば出勤簿である。いつのころからかは不明だが、殿上の間への上日《じょうじつ》（勤務日数）が、本来勤務すべき役所（本司）の上日に加算されるようになった。このことは、天皇に私的に奉仕するための昇殿制が、公的な意味をもったことを示している。天皇の私的側近である殿上人が政治の表舞台、つまり、公的な役割をしだいに担うようになっていったのである。

前節で、『古今和歌集《こきんわかしゅう》』が「王権近臣者の歌集」、あるいは「宇多王統の歌集」という性格をもって誕生したことを指摘したが、宇多朝における蔵人・昇殿制の整備は、『古今和歌集』の性格と軌を一にしていたといえる。

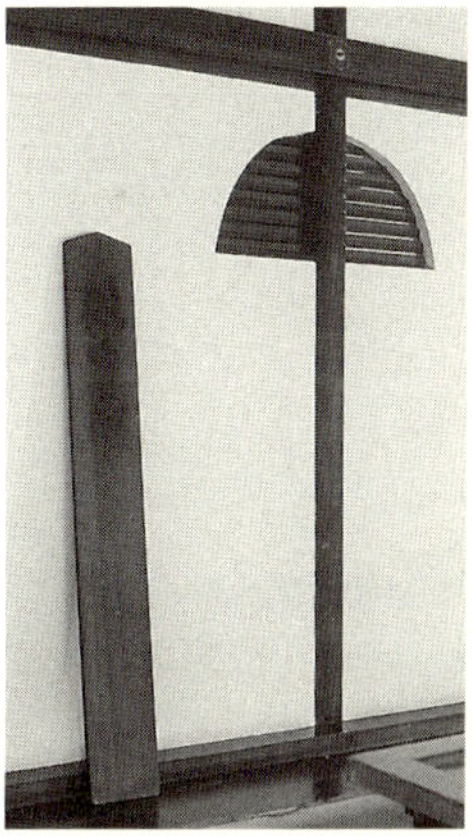
6

◉日給簡
左の木札が日給簡。平安宮内裏にある清涼殿の殿上の間にあり、名が書かれた紙が貼られた。参内した殿上人は出勤を記し、月にいちど蔵人が集計して奏上した。

画期としての宇多朝

光孝王朝の成立

仁明《にんみょう》・文徳《もんとく》・清和《せいわ》・陽成《ようぜい》天皇と続いた直系の天皇系譜が、突然途絶えた。元慶《がんぎょう》八年（八八四）二月、一七歳の陽成天皇が退位したからだ。原因は天皇自身にあった。

「散位《さんに》従五位下《じゅごいげ》源朝臣《みなもとのあそん》蔭《かげる》の男益《まさる》、殿上に侍す。猝然《そつぜん》、格殺《かくさつ》さる。禁省《きんしょう》の事秘すべし。外人知ること無し。益は帝の乳母従五位下紀朝臣全子《ぜんし》の所生也」（『日本三代実録《にほんさんだいじつろく》』）

元慶七年一一月、宮中で源益なる者（陽成天皇とは乳兄弟）が突然打ち殺されたが、禁中のことだから秘密にされた。そのため、宮中の外の人は詳しい事情を知らなかった、という内容である。しかし、この記事の背後には、何かいわくありげな影が見え隠れする。この事件を記した『日本三代実録』は正史であるから、王権にとって好ましくない内容は詳しく書けなかった。益は、陽成天皇に打ち殺されたと思われる。

この事態を承《う》けた藤原基経《ふじわらのもとつね》は、陽成を退位させた。基経は、淳和《じゅんな》天皇の子で承和《じょうわ》の変《へん》で廃太子された恒貞《つねさだ》親王に即位の意向

天皇系図（平城～醍醐）

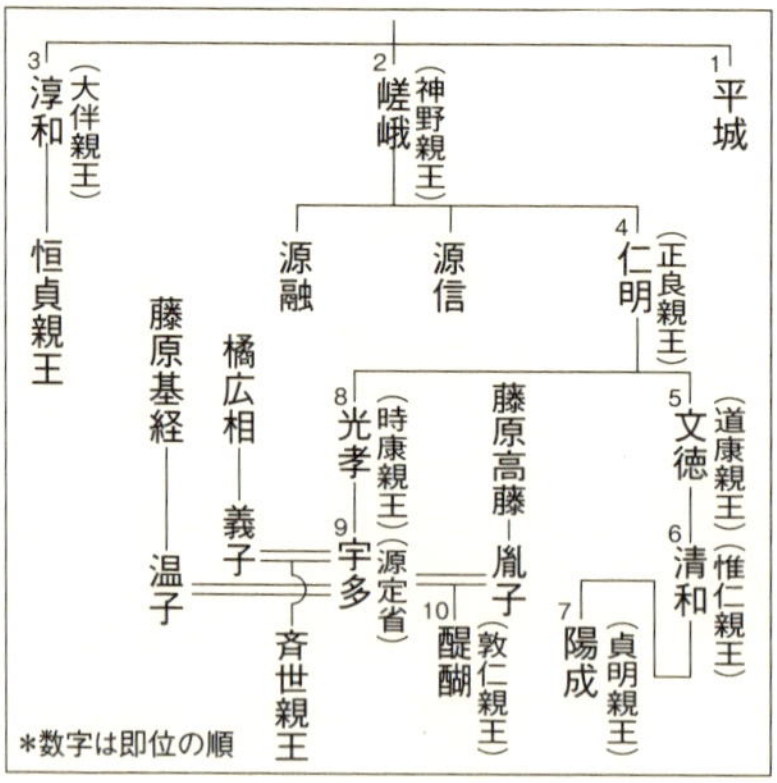

を聞いたが、親王はすでに出家していたので、この申し出を断わった（『恒貞親王伝』）。また、天皇の血を引く左大臣源融《とおる》（嵯峨《さが》天皇の皇子）が、「近き皇胤《こういん》をたづねば、融らもはべるは」とみずから天皇に立候補したが、問題にもされなかった（『大鏡《おおかがみ》』）。

かわって即位したのが、仁明天皇の子の時康《ときやす》親王（光孝《こうこう》天皇）であった。仁明天皇の王統に先祖返りしたのであるから、光孝王朝と呼ぶべきであろう。光孝は、いったん自分の息子をすべて臣籍降下させ（皇親の戸籍を離れ、臣下に下ること。ウジ名が付けられる）、つぎの天皇につける意思がないことを宣言した。

ところが、光孝は、わずか三年半ほど在位したのちの仁和《にんな》三年（八八七）八月、病がちとなったようだ。基経たち公卿は上申して皇太子を求め、光孝は死の前日、第七皇子の源定省《さだみ》を指名して親王に復し、翌日立太子させる。まさにこの日、光孝は五八歳の波瀾《はらん》に富んだ人生を閉じた。定省親王は即日即位して皇位を継承する。宇多《うだ》天皇の誕生である。宇多は、官人《かんじん》になった経験をもつ、めずらしい天皇であった。

藤原氏との対立

宇多《うだ》天皇の即位は、以後の平安時代、否《いな》、日本の歴史にとって大きな意味をもつ。宇多は即位すると父光孝《こうこう》の例に倣い、当時の慣行として藤原基経《ふじわらのもとつね》に関白《かんぱく》を授けようとした。このような場合、中国の例に倣って形式上三回ほど、要請と辞退を繰り返すのが慣例であった。

問題は、最初のときに起きた。宇多は、基経への文書を橘広相《たちばなのひろみ》に起草させたのだが、そのなかに基経を「阿衡《あこう》」に任じるという言葉が記されていた。広相にすれば、関白という言葉を中国風にいいかえたつもりだったのだろうが、阿衡には具体的な職務がないという藤原佐世《すけよ》らの意見に従って、基経は政務をボイコットしてしまう（阿衡事件）。阿衡とは、中国殷《いん》の伝説的名宰相伊尹《いいん》が任じられた職名であったから、具体的な職務の規定がないのは当然であった。なかば難癖をつけられた広相だが、この事件には複雑な背景があった。

第一に、広相は宇多の近臣で、源定省《さだみ》時代の宇多と娘の義子《ぎし》を結婚させ、子も生まれていた。しかも、宇多の即位当時、基経は娘を宇多に入内《じゅだい》させておらず、もし義子の子が即位すれば、広相は外戚になる可能性があった。

第二に、学者同士の反目があげられる。当時、藤原佐世・三善清行《みよしきよゆき》・大蔵善行《おおくらのよしゆき》など藤原氏と近い学者と、菅原道真《すがわらのみちざね》・橘広相など宇多に近い学者が、現代風にいえば学閥を形成し、互いに反目していた。ある意味で、広相の失脚は、両者の争いの延長上にあったといえる。

第三に、この点はこれまでほとんど触れられたことがないが、宇多の特殊な政治構想と関係する。事件当時、広相は参議兼左大弁であったが、文章博士《もんじょうはかせ》も兼ねていた。文章博士とは漢詩文や歴史を

7

●宇多法皇
仁和寺《にんなじ》に伝来した画像で、僧綱《そうごう》が着る高い襟の法衣をまとい、右手に倶利伽羅《くりから》龍剣、左手に念珠を握り、法衣を掛けた椅子に座っている。

大学寮で教える教官で、九世紀以降の唐風化《とうふうか》の流れを受けて重視されるようになった。しかし、参議のような高い位の公卿が文章博士を兼任することは、それまではなかった。

しかも、宇多自身の日記『宇多天皇日記』によれば、宇多は広相のことを「学士私臣」とたびたび呼んでいる。これは、宇多が文章博士を中国の翰林学士《かんりんがくし》に重ね合わせていたことを意味する。平安時代の日本では、官職を中国のそれになぞらえて呼んでいた（官職唐名）。翰林学士とは、中国皇帝が私的に置いた皇帝直属のブレーンのことで、しばしば宰相や宦官《かんがん》と鋭く対立した。おそらく天皇は、基経たち藤原氏に対抗するために、翰林学士の機能を文章博士にもたせようとしたのだろう。

しかし、藤原氏も口をつぐんでいることはできなかった。阿衡事件の結果、宇多は心ならずも広相を左遷させ、基経に詫《わ》びざるをえなくなった。そして、基経の娘温子《おんし》と結婚することで、事態の収拾を図ったのである。

宇多の政策をみると、文章博士に対する新たな構想、蔵人所《くろうどどころ》の整備、昇殿制《しょうでんせい》の創設など、近臣に関するものが多いことに気づく。このほか、和歌を詠むこともあげられる。それでは、なぜこのような政策を行なったのだろうか。

その理由は、宇多自身が藤原氏と血縁関係（外戚関係）がないために、藤原氏を排除して、みずからが政治の実権を握る親政をめざしたことにある。そのために、彼は自分の臣下をみずから育成・組織しようとしたのだ。そして、これまで私的な存在であった近臣を公の舞台に登場させたことは、以後、平安時代の歴史に大きな影響を与えることになる。

さらに宇多は唐風文化の摂取も推進した。文章博士に政治的な性格をもたせたほか、元日四《し》方拝《ほうはい》など中国的年中行事も積極的に取り入れた。これらもまた、みずからの権威をつくるために行なった改革である。

宇多天皇と菅原道真

寛平《かんぴょう》三年（八九一）正月、突然、藤原基経《ふじわらのもとつね》が亡くなった。阿衡《あこう》事件で煮え湯を飲まされた宇多《うだ》天皇は、その年の春除《はるじ》目《もく》（毎年正月に行なわれる任官儀礼）で、藤原佐世《すけよ》を陸奥守《むつのかみ》に左遷した。宇多による明らかな報復人事である。天皇は溜飲《りゅういん》を下げたことだろう。そして翌月には、菅原道《すがわらのみち》真《ざね》が蔵人頭《くろうどのとう》に任じられ、その後、道真は異例の出世を遂げていく。天皇は、ふたたび親政をめざしはじめたのだ。

宇多の道真への信頼を、あますところなく記すのが『寛平御遺誡《かんぴょうのごゆいかい》』である。そこには、醍醐《だいご》を立太子する際に道真にしか相談しなかったこと、譲位を道真に諮《はか》ったこと、そして醍醐も道真を重用すべきことなどが縷々《るる》と述べられている。

いったい日本の歴代天皇のなかで、自分の本心を素直に述べ、しかもそれを文章として残した者がどれだけいただろうか。否《いな》、天皇は、私心を表明しないこと、つまり没個性化が不文律であった。

8

◉昇殿制の象徴「殿上の間」
平安宮内裏《だいり》の清涼殿の南廂《ひさし》に設けられた間。公卿や昇殿を許された人物（殿上人）が伺候《しこう》する場所である。手前に日給簡が見える。

政治的に偏った発言をしないことが、長いあいだ培ってきた知恵なのである。

宇多・醍醐・村上《むらかみ》天皇の日記を「三代御記《さんだいぎょき》」と呼ぶが（そのものはほとんど現存しないが、逸文が多数残されている）、醍醐・村上の日記は、なんの変哲《へんてつ》もない記事が続き、おもしろみをそれほど感じさせない。ところが、宇多の日記は、起伏に富んだ感情が素直に表現されており、飽きることがない。たとえば、狩りで乱暴を働く陽成《ようぜい》上皇に対して、「悪主、国に益無し」と口を極めて罵《ののし》っている（『扶桑略記《ふそうりゃっき》』寛平元年十月二十五日条）。宇多は個性的な性格だったと思われる。

基経亡きあと、宇多の親政は成功したかにみえた。公卿には、源氏や平氏など皇室と血縁関係の深い者が多く任命されたのに対し、藤原氏からは時平《ときひら》など少数の者しか任じられず、関白も置かなかった。ところが、寛平九年七月、一三歳の敦仁《あつひと》（醍醐天皇）が元服したその日、宇多は譲位する。古来、その理由については、仏道に入るためなどといわれるが、真相は謎である。『寛平御遺誡』によれば、即位二年を経ずに譲位することを道真に諮ったが、同意を得られず、在位九年におよんでようやく本懐を遂げたという。

しかし、宇多の極端な道真びいきは、時平たちほかの公卿にとって、おもしろくなかったに違いない。道真の祖先は葬送にかかわる土師《はじ》氏で、身分制を重んじる貴族にとっては、軽視されるべき氏族であった。それが、祖父清公《きよきみ》が遣唐使《けんとうし》となったことをきっかけに重用され、ついに道真は右大臣というポストにたどり着いたのである。

ところが、昌泰《しょうたい》四年（九〇一）正月、突然、道真は大宰権帥《だざいのごんのそち》に左遷された。道真が宇多上皇を欺き、醍醐天皇を廃して、斉世《ときよ》親王を皇位につけようとしたためといわれる。真偽のほどは不明だが、道真に脇《わき》の甘さがあったことは否めない。この報を聞いた上皇は醍醐天皇に面会を求めたが、内裏の門は固く閉ざされ、入ることができなかった。宇多は門の前に終日座りつづけたが、ついに面会はかなわなかったという。こうして天皇親政をめざす宇多の政権構想は、頓挫《とんざ》した。

法皇と王権

宇多《うだ》は法皇になった以後も、いくつかの点で、後世に大きな影響を与えた。そのひとつが仏教である。宇多上皇は、昌泰《しょうたい》二年（八九九）一〇月一五日に東寺《とうじ》で灌頂《かんじょう》を受け、同月二四日には仁和寺《にんなじ》で髪を下ろし、法皇となった。法名は空理《くうり》、灌頂名を金剛覚《こんごうかく》といった。そして、同年一一月に東大寺《とうだいじ》戒壇院《かいだんいん》で受戒する。その後、延喜《えんぎ》元年（九〇一）一二月、東寺灌頂堂で大僧都《だいそうず》益信《やくしん》から伝法《でんぽう》灌頂（密教で特定の高弟に奥義を授けること）を受け、延喜一〇年九月には延暦寺《えんりゃくじ》で天台座《てんだいざ》主《す》増命《ぞうみょう》から三部大法を授けられた。ここにおいて、法皇は仏教界の最高権威者となったのである。

宇多法皇は、延喜八年五月、真寂《しんじゃく》（出家した斉世《ときよ》親王）らに両部灌頂を授けるなど、多くの付法《ふほう》弟子をもつようにもなった。延喜一三年五月には、真寂に三部大法を授け、仏教界での跡継ぎに据えている。真寂は延長《えんちょう》五年（九二七）に亡くなるが、法皇が灌頂を授けた僧侶のうち、寛空《かんくう》は法脈を拡大・相承させ、のちには広沢《ひろさわ》流と呼ばれる一大血脈《けちみゃく》を形成した。

また、法皇が仁和寺を完成・拡充したことは、注目に値する。もともと仁和寺は、仁和二年（八八六）、光孝《こうこう》天皇によって着工され、仁和四年に宇多天皇によって完成された。それまでにも、年号を冠した嘉祥寺《かしょうじ》・貞観寺《じょうがんじ》・元慶寺《がんぎょうじ》などの寺院（御願寺《ごがんじ》）がなかったわけではないが、仁和寺はそれらとは決定的に異なっていた。それは、宇多がみずからの御所のひとつとして利用したことである。日記などで「仁和寺」といえば、宇多自身を示す場合も多い。

しかも、院政期には「御《お》室《むろ》」と称され、親王などの皇室関係者が得度して御室をつとめたため、その宗教的権威はきわめて大きかった。また、仁和寺の境内には、円融寺《えんゆうじ》（円融法皇の御願寺）や円宗寺《えんそうじ》（後三条《ごさんじょう》天皇の御願寺）など歴代天皇の御願寺が数多く建立され、大きな寺院勢力を形成した。

中世日本では、王権と仏教とが互いに支え合う「王法仏法相《おうほうぶっぽうそう》即論《そくろん》」が生まれる。顕教《けんぎょう》・密教が王権の安寧《あんねい》を祈り、王権も仏教を守護するという体制である。仁和寺はその中心的寺院になるが、起源は宇多法皇にあった。俗世では宇多の政権構想は頓《とん》挫《ざ》した。しかし、仏教界では王権が仏教を掌握するとの彼の構想は成功し、中世仏教に大きな影響を及ぼしたのであった。

9

◉仁和寺の阿弥陀三尊像
仁和寺旧金堂《こんどう》の本尊であったと推定される。鋭い眼や太く深い衣文《えもん》などに平安初期彫刻の特徴を残すが、全体的にはやわらいだ和様化を感じさせる。本尊は定印《じょういん》を結ぶ。檜の一木《いちぼく》造り。

「公」から「私」へ

都城における「場」の変化

私的な近臣が、公的位置づけを与えられる現象は、じつは平安時代の政務の「場」の変化と深く関係している。まず、象徴的事例として「御曹司」という言葉を考えてみたい。この文字から思い浮かぶのは、おそらくは「オンゾウシ」と呼ばれる武士の公達《きんだち》ではないか。

しかし、「曹司」とは、本来、人物を示す言葉ではなかった。都城では「太政官曹司庁《だいじょうかんぞうしちょう》」などと称するように、官舎を意味した。それが宮中での役人や女官の部屋（局《つぼ》）の意味になり、貴族の邸内に設けられた個人用の部屋を指すようになった。

さらに「曹司」という墨書土《ぼくしょど》器《き》が、国府《こくふ》・郡家《ぐうけ》、さらには集落遺跡からも出土しており、「曹司」と名付けられた建物が、地域社会にも広がっていたことがわかる。そして一〇世紀には、豪族の建物の名称として見いだすことができ（『うつほ物語』）、その後、曹司と呼ばれる建物に居住した身分の高い人物を「御曹司」と呼ぶようになるのである。

「曹司」は、公的な用語が私的呼称に変化した例である。ほかの類例として、建物の「館」から主人を示す「御《み》館《たち》」、建物の「殿」からやはり主人を示す「殿《との》」が派生するのも同様である。それでは、どうしてこのような変化が起こったのだろうか。それは「場」の変化に原因があった。

奈良時代、天皇は大極殿《だいごくでん》に出御し、諸司や諸国の報告を決裁するのが通例であった。これを朝政といい、諸司の官人《かんじん》も毎日、朝堂院《ちょうどういん》に出向いて政務を行なった。また、各種の国家的儀礼、外交使節の謁見も大極殿で行なわれた。つまり、大極殿と朝堂院で政《まつりごと》が行なわれたのだ。一方、大極殿後方の内裏で天皇は起居し、皇后などとともに私空間を形成していた。

ところが、奈良時代末から平安時代初期になると、しだいに天皇は大極殿に出御せず、内裏にとどまるようになる。すると、議政官《ぎせいかん》たちも朝堂院にいたのでは政務に支障をきたすため、日常的に内裏に出仕し、内裏の前殿（のちの紫宸殿《ししんでん》）を政務の場とするようになった。延暦《えんりゃく》一一年（七九二）には、朝堂への出仕だけでなく、内裏への出仕も含めて、公卿の上日《じょうじつ》（勤務日数）とする制度が成立

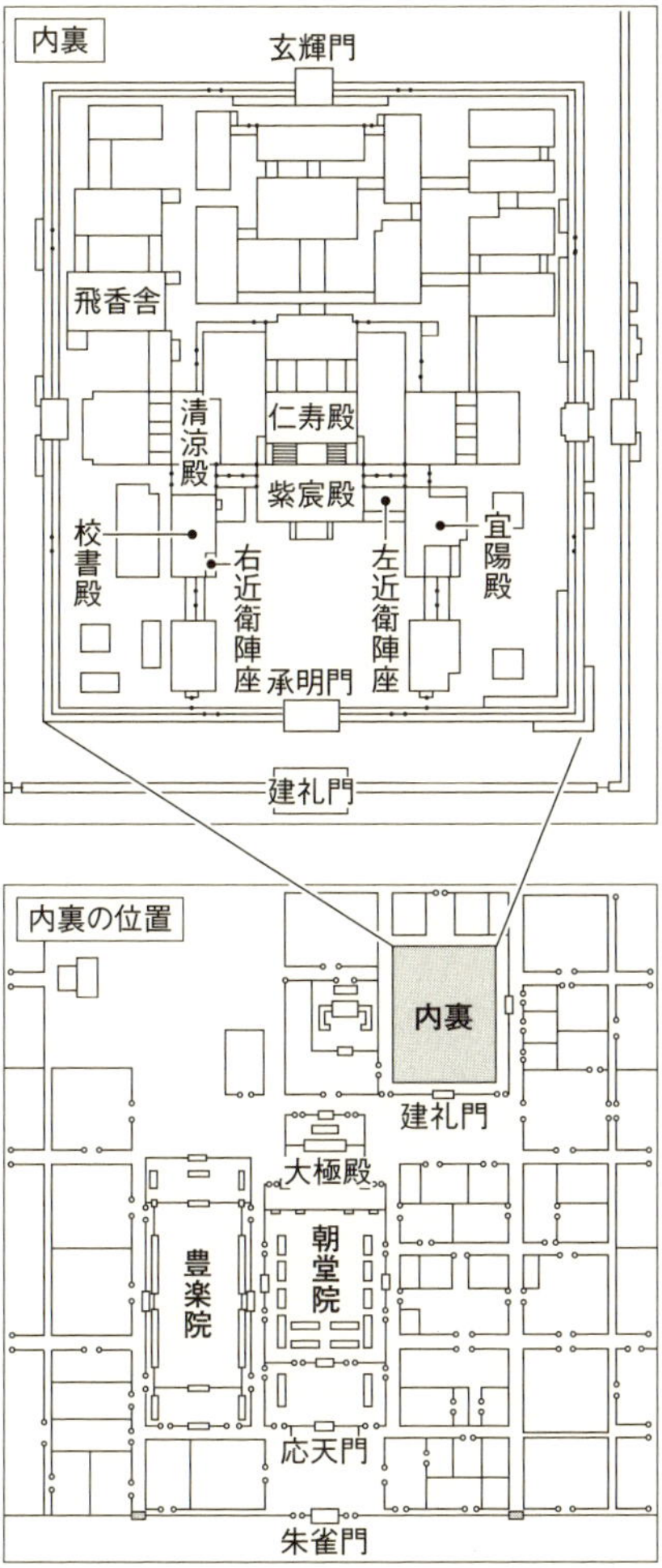

◉内裏
宮城のいちばん内側にある空間で、本来は天皇の私的な居住空間であった。しかし、内裏で政務が行なわれるようになるにつれ、政治の中心となった。

している（『類聚符宣抄《るいじゅうふせんしょう》』）。このことからも、内裏が政務の場所になったことがうかがえる。

その後、宇多《うだ》朝になると、紫宸殿の奥に位置し、天皇のプライベート性がより強かった清涼殿《せいりょうでん》が日常的な政務の場になることは、すでに述べたとおりである。また、一〇世紀後半以降、内裏がたびたび火災に見舞われると、天皇は皇居外にある外戚の住居を中心とした里内裏《さとだいり》を居所とすることもあった。政務が公的空間から私的空間に移っていったのである。

国府と郡家での変化

国府《こくふ》でも、こうした変化は起きていた。国府の中心には政務を行なう国庁《こくちょう》があり、そのまわりには倉庫群からなる正倉《しょうそう》、国司《こくし》の居所である国司館、食事を弁備《べんび》した国厨《くにくりや》などがあった。国庁は正殿と前殿からなる正庁《せいちょう》、東西の建物からなる脇殿《わきでん》で構成される。

国府が本格的に整備されるようになるのは八世紀前半で、概して九世紀前半に最盛期を迎えるが、それ以降しだいに衰微するようになる。その原因はいくつかあるが、ここでは政務の変化について述べてみたい。

本来、国府の政務は国庁で行なわれていた。しかし、しだいに政務の場は国庁から国司館に移った。永延《えいえん》二年（九八八）、尾張国郡司《おわりのくにぐんじ》百姓が尾張守藤原元命《ふじわらのもとなが》の不正を訴えた『尾張国郡司百姓等解文《おわりのくにぐんじひゃくしょうらげぶみ》』第二十六条では、

「庁頭《ちょうとう》に首《こうべ》を挺《さしいだ》さず、愁《うれい》を致す時には、館《たち》の後《うしろ》に猶《なお》し身を秘《かく》す」

と元命が国庁に赴かず、国司館に身を置いていることを指弾しているが、これは彼の非とばかりはいえず、むしろ政務の中心が国庁から国司館に移ったことを象徴的に示している。

こうした変化は、最上位の国司が受領《ずりょう》化したことに要因があるが、国庁が大極殿《だいごくでん》や朝堂院《ちょうどういん》の構造と近似するという点も見逃すべきではあるまい。つまり、正殿が大極殿、脇殿が朝堂院、そして国司が天皇に対比されているのだ。そもそも、国司の古訓は「クニノミコトモチ」であるが、この名称は天皇の命令（御《み》言《こと》）をもって在地に赴き、郡司らに伝えることが本来の任務であったことを示している。したがって、都城での「場」の性格変化に対応して、国庁から国司館へと政務の場が変化したと推定される。

一方、郡家《ぐうけ》についても同様の変化が起きた。近年、七世紀後半の評家《ひょうけ》遺構が検出されつつあるが、郡家の多くは八世紀前半に成立をみる。その配置は、国府ほど画一性はなく、多くのバリエーションがある。おおむね九世紀代前半には整備・拡充されるが、九世紀末ごろから変質しはじめ、ほとんど一〇世紀代には消滅する。

新潟県長岡市八幡林《はちまんばやし》遺跡群は、八世紀前半から一〇世紀初頭まで営まれ、「沼《ぬ》垂城《たりのき》」と記された木簡《もっかん》や、国府での告朔《こうさく》（毎月一日に事務報告を行なう儀礼）に古《こ》志君大虫《しのきみおおむし》という人物の出頭を命じた郡符《ぐんぷ》木簡が出土したことなどで知られる。遺跡の性格は、郡家・駅家《うまや》・国府関連施設な

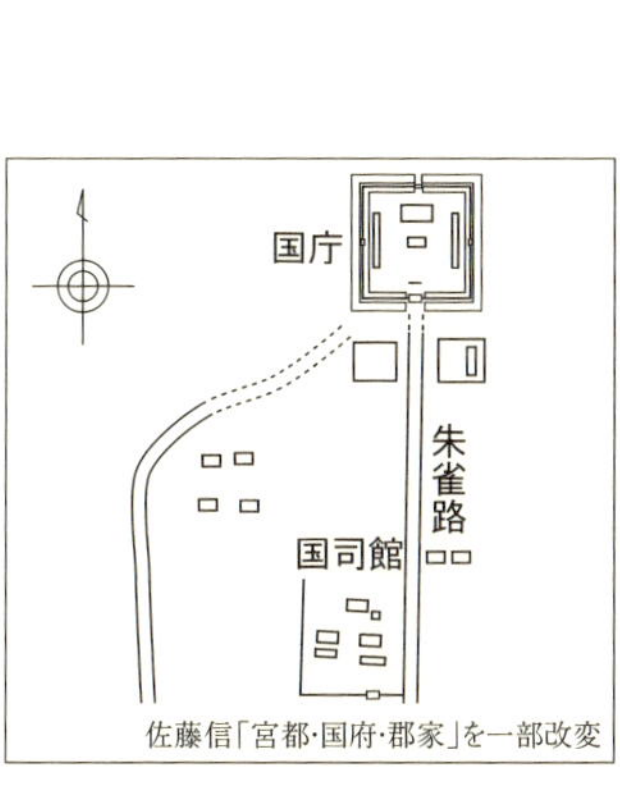

佐藤信「宮都·国府·郡家」を一部改変

◉国庁から国司館へ
下野《しもつけ》国府跡（栃木市）からは、国府のほぼ全容を知ることができる。国庁へは朱雀《すざく》路と呼ばれる道が続き、その西側には国司が居住する国司館があったらしい。

ど、いろいろな説があるが、郡家にかかわる可能性が高い。

一方、八幡林遺跡から三キロメートルほど離れた門新《かどしん》遺跡は、八幡林遺跡と交代するかのように成立し、溝や河川によって画された屋敷内からは、大型の主屋のほか、倉庫、鉄器・漆器工房、出《す》挙《こ》にかかわる木簡も検出された。実例は少ないものの、郡家の近くに領主の館が新たに成立した可能性がある。おそらく都城・国府の機能変化の影響を受け、郡家でも政務の中心が郡庁から居宅に移り、最終的には『うつほ物語』にみえる神南《かんな》備《び》種松《たねまつ》邸のような豪族居館が現われたのだろう。

このように、政務の場が、都から郡家に至るまで、公的な場所から私的な場所に移っていったことは明らかである。

貴族のイエ

「場」の変化と密接不可分の関係にあるのが、イエと家職の成立である。天皇の直系相続が九世紀前半に成立したことは次章で述べるが、上流貴族のイエは、いつごろ成立したのだろうか。

まず、九世紀の藤原《ふじわら》氏だが、弘仁《こうにん》一二年（八二一）、右大臣藤原冬嗣《ふゆつぐ》によって、勧学院《かんがくいん》が創建された。勧学院とは、藤原氏の私的教育機関である。その建立目的は、藤原氏の氏人で、身寄りのない者を救済すること、および官人《かんじん》として出身するために必要な教育を行なうことにあった。承和《じょうわ》三年（八三六）には、経済的に困窮した勧学院を支援することになるが、当時の藤原氏の公卿全員が協力している。これ以後も慣行となり、大臣以上に昇進した者は、勧学院に経済的支援をすることになった。勧学院を支えたのは、藤原北家《ほっけ》・南家《なんけ》・式家《しきけ》・京家《きょうけ》などの流派ではなく、藤原氏の全氏人を結集させる強い集団的意識であった。

こうした大学別曹《べっそう》としては、和気《わけ》氏の弘文院《こうぶんいん》、橘《たちばな》氏の学館院《がっかんいん》、在原《ありわら》氏の奨学院《しょうがくいん》なども建立された。九世紀前期から後期にかけてのウジは、変質しつつも、まだ強い血縁関係に支えられていた。ところが九世紀末になると、氏長者や氏爵《うじしゃく》（氏長者がもつ一族の任官を推薦する権利）が成立する。これはあらためてウジの結集を図るものだが、いいかえればウジの結集が弱体化したことを示している。

一〇世紀に入ると、さらにウジの結束は弱まり、イエ意識が拡大する。藤原忠平《ただひら》は、法性寺《ほっしょうじ》を建立するが、これは藤原氏の氏寺、奈良の興福寺《こうふくじ》とは異なり、忠平の直接的な血縁者を中心とする狭い意味での一門の寺であった。その後、藤原師輔《もろすけ》により楞厳院《りょうごんいん》も建立されている。氏族の構成員全員というよりも、高位高官になった者を始祖とする子孫たちの氏寺が出現したのである。

しかし、忠平が強いイエ意識をもっていたかというと、まだそこまでは至っていない。藤原師輔の日記『九暦《きゅうれき》』に、興味深い記述がある。承平《じょうへい》六年（九三六）九月二十一日条に、父忠平の言が引用されており、そこには太政大臣《だいじょうだいじん》となったことを感謝するため、忠平が醍醐《だいご》天皇と父基経《もとつね》の墓に参拝したことが記され、つぎのように続けられている。

「前々太政大臣並びに内麻呂《うちまろ》大臣の墓、某辺《ぼうへん》に在りと云々《うんぬん》、慥《たしか》に其《そ》の所《ところ》を知らず」

祖父の太政大臣藤原良房《よしふさ》、高祖父藤原内麻呂の墓が、どこにあるのかを忠平が知らなかったとは、現代の子供ならともかく驚くべきことである。この段階では、まだイエは成立していない。

では、本格的なイエは、いつごろ成立したのだろうか。それは一〇世紀中ごろ、のちに九条《くじょう》流、小野宮《おののみや》流などと呼ばれる儀式作法の流派を形成した藤原師輔・実頼《さねより》兄弟のころである。師輔は『九条年中行事』、実頼の養子実資《さねすけ》は『小野宮年中行事』を著わし、独自の年中行事や儀式をまとめあげており、この二つの門流は、ライバル関係にあった。まだ、中世のような堅い結束を伴ってはいないが、祖先崇拝や儀礼などで一定のまとまりをもつイエが、このころ成立したのだ。

家職の成立

上流貴族のイエが成立すると、連動してつぎの変化が起こった。それは、下級氏族の家職の成立である。律令《りつりょう》制の立て前からすれば、令《りょう》に基づいて官職ごとの職務内容が定められており、一定年限ごとに転勤があるため、ひとりの人物が特定部門の権益を独占できない仕組みになっていた。現在にも通じる運営方法である。

しかし、このような立て前は、しだいに顧みられなくなった。いくつか例をあげる。陰陽道《おんようどう》は、平安時代以降、天皇から庶民にまで信じられた俗信である。九世紀なかばに滋岳川人《しげおかのかわひと》が現われて基礎を築き、一〇世紀後半には賀茂忠行《かものただゆき》・保憲《やすのり》親子、そして忠行の弟子安倍晴明《あべのせいめい》が発展させ、後世に大きな影響を与えた。以降、賀茂・安倍両氏がしだいに陰陽博士を世襲《せしゅう》するようになり、鎌倉《かまくら》時代には晴明の子孫が土御門《つちみかどけ》家となり栄えることになる。

医道は、すでに一〇世紀中ごろに和気《わけ》氏が現われ、永観《えいかん》二年（九八四）、丹波康頼《たんばのやすより》により現存最古の医書『医心方《いしんぽう》』が編纂《へんさん》された。その後、一〇世紀末には、ほぼ和気・丹波両氏が医道を独占するようになった。

これらは、特殊な技能の世襲であるが、事務官についても同様の傾向にあった。太政官《だいじょうかん》の下僚に「史《し》」がある。史とは、太政官の主典《さかん》で、弁官のもとで文書の作成などを行なった。文書事務に通じている必要があったので、当初は、身分が低くても有能な事務官僚がつくポストであった。

ところが、一〇世紀末、小槻奉親《おづきのともちか》が左大史《さだいし》に任命されてから、嫡系の子孫が代々左大史に任じられるようになった。次いで、左大史のひとりが五位に任じられるようになり（大夫史《たいふし》と呼ばれる）、一一世紀末の祐俊《すけとし》のころには小槻氏は大夫史となる家柄と認められ、一二世紀初めには小槻氏だけが大夫史の地位を世襲するようになった。その結果、同氏は「官務家《かんむけ》」と称されるようになる。

こうして、多くの官職で世襲制が生まれていった。ほかの例をあげれば、明法道《みょうぼうどう》（法律家）では坂上《さかのうえ》・中《なか》原《はら》氏、外記《げき》（太政官の少納言《しょうなごん》の下にあって、詔勅の訂正、奏文の作成、儀式の遂行などを行なう）では中原・清原《きよはら》氏、明経道《みょうぎょうどう》（儒教を教授する学科）では中原・清原氏、算道《さんどう》では三善《みよし》・小槻氏などである。

世襲制が確立する時期は、早いもので一〇世紀後半、遅いものだと一二世紀中ごろと幅があるが、総

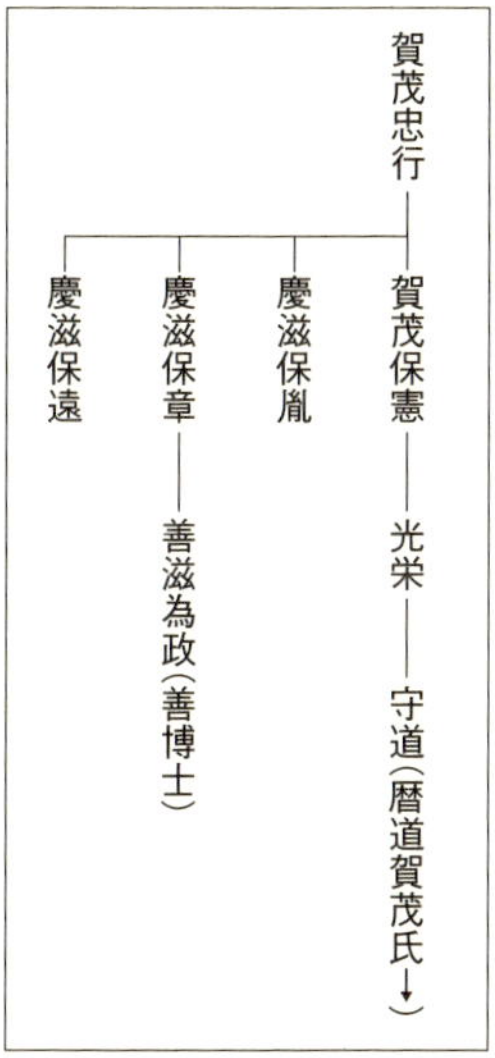

◉陰陽道を家職とした賀茂氏系図
賀茂忠行・保憲父子は著名な陰陽師で、子孫は陰陽道を家職とするようになった。安倍晴明は忠行の弟子といわれる。

じて競合氏族が少ない官職、また専門性が高い官職ほど、その時期は早いようだ。それでは、なぜ、世襲制が始まったのだろうか。

まず第一に、天皇・貴族のイエ成立の影響を受けていることは間違いあるまい。つまり、上流の階層から低い階層へ向かって、世襲制が生まれたと考えられる。

第二に、専門性の深化があげられる。律令制が導入されてまもないころは、それぞれの職に関する技術の蓄積が少なく、ある程度の能力があれば、誰でもつとめあげることが可能であった。ところが三〇〇年以上を経て、技術の蓄積が大きくものをいうようになった。

たとえば、史・外記だが、彼らの重要な職務のひとつに、弁官や公卿の求めに応じて先例を摘出する作業がある。もし経験のない氏族の者が担当したとしたらどうなるか。膨大な政務文書のなかから、似た事案に関する審議記録を抜き出すことは困難だろう。しかし、小槻・中原氏などは、祖先の代からその職務に携わっていたために相伝《そうでん》があり、『外記日記《げきにっき》』など職務にかかわる日記も残されているから、比較的容易に探し出せるに違いない。しかも、たび重なる内裏の炎上によって、官庫に蓄積されていた記録・文書類は焼失し、その写しは世襲氏族の家にしか私蔵されていないため、小槻・中原氏以外の者が史や外記をつとめることなどできなくなってしまった。

第三は、位階制の崩壊である。本来、律令制では、出勤した日数（上日《じようじつ》）や勤務態度などを総合して毎年成績（考課）をつけ、一定年限ごとに集計して官位の昇進を決めていた（考選）。当然、真面目《まじめ》に任務し、功績があれば出世できることになる。ところが、九世紀前半から、成績よりも官職をつとめた年数（年労）が重視されるようになった。最近崩れつつあるとはいえ、日本型年功序列社会の原形は、このころできあがったといえる。

このような変化が五位以上の官人《かんじん》に起きると、六位以下でも叙位システムが機械的になり、五位と六位の格差（六位の者がなかなか五位になれない状況）がより拡大し、「地下《じげ》」と呼ばれる階層が出現した。本来、律令の位階制では正六位上《しょうろくいじょう》から少初位下《しょうそいげ》まで一六階に分かれ、それぞれに対応する官職が定まっていたが、この時期になると、多くの者が正六位上と従七位上の位をもつようになり、それ以下の階層はほとんどなくなってしまった。逆にいえば、六位以下の官人と天皇や上流貴族との距離が、ますます開いたことになる。

こうした状況のもと、下級氏族が生き残っていく道は、没個性化することよりも、得意分野をもって王権や貴族に近づき、その存在意義を認められることしかなかった。各氏族が競って家職を伝習化、専門化させていった理由は、ここに求められる。天皇から下級氏族まで「家職」化することが、この時代の特色である。

これまで九世紀末から一〇世紀にかけて、「公」に「私」が入り込み、その影響を受けつつ、「場」の変化と、イエが成立する過程をみてきた。こうした変化は、じつは今日の社会とも無関係ではなく、日本人の「公」と「私」をあいまいにしがちな考え方にも大きな影響を与えている。また、崩壊しつつあるとはいえ、今日の「イエ意識」の原形とみることもできよう。

コラム1　文体としての「記」

従来、あまり注目されていないが、平安初期以降、日本で「記」という文体が出現する。初期の作品には都良香《みやこのよしか》『富士山記《ふじさんき》』、著名なところでは慶滋保胤《よししげのやすたね》『池亭記《ちていき》』、院政期には大江匡房《おおえのまさふさ》が多くの作品を残している。「記」はもともと中国で生まれた文体で、唐《とう》代以降、作成が盛んになった（『文体明弁《ぶんたいめいべん》』）。じつは、本巻でしばしば言及する『競狩記《きそいがりき》』も「記」である。文末に作成した日付を記す場合が多く、物事をありのままに描写すること（実録）が特徴である。

菅原道真《すがわらのみちざね》も『書斎記《しょさいき》』を著わしている。自分の書斎や、文章を著わす様子などを事細かく記したもので、寛平《かんぴょう》五年（八九三）七月一日の日付をもつ。それまでの日本には、日常生活や自分自身のことを散文に記す習慣はほとんどなかったが、ようやく自己を省察し、個人的な事柄を文章化することが始まったのだ。

九世紀後半には日記が書かれるようになり、一〇世紀前半には『土佐日記《とさにっき》』などの仮名書きの散文が現れる。「記」の出現は、「私」を記す時代が到来したことを象徴している。

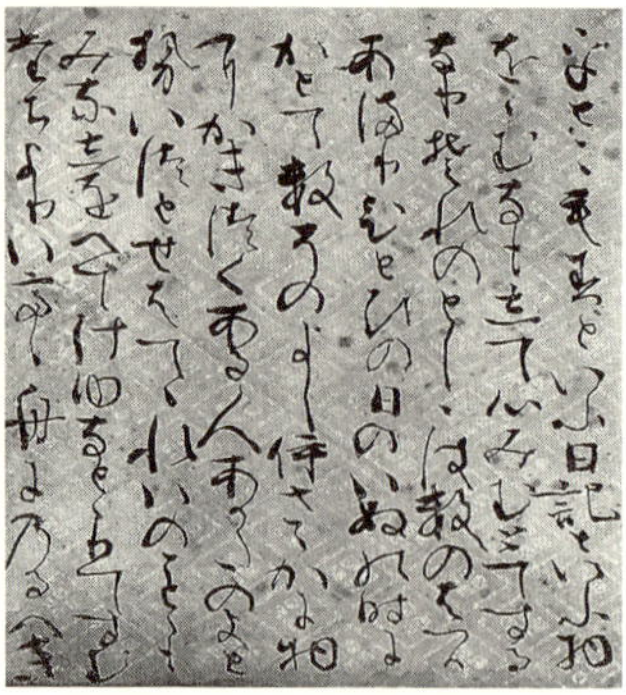

◉『土佐日記』（藤原定《ふじわらのさだ》家《いえ》自筆本）
紀貫之《きのつらゆき》が旅の途中で書いたメモに基づき、仮構を交えつつ書いた最古の和文日記。承平《じょうへい》五年（九三五）頃の成立と考えられる。

第二章

古代国家の変容

1

変質する天皇

天皇と上皇の共存

延暦《えんりやく》二四年（八〇五）一二月、死を目前にした桓武《かんむ》天皇は、二人の近臣を殿上《てんじょう》に呼び寄せた。父である光仁《こうにん》天皇の即位に功績のあった藤原百川《ふじわらのももかわ》の子緒《お》嗣《つぐ》と、渡来人の血を引く菅野真道《すがのまみち》である。桓武は二人に、「軍事と造作《ぞうさく》」を今後も続けるべきか否《いな》かを質問した。ここでいう「軍事」とはエミシとの戦争のこと、「造作」とは平安京《へいあんきょう》の造営を指す。

この問いに対して、緒嗣は、「いま、天下の人々が苦しんでいるのは、軍事と造作です。この二つの事業をやめれば、人々は安心して暮らせるでしょう」と答え、真道は反対にそれらの続行を進言した。結局、桓武は緒嗣の意見にしたがって、軍事と造作をやめた。識者はこのことを伝え聞いて、皆、感嘆したという。この一連の問答は徳政《とくせい》論争と呼ばれ、「軍事と造作」の廃止が、桓武天皇のもろもろの政策の終焉《しゅうえん》となった。

◉炎上する応天門
応天門《おうてんもん》は平安宮朝堂院《へいあんきゅうちょうどういん》の南にあり、朝集殿院《ちょうしゅうでんいん》の正門にあたる。重層の入母屋《いりもや》造り、瓦葺《かわらぶき》で、内裏《だいり》を象徴する門であった。（『伴大納言絵巻《ばんだいなごんえまき》』）
前ページ写真

2

◉桓武天皇
冠をかぶり、金糸の刺繡《ししゅう》のある衣装を着、笏《しゃく》を持って玉座に座る平安貴族風（和風）の姿で描かれている。巨勢広貴《こせのひろたか》（弘高）筆と伝えられる。

徳政論争から三か月ほどのち、桓武は、波瀾《はらん》に富んだ七〇年の生涯を閉じた。『日本後紀《にほんこうき》』は、桓武のことをつぎのように評している。

　宸極《しんきょく》に登りてより、心を政治に励まし、内に興作《こうさく》をこととし、外に夷狄《いてき》を攘《はら》う。当年の費《ついえ》といえども、後世の頼みなり。

桓武は、即位したのち、政務に心を砕き、造都と征夷を積極的に行なった。その費用は莫大《ばくだい》であったが、後世の基礎を築き上げた、という意味である。桓武天皇の残した遺産から、平安時代の歴史は逃れることができなかったのだ。

桓武天皇の死後、大同《だいどう》元年（八〇六）に即位したのが桓武の子安殿《あて》親王（平城《へいぜい》天皇）であった。母は藤原乙牟漏《おとむろ》である。彼は、即位と同時に同母弟の神野《かみの》親王（のちの嵯峨《さが》天皇）を皇太弟に立てた。平城天皇には、葛井藤子《ふじいのふじこ》を母とする阿保《あぼ》親王（在原業平《ありわらのなりひら》の父）や、伊勢継子《いせのつぎこ》を母とする高岳《たかおか》親王（のちに嵯峨天皇の皇太子となるが、薬子《くすこ》の変《へん》で廃された）がいたが、いずれも母の身分が劣り、皇太子に立てられなかった。天皇となる者の資格は、基本的には父が天皇で、母も皇族もしくは藤原氏出身者

天皇系図（光仁～仁明）

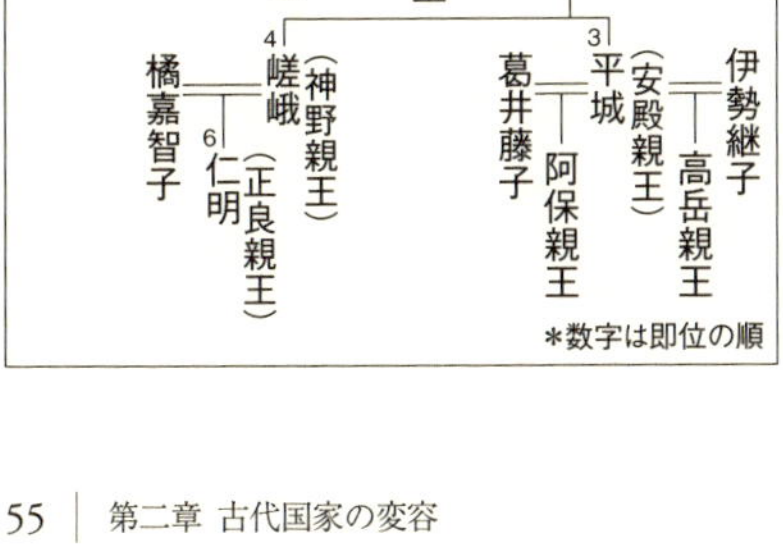

に限られていたのだ。

翌大同二年には、桓武と藤原吉子《きっし》（南家《なんけ》藤原是公《これきみ》の娘で、大納言藤原雄友《おとも》の妹）とのあいだに生まれた伊予《いよ》親王が、謀反の罪で捕らえられ、母とともに長岡京《ながおかきょう》の川原寺《かわらでら》に幽閉されて、自殺するという事件が起きた。

当時、無念の思いを抱いて亡くなった者の魂は、怨霊《おんりょう》になると信じられていた。すでに、平城天皇は、延暦二年に起きた藤原種継《たねつぐ》の暗殺事件で、無念の涙を呑《の》んで亡くなった早良《さわら》親王の怨霊に悩まされたという経験があり、さらに伊予親王親子の祟《たた》りをも恐れるようになった。彼は軽い神経症を病んでいたらしく、治世わずか四年ほどで皇位を弟の神野親王に譲り、大同四年四月、上皇となった。即位した嵯峨天皇は、すぐに平城上皇の子高岳《たかおか》親王を皇太子とした。まだ、この段階では、嵯峨天皇には皇子が誕生していなかった。

ところが、譲位した平城上皇が、寵愛《ちょうあい》していた藤原薬子《くすこ》を連れて、平城京《へいじょうきょう》をめざしたのだ。平城京では、すでに薬子の兄仲成《なかなり》が改修工事に取り組んでいた。仲成・薬子は藤原式家《しきけ》の出身で、長岡《ながおか》京《きょう》造営中に暗殺された種継の子であった。平城は、もう一度皇位をめざしたのである。

こうした上皇側の行動は、いやがうえでも天皇側の緊張感を高めた。嵯峨天皇は、弘仁《こうにん》元年（八一〇）に巨勢野足《こせののたり》と藤原冬嗣《ふゆつぐ》を蔵人頭《くろうどのとう》に任命し、天皇から太政官《だいじょうかん》への命令系統を確保した。薬子は当時、尚侍《ないしのかみ》（天皇の命令を伝える女官）であったから、秘密漏洩《ろうえい》を防ぐために嵯峨天皇側がとった対抗策と思われる。一方の平城上皇も、観察使《かんさつし》を廃止し、参議号《さんぎごう》を復活させた。上皇と親しい参議を太政官に送り込む目的だったのだろう。

だが、ここに大きな疑問が生じる。上皇である平城が、観察使を廃止し、参議号を復活させることができたのか、という疑問である。なぜなら、院政期の上皇は絶大な権力をもってはいたが、国政に直接関することは、たとえ形式的にせよ、天皇を介さねばならなかったからである。しかし、当時の上皇は、天皇と同等に勅や詔《みことのり》を独自に出すことができた。つまり、天皇と上皇のあいだに、明確な差が設けられていなかったのだ。平城と嵯峨のように、上皇と天皇が権力争いを演じた例としては、奈良時代末の道鏡《どうきょう》との関係で有名な孝謙《こうけん》上皇と、淳仁《じゅんにん》天皇が思い浮かぶ。

さて、九月になると、上皇は平城京への遷都を企てた。平城上皇がこのような挙に出ては、天皇も黙って見過ごすわけにはいかない。嵯峨は薬子を解任し、仲成を逮捕し射殺した。上皇は、東国に脱出して再起を図ろうとしたが、坂上田村麻呂《さかのうえのたむらまろ》をはじめとする天皇側の軍隊に行く手を阻まれ、ついに出家する。薬子も毒を仰いで自殺した。これが薬子の変である。

薬子の変の原因について強調しておきたいのは、「二所朝庭《にしよちようてい》（二か所の朝廷）」（『日本後紀』弘仁元年九月条）といわれたように、律令《りつりよう》上で、天皇と上皇が同等の権力をもてるという構造上の欠陥である。しかも、一度退位した上皇がふたたび即位した称徳《しようとく》天皇の前例もあり（孝謙天皇が重祚《ちようそ》）、不思議でもなんでもなかった。嵯峨天皇は、みずからの問題として、天皇と上皇が共存する事態を解決しなければならない立場に立たされたのである。

兄弟相続から父子相続へ

薬子《くすこ》の変《へん》により、皇太子の高岳《たかおか》親王は廃された。かわって皇太子になったのが、嵯峨《さが》天皇の異母弟大伴《おおとも》親王（のちの淳和《じゅんな》天皇）であった。嵯峨と淳和の確執は、ここに端を発するのだが、それはまだ先のことである。大伴が立太子したときには、まだ嵯峨天皇に子がいなかったからである。

ところが、それからまもなくして、嵯峨天皇と橘嘉智子《たちばなのかちこ》のあいだに、正良《まさよし》親王（のちの仁明《にんみょう》天皇）が誕生する。そして、弘仁《こうにん》六年（八一五）七月には、嘉智子が皇后となった。このことは正良が嵯峨の正嫡と認められたことを意味する。反対に、大伴親王の立場は危ういものとなった。正良を立太子するには、どうしても大伴が邪魔なのだ。大伴は嵯峨に対して、恭順の意を示すほかなかった。表面上、嵯峨と大伴の関係は、穏やかであった。あるいは、平城《へいぜい》上皇とのような確執を繰り返したくないという、嵯峨の思惑《おもわく》があったのかもしれない。

弘仁一四年、嵯峨天皇は譲位し、大伴皇子が即位した。淳和天皇である。ここで注目したいのは、嵯峨上皇がとった行動である。彼は、内裏《だいり》を離れて嵯峨院に隠居し、影響力を残しつつも直接政治に関与しなくなった。これは、平城上皇と同じ道を歩くことを避けようとした結果であろう。こうして上皇の権力は後退し、天皇の地位が上皇よりも高くなる状況が生まれた。

しかし、同時期に興味深い儀式も生まれた。朝覲行幸《ちょうきんぎょうこう》である。朝覲行幸とは、隊列を整えて、天皇が父の上皇ならびに母の皇太后に年始の挨拶《あいさつ》を行なう行幸のことである。初見は、大同《だいどう》四年（八〇九）に嵯峨天皇が平城上皇のもとを訪れたときであるが、恒例化するのは、仁明天皇が淳和上皇を訪問した承和《じょうわ》元年（八三四）からであった。

行幸の目的は、天皇が上皇に対して孝行の道を示すことであったが、見方を変えれば、形式的に上皇が天皇家の長として皇室の頂点に立つことを意味する。この時代には顕在化しないが、院政期にはこの特権を活《い》かして、上皇が天皇をコントロールしたり、天皇の権力に介入するようになる。その意味で、朝覲行幸の成立は軽視できない。

さて、平城・嵯峨とは兄弟にあたる淳和天皇は、すでに亡くなっていた妻の高志《こし》内親王に皇后の位を贈った。これは明らかに、彼女とのあいだにできた恒世《つねよ》親王を優遇、つまり皇太子につける布石である。こうなると、今度は正良親王の地位が危ういものとなりはじめた。ところが、恒世《つねよ》親王は天長《てんちょう》三年（八二六）に亡くなってしまう。

そこで、淳和天皇が白羽の矢を立てたのが、恒貞《つねさだ》親王であった。だが、彼は天長二年生まれ。若すぎた。それでも淳和は、恒貞の母で、嵯峨上皇の娘であった正子《せいし》内親王を皇后につけた。淳和は何がなんでも、恒貞を即位させたいと考えていたに

3

◉朝覲行幸
正月二日頃、天皇が上皇・皇太后に年始の挨拶を行なう行幸のこと。武官に護《まも》られ、紫宸殿から行幸しようとする天皇の姿が描かれる。（『年《ねん》中行事絵巻《じゅうぎょうじえまき》』）

違いない。

天長一〇年、淳和天皇は正良親王に譲位する。仁明天皇である。そして、彼はただちに恒貞親王を皇太子とした。正良を即位させるかわりに恒貞を皇太子とするよう、嵯峨上皇・淳和天皇・正良親王のあいだで、談合がもたれたのかもしれない。

こうしてみると、嵯峨以降、天皇と皇太子の関係は父子関係になく、伯父《おじ》・甥《おい》の関係が繰り返されていたことがわかる。そして、いずれの場合も、即位して甥を皇太子にすると、自分の妻を皇后につけ（死去している場合は贈位）、自分の子供が将来皇太子になるよう担保としたのであった。

嵯峨と大伴（淳和）、淳和と正良（仁明）のあいだは、薬子の変の反省もあってか、事は穏便に運んだ。しかし、承和七年に淳和上皇、そして、承和九年に嵯峨上皇が相次いで亡くなると、この微妙なバランスは、一気に崩れ去ってしまう。

藤原良房の覇権

仁明《にんみょう》天皇は、藤原冬嗣《ふじわらのふゆつぐ》の娘順子《じゅんし》と結婚し、道康《みちやす》親王（のちの文徳《もんとく》天皇）をもうけていた。皇太子恒貞《つねさだ》は、道康よりもわずか二歳年上。しかも、順子の兄藤原良房《よしふさ》が政界で躍進し、権力を握るに従

天皇系図（平城～陽成）

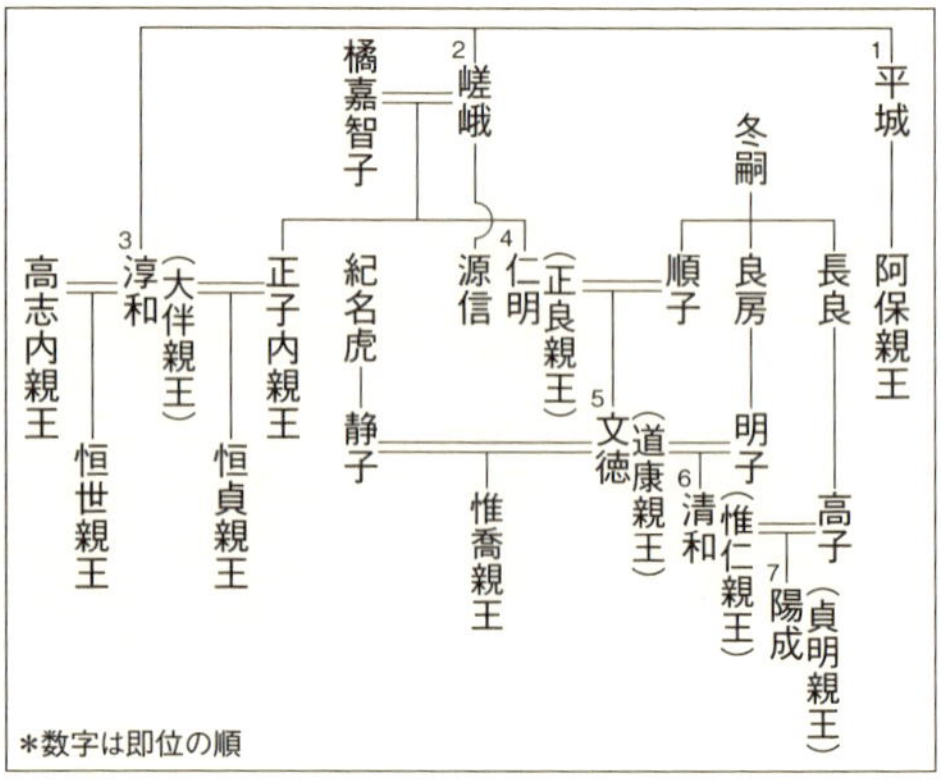

＊数字は即位の順

って、しだいに孤立化していった。頼りは父淳和上皇《じゅんなじょうこう》であったが、その上皇も承和《じょうわ》七年（八四〇）に亡くなり、頼るべき後ろ盾を失った。

そのような折、嵯峨《さが》上皇の妻橘嘉智子《たちばなのかちこ》に、阿保《あぼ》親王（平城《へいぜい》上皇の子、在原業平《ありわらのなりひら》の父）から一通の密書が届いた。内容は、嵯峨上皇が亡くなる直前、春宮坊《とうぐうぼう》（当時の春宮は恒貞親王）につとめていた伴《ともの》健岑《こわみね》が訪ねてきて、上皇の死をきっかけとして恒貞親王を押し立て、東国で反乱を計画しているので協力してもらえないか、というものだった。驚いた嘉智子は、密書を藤原良房に渡し、事件が発覚した。

ただちに兵士が内裏を警護し、伴健岑・橘逸勢《はやなり》たちが逮捕された。拷問による自白をもとに、恒貞親王が皇太子の地位を追われたほか、春宮坊の官人《かんじん》六〇人あまりが処罰され、大納言藤原愛発《あらち》・中納言藤原吉野《よしの》・参議文室秋津《ふんやのあきつ》らも流罪となった。事件のあとには、大納言に藤原良房、中納言に源信《みなもとのまこと》が任命され、かわって道康親王が皇太子となった。この事件を承和の変《へん》（八四二年）と呼ぶ。

承和の変が起きた背景に、皇位をめぐって嵯峨・仁明という父子と、嵯峨・淳和という兄弟の確執があったことは確かであろう。春宮坊に淳和上皇の近臣である愛発・秋津などが集まって恒貞を盛り立てる一方、仁明に近い良房などは、参議や衛府《えふ》などの重要なポストに取り立てられ、それぞれがひとつの勢力を形成していた。それが、淳和・嵯峨上皇の死をきっかけとして、主導権争いに発展したのが事件の真相とみられる。

この事件でもっとも利益を得たのは、良房であった。良房の仕掛けた疑獄事件のにおいがしなくもない。娘婿《むこ》の道康親王が皇太子となり、藤原愛発・吉野が流罪となって、政敵が一挙にいなくなったからである。

一方、貞観《じようがん》八年（八六六）閏《うるう》三月、何者かによって、応天門《おうてんもん》（朝堂院《ちようどういん》の正門）に火がかけられた。当初、大納言伴善男《とものよしお》と右大臣藤原良相《よしみ》は、左大臣源信を犯人として訴えた。ところが、大《おお》宅鷹取《やけのたかとり》という人物が、善男の子の中庸《なかつね》が放火犯であると逆に告発した。善男は否定したが、彼の家司生江恒山《いくえのつねやま》らが拷問され、善男父子が真犯人だと自白する。その結果、善男父子は罪を問われ、彼の近臣とともに配流された。この事件を応天門の変という。これにより大化前代からの名族であった伴氏は没落の道を歩んだ。

この事件の真相はよくわからない。しかし、この事件をうまく利用したのも、やはり藤原良房であった。善男はいうにおよばず、訴えられた源信も出仕しなくなり、良相も辞意を表わして翌年には亡くなった。さらにこの年、良房の兄長良《ながら》の娘高子《たかいこ》（陽成《ようぜい》天皇の母）が、清和《せいわ》天皇と結婚している。この事件をきっかけとして、良房の権勢はゆるぎないものとなったのだ。

4

幼帝の成立

嘉祥《かしょう》三年（八五〇）三月、仁明《にんみょう》天皇が亡くなり、皇太子であった道康《みちやす》親王が即位した。文徳《もんとく》天皇である。そして即位の直後、藤原良房《ふじわらのよしふさ》の娘明子《めいし》を母とする、文徳の第四皇子惟仁《これひと》親王が生まれた。

問題は、皇太子を誰にするかであった。文徳には、すでに、紀名虎《きのなとら》の娘静子《しずこ》を母とする第一皇子の惟喬《これたか》親王がいた。しかし、彼はわずかに七歳。だが、順当にいけば、第一皇子の惟喬が皇太子になるはずであった。しかも、文徳は藤原氏の血筋を色濃く引いているにもかかわらず、惟喬を皇太子につけたかったようだ。しかし、母静子は名族とはいえ、紀氏の出身であり、外祖父の名虎もすでにこの世にいない。母の身分が劣るのは否《いな》めない事実であった。

惟喬親王の立太子に待ったをかけたのが、文徳天皇にとっては岳父にあたる藤原良房であった。時に良房は右大臣正三位の四七歳。第四皇子ではあったが外孫である惟仁親王を、良房は皇太子とした。そのときに流行した童謡《わざうた》（時の政府の批判や、事件・異変を予兆する歌）が、つぎの歌である。

大枝《おおえ》を超えて走り超えて躍《お》どり騰《あ》がり超えて、我や護《まも》る田にや、捜《さぐ》り漁《あさ》り食《は》む鴫《しぎ》や、雄々《おお》い鴫や

（『日本三代実録《にほんさんだいじつろく》』清和天皇即位前紀）

（大きな枝を越え、走り越えて、おどりあがりて越えて、私が守っている田で餌を探し食べている鴫よ、

◉炎上する応天門を見物する宮人たち
朱雀門を介して朱雀大路とつながる重要な応天門が放火され、伴氏没落のきっかけとなる。（『伴大納言絵巻《ばんだいなごんえまき》』）

雄々しい鳴よ）

「大枝」とは皇太子を意味する「大兄《おおえ》」を掛けた言葉である。したがって、長兄の惟喬親王を超えて、惟仁親王が皇太子になることを暗示した歌であると解釈された。

文徳天皇は、聡明《そうめい》で政務にも熱心であったが、病弱であった。また、良房に政務の肝心なところを牛耳《ぎゅうじ》られ、鬱々《うつうつ》とした日々を過ごしていたと思われる。天安《てんあん》二年（八五八）八月、三二歳の短い生涯を閉じたのであった。

惟仁親王は、わずか九歳で即位することとなった。清和《せいわ》天皇である。ここに日本史上初めて、幼帝が誕生した。それでは、なぜ、幼帝が即位したのであろうか。じつのところ日本史上で、もっと早く幼帝が出現してもよい時期があった。その人物は首皇子《おびとのおうじ》（のちの聖武《しょうむ》天皇）である。

慶雲《けいうん》四年（七〇七）、文武《もんむ》天皇が若くして亡くなったとき、文武の子首皇子は、当年七歳。即位の可能性がなかったわけではない。しかし、即位したのは文武の母元明《げんめい》天皇であった。首の母藤原宮子《みやこ》は、文武の夫人《ぶにん》にすぎなかったし（皇后ではない）、何より奈良時代初めには、天皇にはみずから国務を遂行する能力が求められていた。その結果、首皇子は、元明天皇の娘である元正《げんしょう》天皇を経て、二四歳でようやく即位したのであった。

ところが、九世紀なかばには、まったく異なる政治状況が展開していた。第一に、惟喬親王を押さえ込んだため、惟仁以外に有力な皇位継承者がいなかったことだ。では、元明天皇のように、女帝の可能性はなかったのだろうか。女帝が出現する最大の理由は、男性の皇位継承候補者に、なんらかの支障があった場合である。女帝の条件とは、一般的には直系天皇の生母もしくは直系天皇の同母姉妹であった。したがって、文徳が亡くなった時点での有資格者は、清和天皇の祖父仁明天皇の同母姉で、淳和《じゅんな》天皇の皇后でもあった正子《せいし》内親王しかいなかった。しかし、彼女は、承和《じょうわ》の変《へん》で皇太子の地位を追われた恒貞《つねさだ》親王の母であったから、即位の可能性はなかった。

第二に、良房の権力の強大さである。清和が即位する前年の天安元年、彼は太政大臣《だいじょうだいじん》に任じられている。おそらく、清和の即位をにらんでのことだろう。あるいは、実質的な摂政《せっしょう》とみることもできるかもしれない。

第三に、文徳のあまりに早い死である。もし、文徳が四〇歳過ぎまで存命でいれば、清和も首皇子のように、成年天皇として即位できたはずであった。

幼帝が生まれる条件は、何よりも政界が安定していなければならない。仁明・文徳と父子間で皇統が相続され、兄弟相続による皇位継承争いが回避できるようになったことも大きく作用している。以後、陽成《ようぜい》・朱雀《すざく》・円融《えんゆう》など、一〇歳前後の天皇が

5

◉『伴大納言絵巻《ばんだいなごんえまき》』に描かれた清和天皇と藤原良房
伴善男の処分をめぐって会談する清和天皇(左)と良房(右)。この絵巻は平安末期に成立、絵は常盤光長《ときわみつなが》、詞書は藤原教長《のりなが》と推定される。

誕生し、永万《えいまん》元年（一一六五）には、わずか二歳で即位した六条《ろくじょう》天皇まで出現する。

天皇の歴史からみて、清和天皇の意義は小さくない。こうした幼帝の出現は、血統として天皇になる資格を有していれば、その人物の年齢や個人的資質に関係なく即位できるようになったことを意味する。いわば天皇の機関化である。

さらに、幼帝の存在は、天皇が政治に直接かかわらないという意味を植え付けるのに、大きな役割を演じた。民俗学的にいえば、子供は神、もしくは神の使者である。日本の祭礼に多くの子供が、たとえば稚児行列のような形で出演するのは、このためである。したがって、天皇制に対して、神聖性のイメージが増幅されたと考えられる。

従来、清和の即位についてはあまり注目されず、どちらかというと藤原良房の後見について、摂関政治の開始、あるいは外戚の成立として着目されてきた。しかし、天皇制からみれば、幼帝の成立は見過ごすことのできない変革であり、以後の日本の歴史において大きな役割を果たした。

摂政と関白

摂政とは、幼帝にかわって政務を執り行なう職のことであるが、その始まりは明らかではない。貞観《じょうがん》八年（八六六）に、藤原良房《ふじわらのよしふさ》に対して天下の「政《まつりごと》を摂行《せつぎょう》（執り行なうこと）」させたことがみえるが、応天門《おうてんもん》の変《へん》の対応を命じたとみるべきである。

それに対して、清和《せいわ》天皇が陽成《ようぜい》天皇に譲位した際の宣命《せんみょう》では、藤原基経《もとつね》に対して、陽成はまだ幼くてみずから政治を行なえないので、「政を摂《と》り行なうこと」は、良房が朕《ちん》（清和）を補佐したようにせよと命じている。清和が即位した直後から、良房は、後世の摂政に相当する役割を果たしていたようだ。したがって、摂政の創設が清和朝であったことは確認できるが、その時期と機能については、現在のところ特定できないのだ。

一方、関白とは、成人した天皇にかわって、いっさいの政務を取りしきる職のことである。陽成天皇にかわって即位した光孝《こうこう》天皇は、即位に尽力してくれた基経の処遇に苦心したらしい。彼はすでに太政大臣《だいじょうだいじん》であったから、それ以上の厚遇を与えるのは困難であった。そこで、元慶《がんぎょう》八年（八八四）六月、彼に対して「今日から太政官に座って、すべての政務を統括し、朕（光孝）を助け、すべての官司を統率せよ」と宣命を下し、「朕への奏上《そうじょう》や、命令の下達については、必ずまず基経に諮《はか》れ」と命じた。

ここに「関白」という言葉はみえないが、仁和《にんな》三年（八八七）一一月、宇多《うだ》天皇が即位した直後の宣命では、基経に対して、大小の政務やすべての官司を束ね、太政大臣（基経）に「関《あず》かり白《もう》し」、その後に

●摂政と関白

藤原良房が摂政、藤原基経が関白に任命されたことが最初である。藤原実頼《さねより》の関白就任以後、摂関政治が本格化する。

即位年	天皇	摂政	関白	おもな出来事
858	清和	良房 基経		応天門の変（伴氏・紀氏失脚）
877	陽成	基経		
884	光孝		基経	
887	宇多		基経	阿衡事件（橘広相を処罰） 菅原道真が蔵人頭に
897	醍醐			昌泰の変（菅原道真を左遷）
930	朱雀	忠平	忠平	天慶の乱
946	村上		忠平	
967	冷泉		実頼	
969	円融	実頼 伊尹	兼通 頼忠	安和の変（源高明を左遷） 兼通・兼家の対立
984	花山		頼忠	
986	一条	兼家 道隆	兼家 道隆 道兼	道長が内覧に
1011	三条			
1016	後一条	道長 頼通	頼通	
1036	後朱雀		頼通	
1045	後冷泉		頼通 教通	
1068	後三条		教通	藤原氏と外戚関係のない天皇の誕生

奏上・下達することは、「旧事」のとおりにせよと命じている。この「旧事」とは、元慶八年の宣命を指すと考えられるので、実質的にはこの宣命をもって、関白の成立とみるべきだろう。

見えない天皇

奈良時代以前の天皇は、みずから活動する王であった。たとえば、天武《てんむ》天皇元年（六七二）に起きた壬申《じんしん》の乱《らん》の際、大海人皇子《おおあまのおうじ》（のちの天武天皇）はみずから甲冑《かっちゅう》をつけて、近江《おうみ》軍（大友皇子《おおとものおうじ》の率いる軍）と戦い、勝利をおさめた。その後、天武天皇は、「大君《おおきみ》は　神にしませば…」と『万葉集《まんようしゅう》』でうたわれる専制君主となったが、彼を神聖な王、そして英雄とみる原因に、壬申の乱での活躍があったことは否定できない。また、聖武《しょうむ》天皇は、天平《てんぴょう》一二年（七四〇）から五年間にもわたり、平城京《へいじょうきょう》から恭仁京《くにきょう》・紫香楽宮《しがらきのみや》・難波京《なにわきょう》、そして平城京へと遷都を続けた。

律令制《りつりょうせい》に、雑徭《ぞうよう》と呼ばれる力役《りきえき》がある。賦役令《ぶやくりょう》の規定によれば、国司《こくし》のもとで成年男子に六〇日以内の雑役《ぞうやく》が課されるのだが、『日本書紀《にほんしょき》』には、「クサグサノミユキ」との傍訓《ぼうくん》がつけられている。もともと日本では、天皇の「ミユキ」、つまり行幸《ぎょうこう》にかかわる雑役があり、それが中国の制度と融合して、雑徭という力役が生まれたのではないかという。古い時代には大王、そして天皇は、行幸をはじめとしてさかんに移動したのであった。

古代社会では、統治する土地を巡見することによって、支配を確認する「国見《くにみ》」という儀礼が行なわれた。第七章で述べるように、「見る」「見られる」という行為には、呪術《じゅじゅつ》的意味合いがあった。

天皇（大王）が行幸する目的は、自己の権力を誇示するだけではなかったのである。

ところが平安時代になると、この傾向は大きく変わる。たしかに桓武《かんむ》・嵯峨《さが》天皇は、狩猟などの行幸を数多く行なったが、以後の天皇は、朝覲行幸《ちようきんぎようこう》などの小規模な行幸は行なったものの、平安京《へいあんきよう》を離れるような大規模な行幸は行なわなくなった。なぜなら、政権が安定し、奈良時代以前のように、行幸によって直接民衆に、王権の権威を誇示する必要がなくなったためでもある。

それればかりか、天皇は平安宮を動かなくなり、宮中深くにいて、人々の前にさえ姿を現わさなくなった。こうなると逆に、姿を現わさないことが、天皇の神秘性や清浄性を増大させることになる。

明治時代以前の天皇は、後醍醐《ごだいご》天皇など一部の例外を除けば、人々の前に姿を見せないのを常としたが、その原形はこの時期に形成されたといえる。

6

◉顔を見せない天皇
束帯姿で仁寿殿《にんじゆでん》の東に列立して天皇を拝する公卿たち。後方には高舞台《たかぶたい》が設けられている。天皇（の顔）を描くことはばかりがあると考えられ、描写しない絵巻も多い。（『年中行事絵巻《ねんじゆうぎようじえまき》』）

唐風化への道

名前が変えられた建物

唐風化《とうふうか》政策は、九世紀初めの嵯峨《さが》朝から始まったわけではなく、藤原仲麻呂《ふじわらのなかまろ》、そして桓武《かんむ》天皇なども積極的に推進した。しかし、それを総体的に推し進めたのは嵯峨天皇であった。

平安時代になると朝廷の儀式が整えられたが、その画期は嵯峨朝にある。儀式というと、なにか堅苦しく、毎回同じことを繰り返す単調な儀礼というイメージがある。しかし、毎回同じことを繰り返すことによって、上下関係や秩序を参加者に認識させるという効果があり、意味のない行為ではない。また、時期によって儀式は変化する。それは必ず王権の意思を反映しており、その変化の要因を探ることは、歴史学にとって重要である。

ところが、この時期の歴史を知るには大きな障害がある。延暦《えんりやく》一一年から天長《てんちよう》一〇年（七九二～八三三）までの正史を記した『日本後紀《にほんこうき》』が、四分の一しか現存していないのだ。その欠落部分を補うにはどうすればよいのか。そこで、日ごろ歴史研究者が行なっている手続きを例にとりながら、弘《こう》仁《にん》九年（八一八）の儀式改革について考えてみたい。

『日本紀略《にほんきりやく》』には、詔《みことのり》があって、宮廷儀式や服装、お辞儀の仕方などを唐に倣ったこと、殿舎《でんしや》や諸門の号（名称）を額に記したことが見える。とくに、ここでは、跪礼《きれい》（跪《ひざまず》いてする礼）から立礼《りつれい》へ変化した点に注目したい。古墳《こふん》時代以来、貴人に対する礼の取り方は、匍匐礼《ほふくれい》（這《は》いつくばる礼）や跪礼であった。『旧唐書《くとうじょ》』倭国伝《わこくでん》にも「匍匐して前《すす》む」と見える。大陸との交渉が盛んになるにつれ、日本固有の匍匐礼や跪礼を廃止しようと試みたが、なかなか成功しなかったようだ（天武《てんむ》天皇十一年九月壬辰紀《じんしんき》）。人々に染みついた慣習は、容易には変えられない。ようやく昔ながらの跪礼をやめて、中国的な立礼に変更したのが、弘仁九年であった。現在の立礼の起源といえようか。

さて、『日本後紀』が存在しない部分については、わずかな『日本後紀』逸文と『日本後紀』を省略した『日本紀略』で補うしかない。こうなったら、徹底的に関係する史料を捜すほかに手だてはない。ところが、意外なところに手がかりがある。『続《しょく》日本後紀』承和《じょうわ》九年（八四二）十月条の、菅原清公《すがわらのきよきみ》（菅原道真《みちざね》の祖父）が亡くなった記事である。

「九年に詔書《しょうしょ》有り。天下儀式・男女衣服《えぶく》は、皆唐法に依る。五位以上の位記は改めて漢様《かんよう》に従う。諸宮殿院堂門閣は、皆新額を着《ちゃく》す。また百官の舞踏《ぶとう》を肆《ほしいまま》にす。かくの如《ごと》き朝儀に並びに関説《かんせつ》を得《う》」

弘仁九年に詔があって、天下の儀式、男女の衣服、位記（位階を記した証明書）を唐風に変え、宮殿の額を新調し、舞踏のやり方も唐法に準じたという。新しい位記の様式は、延喜太政《えんぎだいじょう》

7

●跪く埴輪
六世紀前半の古墳から出土した埴輪。跪礼であろうか、男性が首長に対してお辞儀する姿を造形している。（群馬県太田市《おおた》塚廻《つかまわ》り古墳出土）

官式《かんしき》に見え、唐代の位記とよく似ていることが確認できる。
門額については、『二中歴《にちゅうれき》』という鎌倉《かまくら》時代に編纂《へんさん》された古辞書からうかがうことができる。つまり、もとの発音をなるべく残しながら中国風にいいかえ、縁起のよい漢字（嘉字《かじ》という）を用いたのである。改変以前の門の名は、大化《たいか》前代の大和《やまと》政権の軍事を担った氏族の名に由来している。

さらに、殿舎の名称にも重大な変化が起きた。これまで着目されなかったが、「少納言入道信西王宮正堂正寝勘文《しょうなごんにゅうどうしんぜいおうきゅうせいどうせいしんかんもん》」（『大日本古文書　石清水文書《いわしみずもんじょ》』四）には、つぎのようにある。

謹《かしこ》んで日本後紀を案ずるに、弘仁九年四月制有り。殿閣及び諸門の号を改む。寝殿を仁寿殿《にんじゅでん》と名づけ、次いで南を紫《し》震（宸《しん》）殿《でん》と名づくと云々

弘仁九年四月、それまで寝殿・南殿《なでん》といわれていた建物を、それぞれ仁寿殿・紫宸殿と改称したことがわかる。信西とは藤原通憲《ふじわらのみちのり》のこと。彼は後白河《ごしらかわ》院の近臣で、平治《へいじ》の乱《らん》で殺害される。一般的には策謀家として知られるが、当代一流の学者でもあった。彼

都城		門の位置	東面	南面	西面	北面
長岡宮		弘仁式	県犬養門 山門 建部門	壬生門 大伴門 若犬養門	玉手門 佐伯門 伊福部門	海犬養門 猪使門 丹比門
平安宮	八一八年以前	貞観式	山門 建部門 的門	壬生門 大伴門 若犬養門	玉手門 佐伯門 伊福部門	海犬養門 猪使門 丹比門
平安宮	八一八年以後	延喜式	陽明門 待賢門 郁芳門	美福門 朱雀門 皇嘉門	談天門 藻壁門 殷富門	安嘉門 偉鑑門 達智門

◉門号の変化
宮城門《きゅうじょうもん》には、古くは大和王権の軍事部門を担った氏族のウジ名が付けられていた。しかし、弘仁九年（八一八）四月に嘉字を用いた中国的名称に改められ、現在まで継承されている。

が、『日本紀略』弘仁九年四月己卯条を引用したために、殿舎の改称を知ることができたのだ。

内裏の建物の改称は、唐風化を意味する。と同時に、このときの改称が、内裏全体にわたる大がかりなものであったことをも物語っている。弘仁一二年には、宮中儀式を集めた『内裏式《だいりしき》』が編纂されたが、この編纂も弘仁九年の唐風化政策を承《う》けたものとみてよいだろう。史料の少ない古代史を復元するためには、古代のみならず中世・近世の史料までも広く読む必要がある。こうした新しい史料に巡り会えたときのうれしさは格別である。

天皇の性格変化

この時期には、天皇の服装も大きく変わった。聖武《しょうむ》天皇と光明《こうみょう》皇后がかぶったといわれる冠の残欠が正倉院《しょうそういん》に残されているが、聖武朝以降、天皇は神をイメージする白い服に中国風の冠をかぶるという、なんともアンバランスな姿をして儀式に現われたようだ。

ところが、弘仁《こうにん》一一年（八二〇）二月、神事に関しては従来どおりの白を踏襲《とうしゅう》したが、元日の朝賀《ちょうが》には、「袞冕十二章《こんべん》」と呼ばれる中国皇帝に倣った竜の模様がある服と冠をつけること、定例の朝儀や新羅《しらぎ》・渤海使《ぼつかいし》とまみえる儀式などの際には、「黄櫨染《こうろぜん》」（櫨《はぜ》と紅花《べにばな》で染めた黄色に少し赤みのある色）という皇帝だけに許された色の服を着ることが定められた。神事には神として臨み、そのほかの儀式には中国皇帝をまねた衣冠で臨むという使い分けがなされるようになったのだ。天皇の服装も唐《とう》風化《ふうか》したといえる。

さらに、唐風化を示す事例をあげる。それは親王の諱《いみな》（本名）である。この時期の天皇には、光仁《こうにん》天皇の諱は白壁《しらかべ》（白壁＝白髪部）、桓武《かんむ》天皇の諱は山部《やまべ》というように、部民《べみん》の名が付けられている。すべてではないが、親王の名は乳母《めのと》の名前に基づくのが通例だった。親王は生まれるとすぐ、同時期に子供を産んだ宮中の女性に預けられるのが慣例だったからである。

そこで平安初期に生まれた皇子の諱をみると、興味深いことがわかる。延暦《えんりゃく》五年（七八六）生まれの淳和《じゅんな》の諱は大伴《おおとも》、生年不明の伊予《いよ》親王（父はいずれも桓武）、延暦一一年生まれの阿保《あぼ》親王（父は平城《へいぜい》）までは部民にちなんだ名前である。ところが、弘仁元年生まれの正良《まさよし》親王（父は嵯峨《さが》。のちの仁明《にんみょう》天皇）以降は嘉字《かじ》を用いた中国的な名前（正良）となっている。弘仁年間を境として命名法も大きく変化したのである。

8 ◉即位のときなどに用いる大袖
天皇の礼服《らいふく》のひとつで、竜や太陽・月などの刺《し》繍《しゅう》がある。袞衣《こんい》ともいい、弘仁一一年、中国皇帝に範を求めて制定された。（『礼儀類典《れいぎるいてん》』）

貞観期の唐風化

嵯峨《さが》天皇以降も漢詩文集の編纂《へんさん》にみられるように、唐風化《とうふうか》は続く。しかし、従来、あまり重視されなかったのが、九世紀なかばに始まる清和《せいわ》朝である。この時期は幼帝の出現という特殊な事情も加わり、唐風化にとって重要な時代であった。

まず年号だが、清和の治世は貞観《じようがん》といわれる。七世紀なかばに在位した唐の太宗《たいそう》の年号「貞観」に依拠していることは明らかである。「貞観の治」といわれるように、中国では皇帝と貴族が共同統治を行なった聖代（理想の時代）と考えられていた。

貞観二年（八六〇）には、『御注孝経《ぎよちゆうこうきよう》』が採用された。『孝経』とは、孔子《こうし》の言葉を弟子がまとめたといわれる儒教経典で、唐の玄宗《げんそう》皇帝みずからが注を施したものを『御注孝経』といった。また、貞観一一年に『貞観格《きやく》』、貞観一二年には『貞観式』、次いで『貞観儀式』が編纂され、中国の「格《きやく》式《しき》」の影響を色濃くみることができる。

さらに、「議」と呼ばれる新たな意見聴取制度が、中国の影響を受けて成立した。奈良時代から平安時代初期にかけて、議《ぎ》政官《せいかん》（参議・中納言・大納言・左右大臣など）が合議し、意見を統一したのち、天皇に奏上《そうじよう》して裁可を受ける太政官奏《だいじようかんそう》があった。しかし、「議」は天皇の諮問に対して、臣下がみずからの個人的見解を「議状」と呼ばれる文章にして提出し、天皇の判断を仰ぐものである。奈良時代にもあったが、九世紀、とくに貞観年間以降、急速に用いられるようになった。

太政官奏と大きく異なるのは参加者である。「議」には、議政官や藤原《ふじわら》氏はほとんど参加せず、明《みよう》経道《ぎようどう》（儒学）・文章道《もんじようどう》（中国の歴史・文章学）・明法道《みようぼうどう》（法律学）に通じた文人が参加した。意見を問われた者のなかには、菅原清公《すがわらのきよきみ》・是善《これよし》・道真《みちざね》、橘広相《たちばなのひろみ》、大江音人《おおえのおとんど》など、そうそうたる学者がみられる。しかも六位以下の者も少なくなかった。律令《りつりよう》制下では、従五《じゆご》位下《いげ》と正《しよう》六位上のあいだに超えがたい壁があったが、「議」の参加者は位階に関係なく、学識が重視されたのだ。

古代日本では、出身氏族の家柄が重視されたのに対して、中国では科挙《かきょ》に代表されるように、個人の能力が重視された。日本の社会のなかで、身分が低い文人や学者の意見が直接聴取されるのは、きわめて稀《まれ》であった。「議」は唐風化政策の最たるものである。

それでは、なぜ、このように中国的なもの、つまり儒教が、積極的に採用されたのだろうか。それは、幼帝清和の誕生と関係が深い。幼帝についてはすでに触れたが、政権の安定により、成人天皇でなくとも即位できるようになった。しかし、清和天皇は史上初めての幼帝であり、批判がないとはいえない。しかも、この時期、気候が不安定なことも、追い打ちをかけた。

貞観の初め以来、全国的に洪水・旱魃《かんばつ》・大風、疫病の流行などが頻発《ひんぱつ》した。中国の天命思想によれば、天帝が地上の皇帝に政治を委託し、もし皇帝が善政を行なえば祥瑞《しょうずい》が現われ、悪政をなせば天変地異が起こって、革命が勃発《ぼっぱつ》すると考えられていた。元慶《がんぎょう》元年（八七七）七月、藤原基経《もとつね》が旱魃を理由に摂政《せっしょう》を辞任する上表《じょうひょう》を行なっているように、気候不順は政治上の重大問題であった。摂政藤原良房《よしふさ》は天候不順による政情不安を取り除くために、身分の上下関係に重きを置く儒教をよりいっそう広めようとしたのだろう。

唐風化政策については、文人貴族対藤原氏という図式で語られる場合が多いが、貞観期には幼帝を守るために、外戚であった藤原氏も一丸となって唐風化政策を推し進めたのであった。

律令から格式へ

律が運用できなかった時代

古代国家は律令《りつりょう》国家と呼ばれる。律とは、刑罰を定めた法で、現在の刑法にあたる。唐《とう》の律は、秦《しん》・漢《かん》帝国以来の蓄積があり、ローマ法にも匹敵するといわれるほどの体系制をもっている。ただ、現代の刑法と異なる点は、たんなる刑罰のみを定めたのではなく、人民を教え諭す教令法の側面ももっていたことだ。この教令法的要素を前面に押し出したのが令である。

ところで、従来、日本の律令国家を論じるうえでは、律令の編纂《へんさん》・施行が重視されてきた。天智《てんじ》天皇七年（六六八）に完成したと伝えられる近江令《おうみりょう》が実在したか否《いな》かは議論の分かれるところだが、持統《じとう》天皇三年（六八九）には飛鳥浄御原令《あすかきよみはらりょう》、大宝《だいほう》元年（七〇一）には大宝律令、天平宝字《てんぴょうほうじ》元年（七五七）には養老《ようろう》律令が施行され、最終的に律令が整ったとされてきた。

だが、これまでの研究では編纂と施行、そして何より令ばかりが重視されてきた。そもそも法である以上、編纂および施行と同時に、法が規定どおり運用されていたのかどうかという点

天智 7	668	近江令完成
持統 3	689	飛鳥浄御原令施行
大宝 1	701	大宝律令完成・翌年施行
養老 2	718	養老律令完成
天平宝字1	757	養老律令施行
弘仁11	820	弘仁格式完成
天長 7	830	弘仁格式施行
承和 7	840	弘仁格式再施行
貞観11	869	貞観格完成・施行
貞観13	871	貞観式完成・施行
延喜 7	907	延喜格完成・翌年施行
延長 5	927	延喜式完成
康保 4	967	延喜式施行

●日本の律令格式

日本の律令格式は、中国を手本とし、日本の実情に合うように改変して成立した。ただし、近江令の存否についてはよくわかっていない。

も重要である。

ところが、奈良時代から平安初期にかけて、律が適切に運用されていなかったことが、近年明らかになってきた。九世紀の明法家《みょうぼうか》（法律家）讃岐永直《さぬきのながなお》は、貞観《じょうがん》四年（八六二）、律の運用に疑問が生じた際、唐に尋ねて解決しようとの提案を却下して、みずから解決したが、裏を返せば、それまで日本では律の正確な運用ができなかったことを示している。そこで、『続日本紀《しょくにほんぎ》』以降の正史について律の適用を精査してみると、刑罰が律の規定どおりに行なわれていなかったことが明らかになる。

たとえば、国家に対して功績があった者、位階をもつ者やその親族は、凶悪な犯罪（八虐《はちぎゃく》）以外なら罪を犯しても、銅を納入して実刑をまぬがれたり（贖銅《しょくどう》）、位を剝奪《はくだつ》されるかわりに刑を軽減できる「換刑《かんけい》」という特権をもっていた。ところが、その内容は複雑で、日本ではうまく使いこなせなかった。日本の明法家が換刑の内容を理解して運用できるようになるのは、承和期《じょうわ》（八三四〜八四八）以後であった。これは讃岐永直の逸話とも矛盾しない。

このように考えると、いろいろな謎が解けてくる。飛鳥浄御原令は施行されたが、浄御原律は編纂されずに唐律がそのまま利用されたのは、当時の日本では律の編纂ができなかったためであろう。また、大宝律と養老律は基本的に変わりなく、唐律を日本律に継受する際、表面的な字句の書き換えにとどまったことも軌を一にしている。

さらに、養老令の公的な注釈書『令義解《りょうのぎげ》』は、天長《てんちょう》一〇年（八三三）に編纂されたが、公的な律の注釈書が同時に編纂された形跡はない。そもそも中国では、律が『唐律疏議《とうりつそぎ》』などとして現存し、令は敦煌《とんこう》で発見された公式令の一部が残る程度であったのに対し（近年、中国で天聖令《てんせいれい》が発見されたが）、日本では令の残存状況はよいが、律は悪い。要するに、中国では律が、日本では令が重視されたのだ。これもまた、日本における律の存在意義が、令より劣ったためと考えられる。

令は、おおよそ現在の行政法・訴訟法・民法・商法など多様な内容を含んでいるが、かなり大まかな規定が多く、継受することが比較的容易であったのに対し、律はひじょうに細かな、しかも体系的な内容を含んでいるために、継受することが困難だったのだろう。もちろん、律令制の導入は、古代国家の成立に不可欠であったが、刑罰という国家の根幹にかかわる部分で、その運用が未熟であったことは、無視できない事実である。

律を視野に入れ、その運用面からみれば、日本の律令制の完成は、九世紀なかばまで下ると考えるほうが適切なように思われる。そして、この点は、格式《きゃくしき》の編纂・運用とも関係していくのである。

死刑がなかった平安時代

日本の刑罰の特徴を示すものとして、『保元物語《ほうげんものがたり》』巻中、「為義《ためよし》最後の事」に興味深い話がある。

保元の乱（一一五六年）が平定されたのち、敗れた崇徳《すとく》上皇側についた者たちに対する処分が検討された。公卿たちは、「昔、嵯峨《さが》天皇の御時《おんとき》、左兵衛督仲成《さひょうえのかみなかなり》を誅《ちゅう》せられしよりこのかた、久しく死罪をとどめらる」と言い、死刑に反対したが、少納言信西《しんぜい》は、流罪にすれば凶徒を全国にばらまくことになり、兵乱のもとになると反対し、皆の首をはねた。『保元物語』は、「正《ただ》しく弘仁《こうにん》元年に、仲成を誅せられてより、帝王廿六代、年記三百四十七年、絶えたる死刑を申しおこなひけるこそうたてけれ」と結んでいる。

もし、これが真実だとすれば、日本は、弘仁元年（八一〇）から三世紀半にわたって死刑が執行されなかった国となる。もっとも、軍記文学という性格上、ただちに信じることは躊躇《ちゅうちょ》されるのだが、このほか『吾妻鏡《あずまかがみ》』など、いくつもの史料からも裏付けられ、史実だと思われる。

もちろん、死罪にあたる罪がなかったわけではない。しかし、その場合にも、必ず天皇の詔勅《しょうちょく》によって死一等を減じられ、遠流《おんる》に処されたのであった。律令《りつりょう》は天皇によって施行されたから、天皇の詔勅は、律令法をも超越することができたのだ。死刑が執行されなかった背景には、死者の魂が怨霊《おんりょう》に転化するのを恐れる御霊《ごりょう》信仰があったと考えられる。それにしても、死刑をもたなかった古代国家というのは、世界的にもきわめてめずらしいといえるだろう。

格式法への転換

時代の経過や官制の変化に伴い、律令《りつりょう》を改変したり、新たに規定を追加する必要が生じる。なかでも令は大枠しか定めておらず、大宝令《だいほうりょう》と養老令《ようろうりょう》もほとんど同内容であったから、律令施行当初から、それを補う法令は必要とされた。また、律令のみでは複雑な政務をこなすことが困難で、律令の施行細則も必要であった。日本国憲法だけでは国政が運営できないのと同じである。

こうした要求を満たすために編纂《へんさん》されたのが、格式《きゃくしき》であった。格とは、律令に変更や補足を加える法典。式とは、律令および格の施行細則である。平安時代の格式には、「弘仁格式《こうにんきゃくしき》」「貞観格式《じょうがんきゃくしき》」「延喜格式《えんぎきゃくしき》」があり、総称して三代の格式と呼ばれる。格式は、中国では律令と同時に編纂されるべきものであったが、日本では平安時代になって単独で編纂された。それではなぜ格式は、律令と同時に編纂されなかったのだろうか。

それは、格式の編纂に秘密がある。格は、いちど発せられた詔・勅・太政官符《だいじょうかんぷ》・太政官奏などをそのまま編集するのではなく、一定の編纂方針にしたがって改変する必要があった。その第一は、無効となった部分を削除したり、書き換え・増補して、編纂時点までの有効法につくり直すこと、第二に、もともとの法令から美辞麗句を除き、法令として簡潔にすることである。したがって、格には出された年月日があっても、必ずしも当初の姿を伝えているとはかぎらない。

たしかに奈良時代初期にも、格と呼ばれるものはあった。しかし、三代の格のように、一定の編纂方針にしたがって格文に改変を加えるのではなく、たんに単独で出された法令を集めたにすぎなかった。奈良時代には本格的な格の編纂ができず、ようやく平安初期になって、中国に倣った格を編纂できるようになったと考えられる。したがって、『弘仁格』の編纂は、画期的な事業であった。

しかし、『弘仁格』にはまだ問題があった。『弘仁格』は弘仁一一年（八二〇）に編纂され、天長《てんちょう》七年（八三〇）に施行されたが、内容に不備があったようで、その後も編纂作業は続けられ、承和《じょうわ》七年（八四〇）になって再施行された。

さらに、編纂だけではなく、格を使用すべき官人《かんじん》たちにも問題があった。『弘仁格』が施行された天長七年以降も、官人たちには、格に対する共通認識がすぐには根づかなかった。彼らは、『弘仁格』を参照するという意識が稀薄《きはく》で、引用しようとする法令が『弘仁格』に含まれているか否《いな》かさえ注意を払っていなかった。このような未熟な法意識は、中国では考えられない。全官人が格を参照するようになるには、貞観一一年（八六九）の『貞観格』の施行を待たなければならなかった。官人の法意識からすると、『貞観格』の編纂・施行が画期となったのである。

初めて天皇を規定する

『貞観格《じようがんきやく》』には革新性があった。中国の律令《りつりよう》には皇帝に関する規定が存在したが、日本の律令（大宝《だいほう》律令・養老《ようろう》律令）には、天皇に関する規定は盛り込まれていなかった。その理由は、天皇を神として位置づけようとしたためと考えられるが、弘仁《こうにん》一一年（八二〇）に、初めて天皇に関する規定が出された。それが、先に述べた天皇の服装に関する規定である。天皇が儀式に臨む際の服装が、中国的に変革されたのだ。

だが、これだけでは、一過性の単発法令にとどまる可能性がある。そこでこの法令は、「貞観臨時格」に収められることになった。現存する『類聚三代格《るいじゆうさんだいきやく》』には含まれていないが、逸文として残っている。初めて天皇に関する規定が、編纂《へんさん》された法に組み込まれたことになる。このことは九世紀前半、天皇が古来の神の姿を捨て、中国的な皇帝へと変貌《へんぼう》したことを見事に語っているのであった。

日本文化のよりどころとなった『延喜式』

最後に、式《しき》についても述べておく。式のような施行細則は、政務運営上欠かすことができない。そのため、大宝律令《だいほうりつりょう》施行直後から民部省例《みんぶしょうれい》などが、律令の不備を補うために編纂《へんさん》された。こうした試みを経て、平安初期には三代の式が編纂された。『延喜《えんぎ》式《しき》』を見ると、あらゆる分野にわたる大部の法典であることがわかる。編纂には、膨大な時間と労力を必要としたことが容易に想像される。

『延喜式』は、延喜五年（九〇五）に醍醐《だいご》天皇の命令で編纂が始まり、延長《えんちょう》五年（九二七）に完成した。しかし、内裏《だいり》の炎上なども災いして、施行されたのは四〇年後の康保《こうほう》四年（九六七）であった。現在でも神社の格付けとして、「式内社《しきないしゃ》」（正確には延喜式内社）という呼び方があるように、『延喜式』は、以後の日本文化のよりどころとなった。

ところで、古代の法典の具体的編纂過程を知ることは難しいのだが、『延喜式』については貴重な史料が残されている。『延喜式覆奏短尺草《ふくそうたんざくそう》』である。そこでは、『延喜式』編纂にあたっ

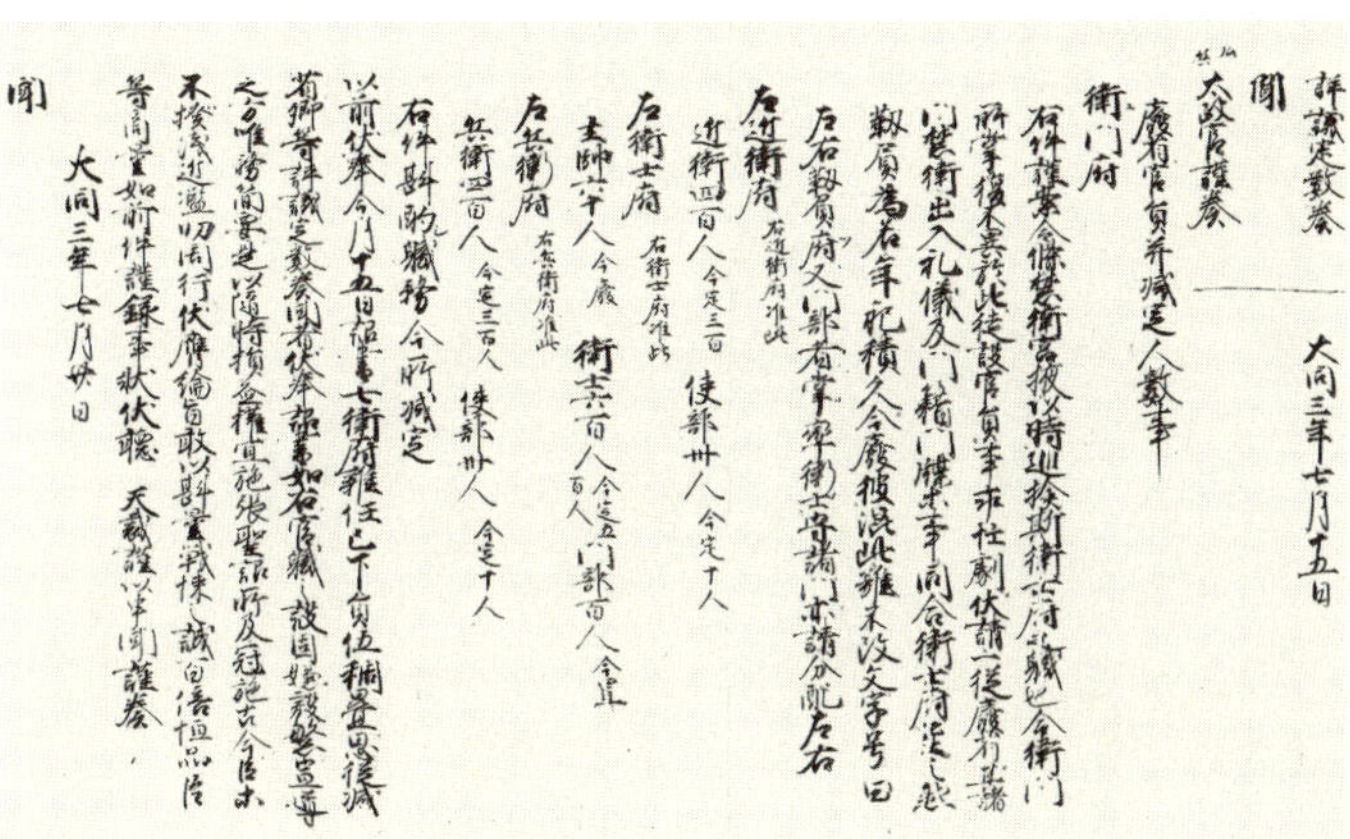

9

◉『類聚三代格』
『弘仁格』『貞観格』『延喜格』（三代の格）は現存しないが、それらを再編集した『類聚三代格』によって、その内容を知ることができる。

て、二人の人物が条文の添削について再三にわたってやりとりしている。ひとりは式の編纂を行なっている撰式所《せんしきじょ》の職員、もうひとりは醍醐天皇と推定される。天皇みずからが、並々ならない熱意をもっていたことがうかがわれる。

律が運用できるようになったのは承和《じょうわ》年間（八三四～八四八）、格《きゃく》についての法意識が全官人《かんじん》に定着したのは『貞観《じょうがん》格』施行（八六九年）直後からであった。律令国家の指標である律令格式すべてを運用できるようになったのは、九世紀なかばまで下ることになる。

こうした法整備の背景には、奈良時代以来、少しずつ法に対する意識が高まってきたことがあげられようが、それとともに、中国文化の積極的継受があった。ようやく日本の古代社会が、法制の面で中国に追いついたのだ。一般的に、平安時代になると律令制は衰退、あるいは変質すると考えられることが多いが、法制的にみれば、九世紀なかばを律令制国家の完成とみることもできる。

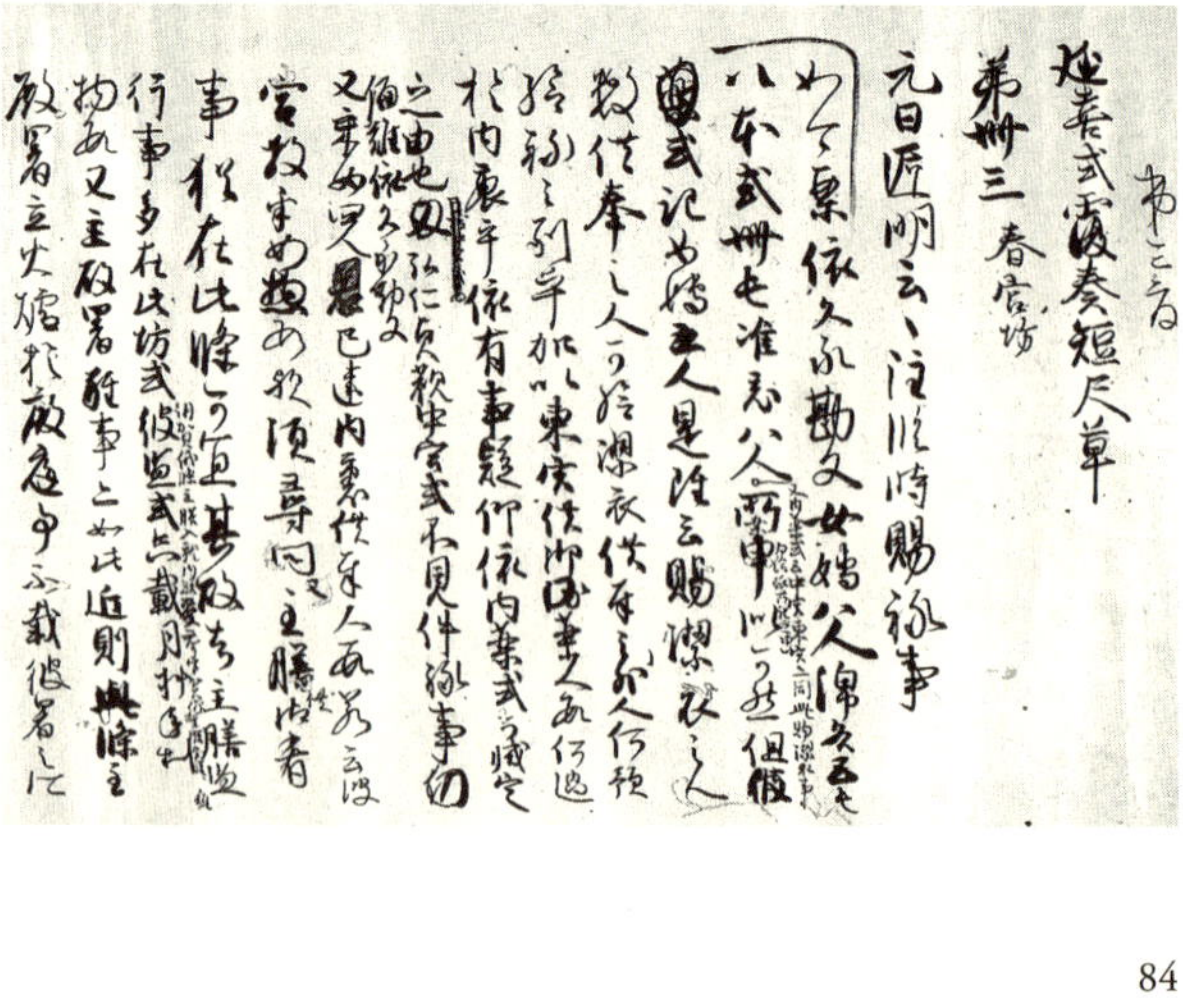

10

●『延喜式覆奏短尺草』

『延喜式』の具体的編纂過程を知ることのできる唯一の史料。延喜《えんぎ》春宮坊《とうぐうぼう》・勘解由使式《かげゆしき》の草案が三回にわたって修正された。

富豪層の出現と支配の転換

院宮王臣家の進出

九世紀なかば以降、衛府《えふ》や上皇・東宮・上流貴族の地方進出が著しくなった。在地では、有力者たちがその権威を隠れ蓑《みの》にし、彼らの下僚《かりよう》となる動きが活発化した。そのため、地方の治安は悪化し、税収も減少していった。

昌泰《しようたい》四年（九〇一）閏《うるう》六月の太政官符《だいじようかんぷ》は、つぎのように指摘している。

「播磨国《はりまのくに》の住人の半分は六衛府（左右近衛府《このえふ》・左右兵衛府《ひようえふ》・左右衛門府《えもんふ》）の舎人《とねり》（下級役人）となっている。勤務先の衛府が、都で住み込みの勤務をしていると国府に通知して以来、実際には在国するにもかかわらず、彼らは都にいると主張して課役《かやく》を負担しない。無道なふるまいをして国や郡に逆らう。田を耕作しても、正税出挙《しようぜいすいこ》を受けない。また、収穫した稲を私宅に収納しても、倉ごとに札を掛けて、（私的な物であるにもかかわらず）勤務先の稲倉だと称したり、上流貴族の稲だと偽っている。（税を支払わないので）やむをえず、収納使が催促に赴くと、否応《いやおう》なしに捕らえて暴力をふるい、ややもすれば徒党を組んで悪事を働いている」

このような現状に対処するために、宇多《うだ》朝から醍醐《だいご》朝初めにかけて、多くの抑制策がとられた。なかでも著名なのが、延喜《えんぎ》二年（九〇二）にいっせいに下された、延喜の荘園整理令である。

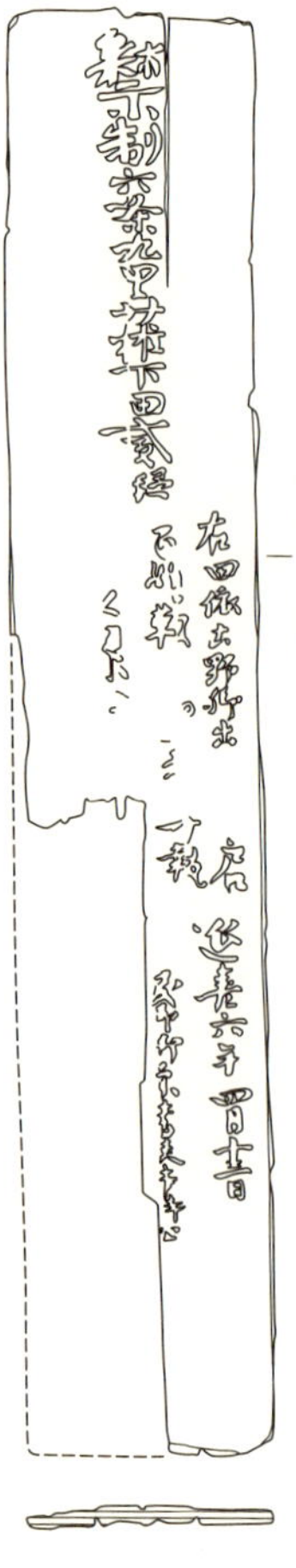

禁制六条九里廿椎下田弐段
右田依土野郷出□（石カ）永社戸□　延喜六年四月十三日
百姓□（穀カ）□□□□□□□執　民部卿家書吏車持公
□（掌カ）人□□□□

●禁制木簡
延喜六年、中納言民部《みんぶ》卿藤原有穂《ありほ》の家政機関が、但馬《たじま》国出石《いずし》郡の田二段《たん》に対して、耕作者の確認・表示を行ない、他の耕作者が介入することを禁じた木簡と推定される。（兵庫県袴狭《はかざ》遺跡《いせき》出土）

そこには、班田《はんでん》の励行、官舎・灌漑《かんがい》施設・国分寺・神社などの修理、調庸《ちょうよう》製品の品質維持のほか、①院宮王臣家《いんぐうおうしんけ》（上皇・女院・親王・五位以上の貴族のイエ）の荘園・御厨《みくりや》の禁止、②院宮王臣家の家人が身分的特権を盾《たて》に、在地の裁判へ介入することの禁止、③院宮王臣家の家人が身分的特権を盾に、税を納めないことの禁止、④国衙《こくが》が在国の院宮王臣家家人の使役を認めること、⑤山川藪沢《さんせんそうたく》などの不法な開発の禁止、など多彩な内容が盛り込まれている。

その目的をひとことで言えば、院宮王臣家と在地の有力者の結合を阻止することにあった。また、整理令には、国司が院宮王臣家の動きを黙認したり、結託していることも指摘されている。

『古今和歌集《こきんわかしゅう》』に、高向利春《たかむこのとしはる》という人物の和歌が一首収められている。そのため、彼の経歴を『古今和歌集目録』などから知ることができる。彼は、まず延喜五年に武蔵国秩父《むさしのくにちちぶ》牧《まき》の牧司《まきし》として姿を現わす。次いで、延喜一〇年には武蔵権少掾《ごんのしょうじょう》、同一一年には武蔵介《すけ》、同一四年に従五位下《じゅごいげ》、同一八年には武蔵守《かみ》になっている。

しかし、彼が武蔵国一国で、しかもかなりの速さで出世したのは不思議に思われる。現代でも同じだが、地域の利権と結びつくのを避けるため、特殊な場合を除いて、一か所にとどまることは許されていないためだ。出世の原因は、宇多《うだ》法皇との関係にあった。

秩父牧は、もともとは宇多院の私有の牧であり、彼が五位になれたのも宇多法皇の年爵《ねんしゃく》（上皇などがもつ近臣を五位にする権利）、武蔵守に任じられたのも宇多法皇の院分《いんぶん》（上皇がもつ近臣を受領《ずりょう》にする権利）にあずかったからである。したがって、利春は宇多の近臣として、武蔵国に送り込まれたことになる。彼は、武蔵国に存在した宇多院の荘園や牧の経営に尽力したに違いない。

このような状況では、延喜二年の新制がどれほどの効果を発揮したのかは、きわめて怪しい。禁制にもかかわらず、院宮王臣家の各地域への進出は、なおも進展していったのではなかろうか。

しかも、在地での不法活動は、彼らだけではなかった。元慶《がんぎょう》八年（八八四）、上総《かずさ》国では、前任国司の子弟や富豪浪人が土着して現任国司の命令に従わず、税が滞りがちになっていた。当時、国司を希望する者が数多くいたにもかかわらず、順番待ちを強《し》いられ、なかなか空きポストはなかった。そこで、中下級の貴族たちは、都に帰ることをやめ、土着する場合が多かった。彼らは、その地位に物をいわせて郡司たちと姻戚《いんせき》関係を結び、農業や商業を営んで富豪化していった。さらに、より上級の庇護《ひご》を求めて、院宮王臣家と主従関係を結ぶ場合も少なくなかったのである。

こうして、日本列島各地に、院宮王臣家の勢力が拡大していった。その結果、律令制国家は、財政難と治安の悪化に悩まされることになった。

律令税制の破綻

後三条《ごさんじょう》天皇に重用された学者大江匡房《おおえのまさふさ》の歌集『江帥集《ごうそちしゅう》』には、寛治《かんじ》元年（一〇八七）、堀河《ほりかわ》天皇の践祚大嘗祭《せんそだいじょうさい》に用いられた屏風絵《びょうぶえ》を詠んだ歌が収められている。

会坂関、調物を運ぶ人馬充満ち、行客見過ぐ

みちもせにみつきぞはこぶあふさかの　ゆきかふ人はまくりでにして

（道も狭いとばかりに調を運んでいる　逢坂（会坂）の関を行き交う人は腕まくりをしながら）

11

◉さまざまな人が出入りする国司の家

魚を進上する者、入り口を警備する武士が見える。国司の家には、政所・倉・厨房・下働きの住居、武士の詰所などがあった。（『石山寺縁起《いしやまでらえんぎ》絵《え》巻《まき》』）

東国から都に通じる要衝にあった近江国逢坂《おうみのくにおうさか》の関《せき》には、調《ちょう》を運ぶ人馬が満ちあふれていた。「みつき」とは調の古い呼び方である。それでは、なぜ、このような画題が選ばれたのだろうか。それは、古く調を貢納《こうのう》させることには、財政以上の意味があったからだ。つまり、統治する土地から食物を中心とする貢物を差し出させることは、支配を確認するための重要な儀礼(服属儀礼)でもあった。農作物のみならず、海産物や動物も含む生産物には、その土地の地霊が付着しており、統治者がそれを食べることで支配を確認したのであった。

ところが、時代の経過とともに、しだいに服属儀礼としての要素は減少し、財政的な意味での税へと転化していった。先の屛風絵が服属儀礼の系譜を引く調という貢納品にかかわっていたのは、天皇制の本質にかかわる践祚大嘗祭のために作製されたものだったためだろう。

律令《りつりょう》制下の税は、租・庸《よう》・調・雑傜《ぞうよう》・出挙《すいこ》などからなっており、人別に課される人頭税《じんとうぜい》であった。したがって、どこに誰が住んでいるのか、その男女別、年齢などを国家が把握している必要があった。これを個別人身的支配という。具体的には、一人ひとりを戸籍や計帳に登録し、それをもとに班田《はんでん》を行ない、税を徴収したのである。

ところが、現存する延喜《えんぎ》二年(九〇二)に作成された「阿波国戸籍《あわのくにこせき》」を見ると、男性よりも女性の数が圧倒的に多く、高齢者、とくに一〇〇歳以上の老人も少なくない。現在より衛生状態や医療が劣っているにもかかわらず、一〇〇歳以上の者が多いとは合点がいかない。男性より女性は税額が少なく兵役もない。また、六〇歳以上の者には税が課されなかった。ならば、この戸籍は偽りということになる。税逃れのために、戸籍を偽造したのだ。

一方、院宮王臣家《いんぐうおうしんけ》の荘園には、浮浪人などが多く集まっていた。彼らは本貫地《ほんがんち》（戸籍に登録された場所）から離れて暮らしており、本貫地に税を納入することはなかった。また、班田も延喜二年を最後に行なわれた形跡はない。こうして、律令国家がめざした個別人身的支配は破綻《はたん》していった。

このような現実に直面した国家は、菅原道真《すがわらのみちざね》を中心とした政治改革（寛平《かんぴょう》の治《ち》）のように、律令制への回帰を何度か試みたが、成功するはずもなく、現実に見合う形で税の確保に努めるようになる。

人から土地へ

人頭税《じんとうぜい》による徴収に失敗した国家は、課税人数の確認をしないですむように、諸国が納める税の数量を定数化した。この数を式数《しきすう》という。だが、この方法では、諸国の人口増減などの変化を式数に反映できず、国によって不公平な負担となってしまう。そこで、人ではなく土地を単位として税（地税）を賦課す

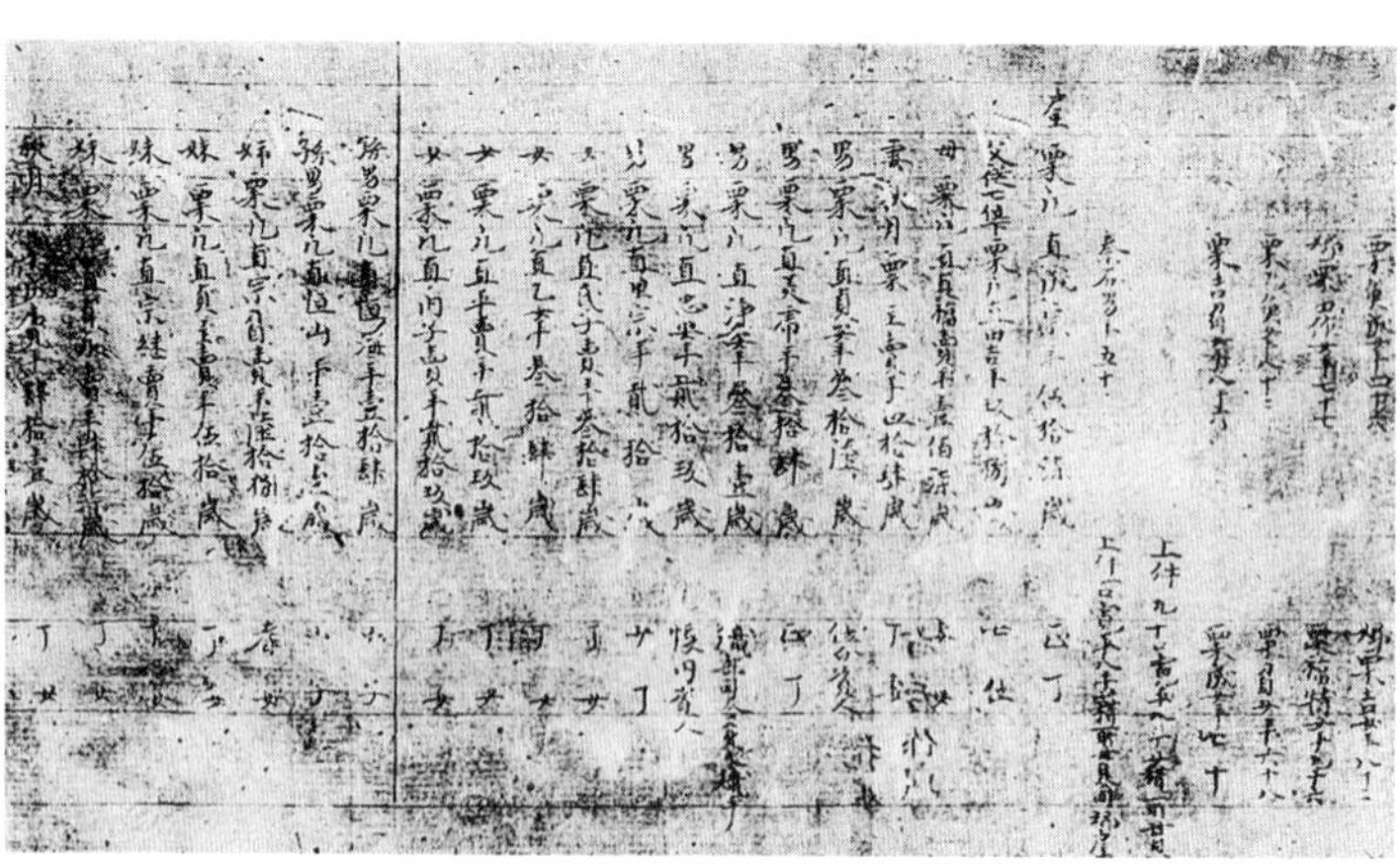
12

●阿波国戸籍
延喜二年に作成された阿波国板野郡《いたの》田上郷《たのかみ》の戸籍。紙背《しはい》が法隆寺一切経《ほうりゅうじいっさいきょう》に使用されたため、伝来した。戸籍制の崩壊を知る貴重な史料。

ることにした。

たとえば、「正税《しょうぜい》を班収するは、もっとも耕田による」と昌泰《しょうたい》四年（九〇一）の太政官符《だいじょうかんぷ》が指摘しているように、正税出挙《すいこ》が耕地面積に応じて貸し付けられた。さらに、税目も租《そ》・庸《よう》・調《ちょう》などの系譜を引く官物《かんもつ》と、交易雑物・雑徭《ぞうよう》などの系譜に連なる臨時雑物に単純化されていった。

出挙に関しては、興味深い変化が現われた。本来、正税とは元手の稲（本稲《ほんとう》）を貸し付け、一定期間を経て、本稲と利息の稲（利稲《りとう》）を併せて回収し、利潤を上げる仕組みだった。現在の金融機関による貸付と同じである。ところが、九世紀頃から本稲を貸し付けたままで、毎年利稲のみを回収するようになった。さらには、本稲を貸したまま回収できなくなったにもかかわらず、百姓の倉に収められていると称して、受領《ずりよう》が自己責任を回避する言い訳に使われるようになる（里倉負名《りそうふみょう》）。現代風にいえば、不良債権隠しである。

新たな税制の登場

税の変化は、地税化ばかりではなかった。いままでにない税の費目《ひもく》と徴収方法も現われた。まず、延喜《えんぎ》年間（九〇一～九二三）には、年料租舂米《ねんりょうそしょうまい》制が成立した。律令《りつりょう》制下の租は、大部分は消費されず、諸国の正倉《しょうそう》に蓄積されたが、その一部は舂《つ》いて（脱穀して）都に送り、都で働く人々の食料（庸米《ようまい》）にあてられていた。これを年料舂米という。

しかし、未進《みしん》（未納）が起こると、彼らの食料が不足してしまう。そこで、補塡《ほてん》のために九世紀の終わりごろから、太政官符《だいじょうかんぷ》によって尾張国《おわりのくに》など畿内の近国に定量の舂米を課し、都に貢納させた。最初は不定期であったが、やがて制度化され、年料租舂米制となった。

一方で、官人《かんじん》に与える給与も不足してきた。官人には、都に貢納された調《ちょう》・庸のなかから、位禄《いろく》（位階に相当する禄）と季禄《きろく》（春と秋の二度与えられる禄）を与えることになっていた。しかし、未進が起こると、中央財政から支出することが困難になった。そこで一〇世紀初め、受給者が諸国から直接禄を受け取る方法が編み出された。これを年料別納租穀《ねんりょうべつのうそこく》制という。年料別納租穀を割り当てられる国は、中国から遠国《おんごく》（都からの距離によって近国・中国・遠国の区別があった）で、年料租舂米を負担する国とは重ならないように配慮された。

また、諸国から年料租舂米や年料別納租穀を徴収するにあたっては、その年に収穫した稲だけではまかないきれなくなったため、不動穀《ふどうこく》の使用も許された。不動穀とは、飢饉《ききん》など緊急事態に備えて通常は使用しない穀物のことで、不動倉に収められ、鍵は太政官が保管していた。減少しつづける不動穀に対して、康保《こうほう》元年（九六四）、毎年国司《こくし》が太政官符で定められた額だけ不動穀を増やす制度が定められる。この制度を新委《しんい》不

13

動穀制といい、受領功過定《こうかさだめ》の審査項目となった。受領功過定とは、任期の終わった受領の成績を審査・判定する公卿の会議のことである。

次いで、中央財政も変化した。一〇世紀に出現した税の徴収方法、正蔵率分《しょうぞうりつぶん》である。これは国家財源を確保するために、毎年国司が貢納《こうのう》する調・庸の一割を、太政官が管理する率分所に別納させる制度である。天暦《てんりゃく》六年（九五二）に成立し、のちには二割に増額された。得られた財源は、神社への奉幣《ほうべい》料、節会《せちえ》（宮中の年中行事）の禄料など、主として恒例の儀式の運営費用にあてられた。受領功過定と連動していたため、国司が納入を怠ると解任される場合もあった。

こうした税のほかに、各官司《かんし》（役所）が独自に財源を確保しようとする動きも活発になった。なかでも蔵人所《くろうどどころ》では、一〇世紀になると、天皇や上流貴族が必要とする物品を調達するために、臨時交易と称して諸国に物品を供出させるようになった。これが発展して、のちに蔵人所臨時召物《めしもの》が生まれる。また、行幸《ぎょうこう》や践祚大嘗祭《せんそだいじょうさい》など大がかりな行事が行なわれる場合は、行事所と呼ばれる機関が臨時に置かれ、それが諸国に召物と称して物品を要求する場合もみられた。

さらに、御斎会《ごさいえ》・季御読経《きのみどきょう》・仁王会《にんのうえ》など、おもに仏事に用いる米・油・布・塩などを調達するために、宣旨が下された。初見は天禄《てんろく》元年（九七〇）であるが、こうした宣旨は、単発ではなく永続的に効力をもつようになるので、永宣旨料物《えいせんじりょうもつ》と呼ばれた。

物品の具体的な受け取り方法としては、まず太政官や蔵人所などから、現物を必要とする官司に

◉毎年正月に行なわれる御斎会
正月八日から一四日まで、僧侶を呼び、宮中で「金光明最勝王経《こんこうみょうさいしょうおうきょう》」の転読・講説を行ない、国家安寧と五穀豊穣を祈願した法会。（『年中行事絵巻《ねんじゅうぎょうじえまき》』）

「切下文《きりくだしぶみ》（切符《きりふ》）」が発給される。切下文とは、支払いを担当する国名・物品名・数量を記した文書のことである。役所の使者はそれを携えて、支出する国の弁済所《べんさいしょ》へ出向き、切下文と引き替えに物資を調達した。ちなみに、こうした調達方法が発達すると、切下文自体が現物と同等の価値、すなわち信用をもつようになり、やがて「手形」が発生するのである。

弁済所とは、京に近い水陸の便に恵まれた場所に設けられた諸国の出先機関で、あらかじめ国元から物品を運搬・保管していた倉のことである。現代風にたとえるならば、倉を伴った道府県の東京出張所ということになる。弁済所の責任者は弁済使と呼ばれ、国司が中央官司の下級役人のなかから私的に任命し、調庸物《ちょうようもつ》の出納、公文書の作成、運上物の貯蔵などにあたらせた。弁済使を置くことは、天暦《てんりゃく》元年（九四七）に禁止されたが、効果は薄かった。

時代は下るが、大江匡房《おおえのまさふさ》『江帥集《ごうそちしゅう》』に、つぎのようにある。

　大蔵卿にてありしおり、ひたちにきりものあたりて、これほかに、などいひしを、とをたあふみにきりかえたりしかば、うれしなといひて、

つくばやまふかくうれしとおもふかな　はまなのはしにわたすこころを

（常陸《ひたち》国にある筑波《つくば》山が深いように、深くうれしく思うことだなあ、遠江《とおとうみ》国にある浜名の橋に渡す私の心は）

匡房が大蔵卿《おおくらきょう》であったとき、常陸国に切下文が割り当てられ、このほかの国はないといわれたのに、遠江国に切り換えられたのでうれしく思って詠んだ歌である。当時、常陸国は亡国とか亡弊国と呼ばれ、荒廃した国と考えられていた。それが常陸国よりも都に近く、納入状況もよい遠江国に俸禄《ほうろく》（おそらく年料別納租穀）を担当する国が変更されたので喜んだのだ。国ごとに、納入実績が異なっていたことがわかる。

荘園制と田堵の出現

奈良時代の荘園については、比較的よく知ることができる。ところが、平安時代については、この種の史料が残されていないために、ほとんど断片的にしかわからない。

この時期に設定されたものとしては、まず勅旨田《ちょくしでん》をあげることができる。勅旨田とは、天皇の命（勅旨）によって諸国に設置された皇室領のことで、奈良時代から存在したが、九世紀以降に多く現われ、荘園化した。勅旨田は免税扱いとされ、経営には天皇の近臣があたったらしく、近臣が国司に任命される場合すらあった。この収入は、天皇個人や皇室の運営費用にあてられたようだ。

また、院宮王臣家《いんぐうおうしんけ》も荘園を蓄積していった。先に、宇多《うだ》法皇の近臣武蔵守高向利春《むさしのかみたかむこのとしはる》を紹介したが、彼は、宇多法皇領の武蔵国秩父牧《ちちぶまき》の牧司《まきし》を皮切りに、武蔵国一国においてわずか八年ほどで、権少掾《ごんのしょうじょう》→介《すけ》→守と出世した。近臣を派遣して牧を経営させ、武蔵守にまで昇進させたことは、勅旨田とも共通性があり、法皇がいかに武蔵国を重視していたのかを知ることができる。

さらに、寺院も荘園を蓄積していった。上総《かずさ》国藻原荘《もばらのしょう》（千葉県茂原市）は、この種の荘園で成立から寄進まで知ることのできる数少ない事例である。この荘園は宝亀《ほうき》五年（七七四）に上総介、宝亀八年に上総守となった藤原黒麻呂《ふじわらのくろまろ》の牧として開墾《かいこん》され、以後買い足された。その後、子の春継《はるつぐ》、そして斉衡《さいこう》三年（八五六）と貞観《じょうがん》元年（八五九）の二度にわたって上総権介《ごんのすけ》となった良尚《よしひさ》（春継の子）が相続し、寛平《かんぴょう》二年（八九〇）、良尚の遺言により子の菅根《すがね》が興福寺《こうふくじ》に寄進した。その表向きの理由は、先祖の墓を家畜に踏み荒らされたくないというものであったが、じつは国司や院宮王臣家からの圧迫を逃れるため、より力の強い興福寺を頼ったのだと思われる。院宮王臣家や寺社に、荘園が蓄積されていった様子がよくわかる。

　このように荘園制が発達すると、戸籍や計帳によって民衆を把握する方法が頓挫《とんざ》し、九世紀後半以降、新たな収取制度が現われた。「名《みょう》」である。名とは、たとえば「犬丸名」などと名付け、公田を耕作する人々を国衙《こくが》が登録することで、このようなあり方を負名《ふみょう》体制と呼ぶ。名の経営者が田堵《たと》である。一一世紀初めごろ、藤原明衡《あきひら》によって著わされた『新猿楽記《しんさるがくき》』には、つぎのようにある。

「出羽《でわ》権介田中豊益《たなかのとよます》は、もっぱら農業を職業として、さらにほかの手段はない。数町を経営する戸主でしかも大名田堵である。あらかじめ日照りの年を想定して、鋤《すき》や鍬《くわ》を準備し、ひそかに土地が肥えているか痩《や》せているかを考えて、馬鍬や犂《からすき》を修理している。あるいは堰《せき》・堤・池・水路・畔《あぜ》などの修造に忙しく働いて農民を養い、あるいは種蒔《ま》き・苗代《なわしろ》・耕作・播殖《ばんしょく》などの経営で、田植えをする男女をいたわるのが上手である。栽培する早稲《わせ》・晩稲《おくて》・粳米《うるちまい》・糯米《もちごめ》はほかの人に勝っている」

田中豊益とは実在の人物ではなく、田の実りが豊かであるということを擬人化した名であり、大名田堵（有力な田堵）の典型を示している。田堵は、農具や灌漑《かんがい》設備を準備し、国司や荘園領主と耕作を請け負う契約を結んで一般農民を集め、数町にもおよぶ田地を耕作した。

田堵から税を徴収するには、国衙から検田使《けんでんし》が派遣された。『尾張国郡司百姓等解文《おわりのくにぐんじひやくしようらげぶみ》』によれば、検田使は郡ごとに二人である。彼らは、まず、馬上帳《ばじようちよう》を作成した。文字どおり、検田使は馬に乗ったままで、条里坪付《じようりつぼつけ》ごとに耕作田なのか荒田なのかを判別したうえで田の面積を計測し、耕作田ならばその作柄状況、所有者・耕作者（名）などを記録させた。次いで、馬上帳を集計した帳簿である検田目録が作成され、これによって一国の税を徴収する総面積が判明した。

これに載せられることは、徴税の対象となったことを意味する。さらに、負名検田帳がつくられた。これは負名ごとに作付面積などを書き上げた帳簿で、各負名の課税額が判明するため、徴税の基本台帳の役割を果たした。こうした検田は、郡ごとに置かれた検田所で審査が行なわれ、収穫時期を迎えると、国府からは収納使が派遣され、税の徴収にあたった。

国衙から直接使者が派遣され、徴税が行なえるようになった背景には、受領の権力増大と郡司の変質があった。それまでは、国司は郡司を介して勧農や徴税を行なってきたのだが、一〇世紀になると在地首長としての郡司の機能が低下した。それと同時に、受領の権限が大きくなったため、直接在地から税を取り立てることが可能になった。つまり、この時期になってようやく国家支配が、直接、在地におよぶようになったのである。

コラム2

調宿所から弁済所へ

平城京《へいじょうきょう》に相模国調邸《さがみのくにちょうてい》と呼ばれる施設があった。相模国から運ばれた調などの貢納物を、国庫に納めるまで仮置きする場であった。現代でいえば、道府県の東京出張所である。また別に「駿河所《するがどころ》」と書かれた墨書《ぼくしょ》土器も出土している。

じつは、従来指摘されていないのだが、平安京《へいあんきょう》にも「諸国の調宿所《ちょうのしゅくしょ》」という施設が存在した（延喜弾正台式《えんぎだんじょうだいしき》）。多くの国々も相模国調邸と同様の施設を、都に置くようになっていたことがうかがえる。

そこで注目されるのが、調宿所と弁済所《べんさいしょ》の関係である。弁済所とは、京近くの水陸の便に恵まれた場所に諸国が設けた倉付きの出先機関で、国元から運搬した物品を保管していた。

一〇世紀に入ると、物資を必要とする中央の役所は、直接、弁済所に使者を派遣して、物品を調達するようになる。奈良時代にあった調邸の類がやがて平安京の調宿所に継承され、ついに弁済所が成立したのではなかろうか。

◉墨書土器「駿河所」
駿河国から平城京に送られたカツオなどの貢納物を収めたり、在京した駿河国の役人たちが逗留した施設の可能性が考えられる。（平城宮跡SD3410出土）

第三章

列島の災害と戦禍

1

噴火・地震・洪水の脅威

日本のポンペイ

江戸時代後半の文化《ぶんか》一四年（一八一七）、出《で》羽国小《わのくにお》勝田《がった》村（秋田県北秋田市）で、連日の雨によって米代川《よねしろ》が氾濫《はんらん》し、河岸段丘が崩れた。すると、そのなかから泥に埋まった三軒の家屋が現われた。村人の話によれば、以前にも同様の家が出現したとのことであった。

この噂《うわさ》は各地に広がり、多くの人々が現地を訪れた。国学者の平田《ひらた》篤《あつ》胤《たね》や国学者で紀行家としても著名な菅江《すがえ》真澄《ますみ》もそのひとりである。伝聞ではあるが、真澄は絵を残している。

ところで、なぜ、三軒の家屋は埋没したのだろうか。話は九〇〇年前にさかのぼる。それは、延喜《えんぎ》一五年（九一五）七月五日の朝のことだった。都の人々は、いつものような陽光がなく、太陽が月のようにみえることを不思議がった。いまでいえば、ひどい黄砂《こうさ》の日のようだったのだろう。これは、都から遠く離れた出羽国の火山灰（シラス）が、北からの風に乗り、はるばる都の上空にまで達したことに原因があった。

◉山崩れ堆積土（群馬県大日《だいにち》遺跡）　発掘すると、二層の土が現われた。白い層が山崩れで押し寄せた土で、黒い土が地山である。赤城山麓からは、多くの山崩れ跡が発見されている。　前ページ写真

2

◉平田篤胤が描く小勝田村出土家屋　軒が低いのは豪雪対策ではないかと、篤胤は指摘している。

その詳しい報告は、七月一三日、都に届いた。

出羽国、灰の雨《ふ》ること高さ二寸、諸郷の農桑《のうそう》、枯損《こそん》の由《よし》を言上す

出羽国の報告によれば、灰が二寸（約六センチメートル）も積もり、諸郷の農作物や桑が枯れたというのだ。火山の名は十和田《とわだ》（湖《こ》）火山。現在では満々と水をたたえる十和田湖は、その火口湖である。

火山学者によれば、この噴火は日本国内で過去二〇〇〇年間に起きた最大級のものであり、じつに五〇億トンもの溶岩が噴出したというから、その激しさは想像を絶する。火砕流《かさいりゅう》が発生し、雨や河川が火山灰を押し流す泥流《でいりゅう》が起きたことは想像にかたくない。

先に示した小勝田村の埋没家屋は、米代川の泥流に呑《の》み込まれ、パックされたのだ。木材が炭化せずに残っているため、火砕流によるものではないといえる。

さて、米代川流域には、江戸時代以来、埋没家屋が十数例発見されている。そのひとつ、胡桃館遺跡《くるみだていせき》は、昭和三八年（一九六三）、中学校のグランド造成工事に伴って発掘された。シラスの厚さは二メートルにも達

3

◉胡桃館遺跡出土家屋
観音開きの扉、柵列などの木製品も数多く発掘された。年輪年代法により、部材の伐採年を測定した結果、九〇二年との結果を得た。また、「寺」と記された墨書土器、扉の墨書の内容などから、寺院の可能性も指摘されている。

し、真澄が描いた埋没家屋から数キロメートルしか離れていない。

遺跡からは四棟の建物と柵列、それに門柱らしき柱穴が検出された。泥流は複数回起き、最初は緩やかに建物を押し包むように流れたものの、最後の流れは速く、上屋《うわや》がもぎとられた可能性がある。そのために建築部材が原形をとどめ、検出されたのであった。建築部材はいずれも秋田杉で、一〇〇〇年以上を経た現在でも、しっかりと当時の加工の跡をとどめており、杉のかぐわしい香りさえ漂わせている。この事例は、泥流の恐ろしさを遺憾《いかん》なくわれわれに教えてくれる。

建物の扉などからは墨書《ぼくしょ》が発見された。一点は、米の支給（供出）帳簿らしく、人名と米の数量が書かれている。もう一点は、扉の下部に一筆で記されていた。七月一六日から一八日まで、毎日三〇巻の経典を読んだという内容である。噴火に関係する墨書ならば、火山の噴火が七月初めであるから、噴火の鎮静を期待して一六日から読経しはじめたが、泥流が押し寄せたためか、一八日にこの場所を放棄せざるをえなくなったと考えられなくもない。

当地域では、噴火後の一〇世紀前半以降、台地や段丘上に集落が営まれるようになる。その主原因として、シラスの堆積《たいせき》によって、沖積地《ちゅうせきち》が農業に適さなくなったためとの推定がある。水にもろい火山灰が分厚く堆積しているために、水田耕作には適さなくなったのかもしれない。延喜一五年当時、米代川流域に住んでいた人々にとって、十和田（湖）火山の噴火が生活を一変させたことは確かである。

開聞岳の災害

十和田《とわだ》（湖《こ》）火山噴火の四〇年前、鹿児島の開聞岳《かいもんだけ》でも災害が起きていた。貞観《じょうがん》一六年（八七四）、大宰府《だざいふ》は「開聞岳が爆発し、その煙は天を覆い、火山灰が雨のように降った。人々が恐れて占いをすると、山の神が封戸《ふこ》を求め、神社を汚したことが原因である」（『日本三代《にほんさんだい》実録《じつろく》』七月条）と上申し、勅により封戸を二〇戸施入した。

さらに、七月二九日にも大宰府から報告があった。三月四日の夜、地震があり、夜が明けても夜のように暗かった。墨のような色をした灰が一日中降り、一寸から五寸（約三～一五センチメートル）ほど積もった。農作物はすべて枯れ、川の水も灰と混じり合って黒く濁り、魚も死んだ。その魚を食べた者は、死んだり病気になった、という内容である。

このときの被害を示す遺跡がある。鹿児島県指宿《いぶすき》市橋牟《はしむ》礼《れ》川《がわ》遺跡である。この遺跡は、六世紀から九世紀なかばまで存続し、住居跡・河川・道・畠・溝などが検出された。遺跡からみると、開聞岳の大きな噴火は三度あり、一度目は六世紀から七世紀前半、二度目が七世紀第Ⅳ四半期、そして三度目が貞観一六年と考えられている。

三度目の噴火では、三〇センチ以上の火山灰が堆積《たいせき》した。現在の暦に直すと、噴火は三月二五日。時に農作業の真っ最中。農作物に壊滅的な

◉埋没した畠（橋牟礼川遺跡）厚く堆積した「紫コラ」と呼ばれる貞観一六年の火山灰を除くと、長さ七～九m、幅〇・六～一mの畠が現われた。畝《うね》の残りがよい。

被害を与えたと考えられる。

それでは、噴火は人々の生活にどのような影響を及ぼしたのだろうか。一度目の噴火による降灰は五センチ以下で、生活に変化は生じなかったようだ。規模が小さいことが幸いしたのだ。二度目の噴火による降灰は二〇センチほどで、河川・道・溝などに堆積して、生活全般に影響があったと考えられる。しかし、住居および貝塚はその後も継続してつくられており、生活はある程度復旧したようだ。また、降灰のさなかに壺を供献していることが確認され、災害を呪術《じゆじゆつ》的な手段によって克服しようとした可能性が考えられる。

ところが、貞観一六年の噴火以後、遺跡には生活痕跡《こんせき》がまったくなくなる。つまり、この集落は使用不能になり、放棄されたのだ。つぎに人間の活動が認められるようになるのは、一〇世紀後半以降であった。この遺跡は、人々がある程度の災害は克服できたが、大規模な災害にはなす術《すべ》がなく、逃避するしかなかったことを語ってくれる。

これまでの歴史学は、環境が人間生活に影響を与えるとする見方に対して消極的であり、社会内部の諸問題が、主として人間の歴史に影響を及ぼしたとの見解をとってきた。しかし、災害をはじめとする環境変化が、人類の生活に大きな影響を与えたことも事実であり、それをどのように評価し、歴史学に組み込んでいくのかという点が重要である。とくに数値に表わすことの困難な前近代にあっては難しい作業であるが、考古学・地質学・地理学などと協力すれば、一定の成果を生み出すことができる。人類の未来を見据えるためにも、こうした作業は必要不可欠であろう。

液状化現象は語る

地震大国日本の災害は、何もいまに始まったことではない。長いあいだ、人々は地震と闘いつづけてきた。近年、その様子がしだいに明らかになりつつある。

弘仁《こうにん》九年（八一八）七月、坂東《ばんどう》諸国を大地震が襲った。相模《さがみ》などの諸国では、山崩れが起きて谷が埋まり、圧死した者は数えきれないほどだったという。地震のひと月後の報告もなまなましい。

「使《つかい》を諸国に遣《つかわ》して地震を巡省《じゅんせい》せしむ。その損害甚だしき者に賑恤《しんじゅつ》を加《くわ》えしむ。詔して曰《いわ》く、…如聞《きくならく》、上野国《こうずけのくに》等の境、地震災を為し、水潦相仍《すいりょうあいつ》ぎ、人物凋損《ひとものちょうそん》す。…今年の租調を免《ゆる》し、併せて民夷《みんい》を論ぜず、正税を以《もつ》て賑恤し、屋宇《おくう》を助修し、飢露《きろ》を免《まぬか》れしめよ。圧没の徒（圧死者）は、速やかに斂葬《れんそう》（埋葬）をなせ」（『類聚国史《るいじゅうこくし》』）

使者の報告によれば、地震のため上野国などの国境で人や物が失われた。そこで税を免除し、救助を行なうとともに、圧死者を埋葬することを命じた、という内容である。地震学者によれば、震源は上野・下野《しもつけ》・常陸《ひたち》・武蔵国《むさしのくに》の国境付近で（内陸型

5

◉泥流で埋まった用水路
群馬県砂田《すなだ》遺跡は古墳時代後期から開発された集落で、用水路も開削された。だが、弘仁九年の地震による泥流が、一瞬にして用水路を埋没させた。

地震）、数キロメートルにわたる山崩れが起き、さらに「水潦相仍ぎ」との表現から、河川の埋没に伴って流路が変わり、鉄砲水や泥流《でいりゅう》が起きたと推定される。二〇〇四年に起きた、中越地震による新潟県旧山古志《やまこし》村（長岡市）の被害が想起される。

しかも近年、埼玉県や群馬県から、古地震による災害痕跡《こんせき》が数多く発掘され、そのいくつかが弘仁九年の大地震に伴うものではないかと推定されるようになった。群馬県の場合、天仁《てんにん》元年（一一〇八）九月に噴火した浅間《あさま》山《やま》の火山灰（浅間Bテフラ）が広範囲に堆積《たいせき》していることがわかっているので、この火山灰が遺跡全体を覆っていれば、その遺構は天仁元年より古いことになる。また、遺跡から出土する土器の編年も確立しているので、火山灰と土器の層位的関係を調査することによって、さらに時期を特定できる。

こうした調査の結果、赤城《あかぎ》山麓《さんろく》の具体的被害が判明してきた。地震と同時に地割れが生じ、地下では液状化現象が起き、噴砂《ふんさ》となって地上に現われた。また、赤城山のあちこちで山崩れが起き、谷を埋めた。谷でせき止められた川の水は、土砂を伴って決壊し、泥流となって流れ下ったのだ。そして、九世紀第Ⅰ四半期の土器群を直接埋没《まいぼつ》させていること

6

◉群馬県今井《いまい》白山《しろやま》遺跡に見る液状化現象
地層下部で液状化現象が起き、噴砂が噴き上げられたあと、地表の土が陥入したと思われる。地表面には、古墳時代後期の住居跡があった。

が複数の遺跡で確認され、泥流の発生が九世紀初め（弘仁の大地震）であると推定されたのである。

噴砂とは液状化現象に伴う現象である。通常、粒のそろった砂が緩やかに積み重なった地層では、砂のすき間に地下水がまんべんなくしみ込んでいるのだが、大地震が起こると、その震動によって砂粒同士が集まって、行き所を失った水が地面から噴き上げ、またたく間に地盤をどろどろにさせる。これを液状化現象という。

一方、埼玉県でも深谷《ふかや》市周辺に集中して、地震による噴砂や地割れが数多く検出されている。とくに深谷市居立《いだて》遺跡では、集落が広範囲にわたって寸断された。この集落は、必ずしも地震当時に使用されていたわけではないが、地震発生時に使われていた建物への被害を想定するには十分である。この地震がいかに大きかったかをよく物語っている。

南海地震と東南海地震

古地震を研究する分野を地震考古学と呼び、過去のみならず、未来に向けて地震発生の周期を予測することに用いられている。たとえば近年注目されている南海《なんかい》地震と東南海《とうなんかい》地震だが、南海地震は四国沖、東南海地震は紀伊半島から駿河湾《するがわん》沖を震源とし、マグニチュード8クラスの巨大地震を引き起こす。いずれも南海トラフ沿いのため、同時に起こる可能性があり、最悪の場合、一万八〇〇〇人におよぶ死者が出ると積算されている。

最近では、南海地震は昭和二一年（一九四六）一二月二一日に、東南海地震は昭和一九年一二月七日に起こり、いずれも大津波が発生した。

古代では、『日本書紀《にほんしょき》』天武《てんむ》天皇十三年（六八四）十月壬辰《じんしん》条に記述がある。午後一〇時頃、山が崩れ、川が沸き、諸国の官舎・住居・寺院・神社に甚大《じんだい》な被害が生じたこと、道後《どうご》温泉の地下水が止まったこと、土佐国《とさのくに》の田畠一二〇〇ヘクタールが海中に没したことが記される。高知県には、室《むろ》戸《と》岬と足摺《あしずり》岬のあいだにあった「黒田郡」という土地が海没したとの伝説が残されている。さらに一一月には、巨大な津波が調《ちょう》を運ぶ船を襲ったとの報告も土佐国からもたらされた。

ここで興味深いのは、同じ十月壬辰条に、伊豆島（伊豆大島か）の西北の海面が上昇し、ひとつの島が生まれたと記載されていることである。同時に東南海・東海地震が起こった可能性もある。現に静岡県袋井《ふくろい》市坂尻《さかじり》遺跡では、このときのものと推測される液状化現象が検出されている。

次いで地震が起きたのは、仁和《にんな》三年（八八七）七月三〇日であった。ひと月ほど前から予震があり、この日の午後三時頃から大地震が発生し、京では役所や民家が倒壊して下敷きになって亡くなる者が多かった。五畿《ごき》内七道《ないしちどう》諸国でも役所に被害が発生し、津波が押し寄せて数えきれないほどの死者が出た。なかでも摂津《せっつ》国の損害は大きかった。余震は三週間以上も続き、虫や鳥に異変が現われ、関東大震災のあとと同じように妖言《ようげん》（怪しい噂話《うわさ》）が流布《るふ》したという。しかも、翌八月には、台風と推定される大風雨が都を襲い、多くの建物がつぶれ、鴨川《かもがわ》などが氾濫《はんらん》した。

こうした災害に対して、国家は紫宸殿《ししんでん》と大極殿《だいごくでん》で「大般若経《だいはんにゃきょう》」を転読させ、災異を払おうとした。基本的に、前近代では、神仏に祈るよりほかに手だてがなかった。

一方、被害のもっとも大きかった摂津国には権介《ごんのすけ》を任じている。いまでいえば、災害救助隊の隊長であろう。さらに伊予守《いよのかみ》に、内蔵頭《くらのかみ》で平安京《へいあんきょう》の造営に功績のあった和気清麻呂《わけのきよまろ》の子孫和気彝範《つねのり》、大宰大弐《だざいのだいに》に良吏《りょうり》として名高い藤原保則《ふじわらのやすのり》を任命した。復興のために有能な人物を送り込んだのであり、逆にこのことから、摂津国のほか、四国西部から九州にかけての被害が大きかったことがわかる。

従来の古地震学や地震考古学ではあまり注目されていないようだが、地震直後の人事異動をみることによっても、被害の大きかった地域をある程度推測することが可能である。

つぎの南海地震は、承徳《じょうとく》三年（一〇九九）一月二四日に発生し、土佐国の田一二〇〇ヘクタールほどが、海に没したという（『兼仲卿記《かねなかきょうき》』紙背文書《しはいもんじょ》）。ほぼ二〇〇年周期で地震が起きていることになる。

また、平安宮民部省《へいあんきゅうみんぶしょう》跡と推定される遺構では、築垣《ついがき》の基壇が確認され、その内側に瓦《かわら》が落下したままの状態で多数検出された。これは、天延《てんえん》四年（九七六）六月一八日午後四時頃に起きた地震の被害ではないかと想定され、八省の役所や豊楽院《ぶらくいん》、諸寺院をはじめ、民家も倒壊したという。ちなみに、この大地震の影響で、七月一三日に「貞元《じょうげん》」と改元している。このことか

●巨大地震の発生理由
ユーラシアプレートにフィリピン海プレートが潜り込む際に歪《ゆが》みが生じ、それを跳ね上げるときマグニチュード8以上の巨大地震が発生する。

らも、平安貴族に与えた影響の大きさがうかがい知れる。

ここに示した事例は一部にすぎないが、地震大国日本が、古代以来、大きな犠牲を強《し》いられてきた様子をよく示している。

都を襲う洪水

洪水と人間の闘いも、古来、繰り広げられてきた。よく知られているのは、延暦《えんりやく》三年（七八四）に平城京《へいじようきよう》から遷都された長岡京《ながおかきよう》である。桓武《かんむ》天皇は、延暦六年一〇月、「朕《ちん》、水陸の便を以《もつ》て、都をこの邑《むら》に遷《うつ》す」と述べている。たしかに長岡京の南に位置する山崎の地は、葛野《かどの》川（桂《かつら》川）・宇治《うじ》川・木津《きづ》川の合流地点で、山崎津《やまさきのつ》までは大型船で遡航《そこう》できた。また、同所には山陽道《さんようどう》が通っていたから、水陸の要所でもあった。

しかし、河川交通の利便さは、半面、水害が頻繁に起こることも意味する。延暦一一年には二度の洪水が起きた。六月には式部省《しきぶしよう》の南門が転倒し、八月には大雨が降り、桓武は赤目崎《あかめさき》で洪水を視察した。葛野川の氾濫《はんらん》で、長岡京の八割が冠水したのではないかと推測されている。この二度にわたる洪水が、平安《へいあん》

7

◉洪水に苦しめられた長岡京
長岡京は宇治・葛野・木津川が合流する淀に近接し、水陸の便に恵まれた。半面、洪水にしばしば襲われ、平安京遷都の一要因になった。

遷都《せんと》の原因のひとつであった。水運の便と洪水は、表裏の関係といえる。

だが、平安京も水害に悩まされた。貞観《じょうがん》一六年（八七四）八月には暴風雨があり、官舎や家々で被害を受けないものはなかった。京中は二メートル以上冠水し、橋は流され、溺死《できし》した人・馬・牛は数えきれないほどであった。淀津《よどのつ》と山崎橋付近の家は、数十戸も流された。

さらに、悲話も伝えられている。小さな倉のなかに、女性と二人の子供が取り残された。扉を閉めていたために浸水せず、川に浮かんで流れていった。彼女は手を挙《あ》げて、岸の上の人を招き呼ぶ。「来たりてわれを救え」と。人々は号泣し、八方手を尽くしたが、水の勢いが強く、手を差しのべることはできなかった。そのうちに倉は橋桁《はしげた》にぶつかり、人もろとも濁流に呑《の》み込まれてしまったという。山田太一《やまだたいち》の名作『岸辺のアルバム』を想起するのは、筆者だけだろうか。平安京も、暴れ川として知られる葛野川、高野川《たかの》と賀茂川《かも》が合流する鴨川《かも》に悩まされていたことがうかがえる。

更埴条里を襲う洪水

近年、発掘調査により、地域社会を襲った洪水の様子が徐々にわかってきた。たとえば長野県更埴《こうしょく》市だが、この地は、埋没《まいぼつ》した条里制が存するところとして知られてきた。ところが、長野オリンピックに関連して発掘調査が実施され、弥生《やよい》時代から中世にかけての複合遺跡であることが判明した。また、多数の木簡《もっかん》（屋代《やしろ》木簡）も出土した。

この信濃《しなの》地域を、仁和《にんな》四年（八八八）五月、未曾有《みぞう》の大洪水が襲った。

今月八日、信濃国、山頽《くず》れ河溢《あふ》れ、六郡を唐突《とうとつ》す。城盧《じょうりょ》（官衙《かんが》や民家）地を払いて流漂し、戸口波に随《したが》いて没溺《ぼつじゃく》す（『類聚三代格《るいじゅうさんだいきゃく》』）

山崩れが起きて川をせき止めたため、水が諸郡を貫流し、官衙や民家が流されたという。これに対して、国家は使者を派遣して現状を視察させ、救済策を講じた。

屋代地方では、古墳時代中期の水田跡が、広い範囲にわたって確認されている。全長約一〇〇メートルの前方後円墳《ぜんぽうこうえんふん》（森将軍塚古墳《もりしょうぐんづかこふん》）が四世紀に築かれていることから、有力な首長が古墳時代初期から統治していたことがわかる。しかし、そのまま農耕が安定していたわけではない。河川の流路に沿って形成された自然堤防の背面では、水路が埋没したり、千曲川《ちくま》の氾濫《はんらん》がしばしば起こり、八世紀にはほとんど遺構が確認されなくなる。

耕地が再開発されるには、八世紀末から九世紀初めまで待たねばならなかった。ふたたび水路の掘削が始まり、そのわきには住居もつくられた。その後、九世紀前半には、開発が急速に進展する。水路沿いに集落が成立し、条里《じょうり》地割が造成されはじめたのだ。この条里地割がさらに拡大したのが、九世紀前半から中ごろにかけての時期である。現在、「更埴条里遺構」と呼ばれる日本でも有数の条里制は、こうして一〇〇年近い歳月をかけて形成された。

ところが、その直後に千曲川が大洪水をもたらす。現在の暦に直すと、六月二〇日のことだった。洪水で堆積《たいせき》した土を取り除くと、洪水直前の「瞬間」が現われてくる。荒田起こし直後の凹凸《おうとつ》や、犂《すき》による代掻《しろか》きの筋目がはっきりと見える水田が、そこにはあった。また、畝《うね》状の高まりもみられ、水田だけではなく畠が存在したこともうかがえる。洪水が起きたのが初夏であり、文献が示す季節とも一致する。

ところで、遺跡を発掘する際には、堆積した土層の断面を観察することが重要である。土の堆積の様子を調べることによって、どのように土砂が堆積したのかという情報を得ることができるからである。そのために、畔《あぜ》状の土を残し、その断面の土の堅さ・色・粒子・粘り気などをもとにして、層位に分けて記録をとるのである。この作業によって、洪水が三段階にわたって起こり、弥生時代以来、現在に至るまでで、もっとも大規模だったことが判明した。

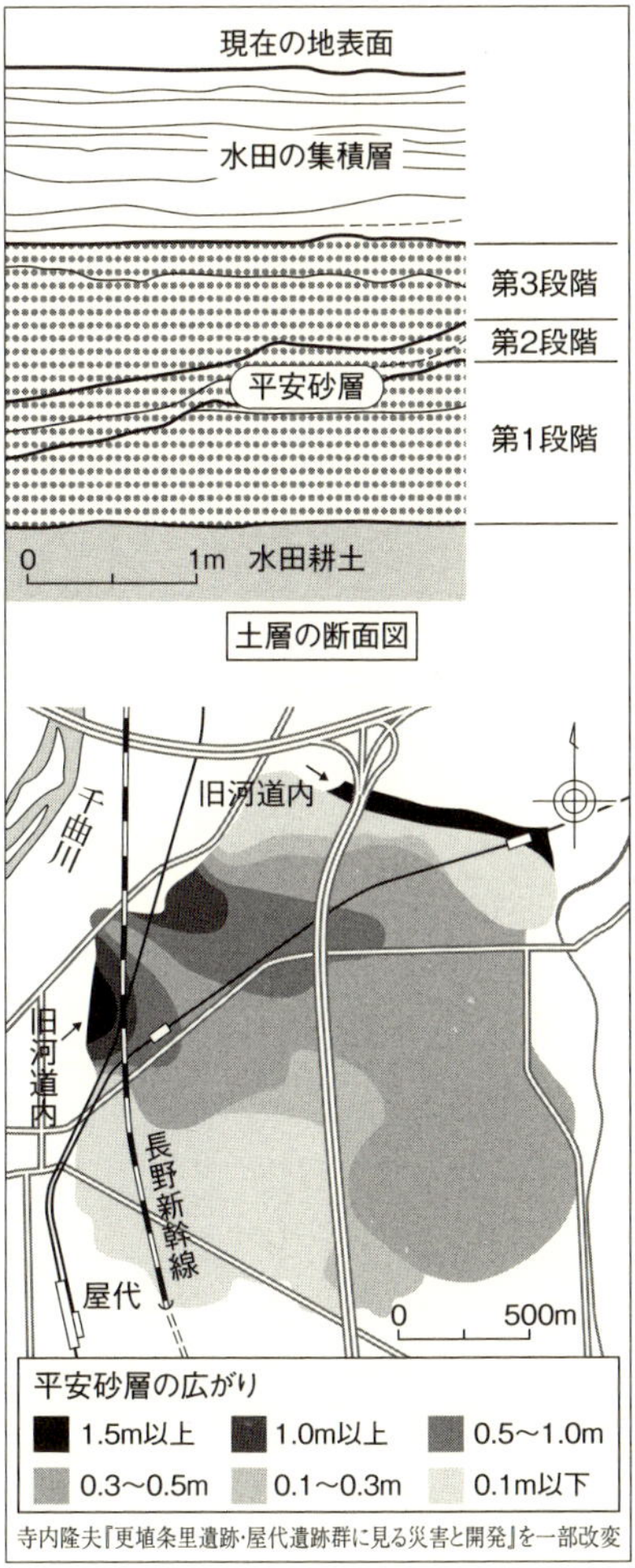

寺内隆夫『更埴条里遺跡・屋代遺跡群に見る災害と開発』を一部改変

●屋代平野の水害

仁和四年に起きた大洪水は、最大で一・五m以上の土砂を堆積させ、屋代平野の大部分を覆い尽くした。この洪水は、弥生時代以来の最大の洪水であった。

この千曲川の洪水による土砂の堆積は、場所によっては二メートルにも達しており、洪水が屋代平野全体に広がる規模であったことも推測できた。ただし洪水の初期においては、鉄砲水のように急激に水かさが増したのではなく、徐々に浸水するタイプの洪水であったようだ。したがって避難するまでのあいだ、ある程度の時間的余裕があったらしく、住居跡の家財道具は持ち去られていた。

もちろん、当時の人々が、水害に対してまったく無抵抗だったわけではない。たとえば、水田と集落のあいだには土手が築かれ、ある程度の出水には対処できるようになっていた。また、水路にはひと抱えもあるような土の塊がいくつも落ちていた。これは、水路の水があふれないようにと置かれた土嚢《どのう》が、洪水によって水路の中に転落したのではないかと考えられている。人々は経験上、水害への対処方法をある程度知っていたのだろう。だが、このたびの水害は、彼らの想像をはるかに超えた規模で起こったのだった。

それでは、その後、この地はどのようになったのだろうか。洪水の直後から、千曲川から離れた地に竪穴《たてあな》住居がつくられたこともあった。しかし、弥生時代以来、連綿と集落が形成されてきた自然堤防上には、約一〇〇年のあいだ、集落は建設されなかった。この場所に住居が形成されたのは、一〇世紀末以降である。この時期になると、水路の再掘削も行なわれるようになったが、条里遺構の復旧は、一部にとどまったようである。この地に大規模な再開発の手が加えられるには、中世を待たねばならなかった。

気候、疫病と戦禍

温暖化と飢饉

気象観測データがない過去の気候を知ることは容易ではない。それでは、どのように推測することができるのか。日本列島についていえば、まず、樹木の年輪で推測する方法がある。年輪は、気候の寒暖によって形成される幅が異なる。これを寿命の長い木で測定すると、おおよその気候を知ることができる。日本では、数千年も生育する屋久杉《やくすぎ》が適している。ちなみに、年輪を現在から過去へとさかのぼって「物差し」をつくれば、出土した木材の年代、とくに樹皮に近い辺材が残っていれば、その材の伐採年をもほぼ知ることができる（年輪年代法）。

また、花粉によっても分析できる。花粉は空中を浮遊し、その後、腐敗せずに土中に堆積《たいせき》するので、その種類や含有量を分析すれば当時の植生が復元でき、気候の寒暖を知る手がかりになる。このほか、世界的には、海面の上下（温暖ならば上昇し、寒冷ならば下降する）による方法もある。

こうした研究を総合すると、九世紀から一一世紀までは、比較的温暖な時代であったようだ。この時期の海面上昇を平安海進と呼ぶ。たとえば治安《じあん》元年（一〇二一）、上総国《かずさのくに》から帰京した菅原孝標《すがわらのたかすえ》女《のむすめ》が記した『更級日記《さらしなにっき》』によれば、下総《しもうさ》国にあった富豪の屋敷跡の門柱が、川の中に立っていたという。平安海進により、低地にあった可耕地が水没した可能性がある。

しかし、温暖な時代には、旱魃《かんばつ》が発生しやすい。とくに九世紀前半から中ごろにかけては、厳しかったようだ。弘仁《こうにん》一〇年（八一九）二月の勅符《ちょくふ》によれば、人は飢えて危機的状態となり、正倉《しょうそう》も空《から》で救民もできないため、使者を派遣して強制的に富豪の蓄えを記録させ、困窮者に貸し出させた。政治史からみると、弘仁期は、藤原園人《ふじわらのそのひと》など地方官経験者が議政官《ぎせいかん》となり、良吏《りょうり》と呼ばれる行ないの優れた国司が優遇された時代であった。また、救荒策や麦作の奨励など、勧農政策も積極的にとられた。これらも記録的な旱魃と関係すると思われる。

また、先の史料『更級日記』で、富豪の存在が指摘されていることは、興味深い。弘仁一〇年五月の太政官符《だいじょうかんぷ》によれば、私出挙《しすいこ》がさかんに行なわれていることがうかがえる。貧しい者はさらに貧しく、富める者はさらに豊かになったようだ。農村の荒廃は、富豪へのなおいっそうの富の集中を招き、貧富の差を激化させただろう。この現象は、ますます律令《りつりょう》制の変質を促進させる要因になったに相違ない。

出羽《でわ》国の秋田城跡から出土した嘉祥《かしょう》年間（八四八〜八五一）ごろの漆紙文書《うるしがみもんじょ》のなかに、前年七月から翌年六月までに亡くなった人名を書き連ねた帳簿がある（「死亡人帳」）。その内訳から、女性と老人は九月から一二月にかけて、成人男子は六月頃に亡くなる傾向が読みとれる。とくに、高志公《こしのきみ》のイエでは、なんと一年間に六人もの死者が出ている。

九世紀初めから中ごろにかけて、陸奥《むつ》・出羽国でも飢饉《ききん》・長雨・疫病が頻発している。連年凶作が続き、九月の収穫期にも満足な食糧が得られなかったため、まず、体力のない老人と女性が亡くなり、成人男子も翌年六月には食糧が尽きてついに亡くなったと推測することもできる。
しかも、ウジ名には「高志」や「江沼《えぬま》」が多く、越後国《えちご》や加賀国《かが》からの移住者であったようだ（高志は「越」、江沼は加賀国江沼郡に由来する）。つまり、東北経営のために移住した、あるいは移住させられた人々は、血縁者が少なく、出羽国の生活にも慣れていなかったために、より大きな被害にあったと推測される。この「死亡人帳」は、古代の民衆の厳しい生活を伝えている。

次いで、貞観《じょうがん》年間（八五九～八七七）にも、全国的に洪水・旱魃・大風・疫病が頻発した。当時の為政者にとって、天候不順は大きな政治問題であった。第二章で述べたように、中国の天命思想では、皇帝の政治の優劣が、地上の天候や災害に影響を及ぼすと考えられたからである。そこで、藤原基経《もとつね》は、元慶《がんぎょう》元年（八七七）七月、旱魃を理由に摂政《せっしょう》を辞任する上表《じょうひょう》を行なっている。貞観期には唐風化《とうふうか》政策がとられ、しかも日本の歴史上初めて幼帝が誕生した。天変地異の発生は、天皇の「政《まつりごと》」の評価」とも受け取られかねない。

そこで、この時期には、仏教・神祇《じんぎ》・陰陽道《おんようどう》などによる祈禱《きとう》がしばしば行なわれ、上下関係を重視する儒教もいっそう奨励された。天台《てんだい》・真言宗《しんごん》は密教による修法《しゅほう》を行ない、王権や貴族

8

◉「死亡人帳」
戸籍や計帳に関連する文書のひとつで、戸ごとに死亡した者の名前・性別・年齢・死亡日などが書き出されている。（秋田城跡出土）

と深い関係を結んでいく。また、陰陽道にも滋岳川人《しげおかのかわひと》が出て、一〇世紀に盛んになる陰陽道の基礎を築いた。神祇祭祀《さいし》についても、大中臣逸志《おおなかとみのいつし》が神祇祭祀の再編を行ない、ケガレがより強く意識されるようになった。これら宗教界の新しい動きも、この時期の天候不順と無関係ではあるまい。

疫病と信仰

いつの時代でも変わらないが、人類が恐れているものに疫病がある。とくに、人口が密集する都市では猛威をふるった。例として、正暦《しょうりゃく》五年（九九四）からの赤斑瘡《あかもがさ》（麻疹《はしか》）をあげる。

はかなく年も暮れて、正暦五年といふ。いかなるにか今年世の中騒がしう、春よりわづらふ人々多く、道大路《みちおおおじ》にもゆゆしき物ども多かり。（『栄花物語《えいがものがたり》』巻四）

この年の春から病気になる人が多く、大小の道には病人や死体が多かったという意味である。実際、疫病は前年から猛威をふるった。この疫病は、大宰府《だざいふ》を起点にしていたようで、大宰府では官《かん》人《じん》や民衆に多くの死者が出て死骸《しがい》で道がふさがれ、翌年には、都の官人七〇人以上が犠牲となった。派遣された検非違使《けびいし》の下級役人の報告は、阿鼻叫喚《あびきょうかん》の都の様子をつぎのように伝えている。「京中の道に仮屋を設け、病人を収容した。彼らを車に乗せたり、背負ったりして薬王寺《やくおうじ》に運んだが、死ぬ者が多く、死体は道にあふれた。往来する者は臭いので鼻を押さえている。烏《からす》や犬は死体に飽き、骸骨が道を塞《ふさ》いでいた」（『本朝世紀《ほんちょうせいき》』）

さらに、翌年の長徳《ちょうとく》元年（九九五）になっても疫病はおさまらず、公卿《くぎょう》が八人も亡くなり、夏になってようやく下火になった。じつは、亡くなった公卿のなかには、藤原道隆《ふじわらのみちたか》（疫病ではない可能性もある）・道兼《みちかね》が含まれている。彼らは藤原道長《みちなが》の兄で、いずれも関白《かんぱく》在任中であった。

道長は兼家《かねいえ》の四男にすぎなかったから、もしこの疫病の流行がなかったら、彼が栄耀栄華を極めることができたのか、はなはだ疑問である。奈良時代、天然痘《てんねんとう》（疱瘡《とうそう》）によって不比等《ふひと》の子、藤原四兄弟が相次いで亡くなったことに匹敵する、日本の政治を変えた疫病でもあった。

疫病に対して、国家は著名な寺社に奉幣《ほうべい》や読経、災いを払うと信じられた臨時の仁王会《にんのうえ》、大赦《たいしゃ》などを行なった。また、諸国に命じて「大般若《だいはんにゃ》経《きょう》」を書写させ、六観音《ろくかんのん》を描かせた。

一方、民衆も積極的に対応した。当時、疫病は疫神《えきじん》のしわざと考えられていた。そこで、正暦五年六月二七日、疫神を鎮めるために、御霊会《ごりょうえ》を開き、京都北野の船岡山《ふなおかやま》の上に神輿《みこし》を置いて「仁王経」を読み、都じゅうの楽人《がくじん》が集まって音楽を奏でた。さらに、数えきれないほどの人々が幣帛《へいはく》（供物）を捧《ささ》げ、その後、神輿を難波《なにわ》の海に流したという。

9

◉日本各地に残る虫送りの行事
初夏、藁馬などに虫を乗せて送ったり、藁人形や蛇形などの依代《よりしろ》を引きまわす民俗行事が、現在でも行なわれている。写真は愛知県祖《そ》父江《ふえ》町での虫追い。

この民衆の行為は二つの祭祀《さいし》を取り入れている。そのひとつが「虫送り（虫追い）」である。現在でも農村には、「虫送り」「サネモリ様」などと呼ばれる年中行事がある。これは夏に発生する「虫」（昆虫だけではなく、災いすべてを含む）が蔓延《まんえん》しないように、神輿や藁《わら》人形などをつくって村中をまわり、「虫」を憑依《ひょうい》させて河川に流したり、焼いたりする民俗行事である。

もうひとつは、毎年六月と一二月の晦日《みそか》に行なわれる大祓《おおはらえ》で、半年のあいだにたまった厄《やく》やケガレを払う神祇《じんぎ》祭祀である。先の民衆の行動は、大祓の日（六月三〇日）を意識しつつ、「虫送り」を変形させた祭祀といえるだろう。

都市に住む弱い立場の民衆は、もう一方では浄土《じょうど》信仰へと篤《あつ》い視線を向けているが、そのことについては、第七章で述べることにする。

戦争の悲劇

近・現代社会において、戦争がもたらした被害と悲劇にはすさまじいものがあるし、悲しいことに、今日、この時も続いている。ところが、これまで古代史の分野では、この問題について、あまり取り上げられたことがない。だが、現実を見つめるとき、それではすまされない。

承平《じょうへい》五年（九三五）、平将門《たいらのまさかど》は平国香《くにか》・源護《みなもとのまもる》たちに勝利したのち、「野本《のもと》・石田《いしだ》・大串《おおぐし》・取木《とりき》等の宅より始めて、与力《よりき》の人々の小宅に至る迄《まで》、皆悉《ことごと》く焼き巡」り、さらに「筑波《つくば》・真壁《まかべ》・新治《にいばり》三箇郡の伴類《ばんるい》の舎宅五百余家、員《かず》の如《ごと》くに焼き掃《はら》」ったと、『将門記《しょうもんき》』は伝える。

この時期の戦闘では、勝利したあとでも、敵方を焼き尽くす焦土作戦が一般的であった。なぜなら、戦力の中心であった従類《じゅうるい》（数は少ないが主人との関係が密接で営所のまわりに居住する）、伴類（独立性が強く、自身も従類を率いた小集団の長で、広く散在した）たちは、兵士であるばかりでなく、自身で耕作を行なう農民でもあったためだ。したがって、彼らの家を焼き討ちすることは、生産能力を破壊し、戦闘意欲を喪失させることを意味した。相手側の施設をなるべく無傷で入手し、逆に戦いに用いようとした後世の戦闘とは異なっている。

また、戦闘には兵粮《ひょうろう》が必要であった。短期戦ならば自弁の食糧で十分だが、長期戦、それも長い行軍ののちに戦闘を行なうには、兵粮が欠かせなかった。その場合には、掠奪《りゃくだつ》行為におよぶことになる。

「兵の士《おのこ》千余人を分《わか》ちて、栗原《くりはら》郡に遣《つかわ》しぬ。また磐井《いわい》郡仲村《なかむら》の地は、陣を去ること四十余里なり。田畠を耕作して、民戸頗《すこぶ》る饒《ゆたか》なり。兵の士三千余人を遣して、稲禾《いねあわ》等を刈らしめ、軍の糧《かて》に給へむとせり」（『陸奥話記《むつわき》』）

10

◉合戦で炎上する館《たち》
古代の戦闘では敵の館《たち》のみならず、まわりに点在する家にも放火した。兵士の多くが農民でもあったため、生産力を破壊するのが目的である。
『後三年合戦絵巻《ごさんねんかっせんえまき》』

これは、前九年合戦《ぜんくねんかっせん》（一〇五一〜六二年）の際、源頼義《よりよし》軍が陸奥国《むつのくに》小松柵《こまつのさく》を攻略したあとの様子だが、遠征による食糧不足を解消するため、豊かな磐井郡仲村に兵士を派遣し、刈り入れ間近の稲を掠奪させている。

戦乱による農村の荒廃をもっともよく知ることのできるのが、平忠常《ただつね》の乱《らん》（一〇二八〜三一年）後の東国である。この戦いは、良文《よしぶみ》流平氏《へいし》と貞盛《さだもり》流平氏の私怨《しえん》による要素も手伝って、泥沼化した（第四章参照）。その結果、長元《ちょうげん》四年（一〇三一）三月には、安房《あわ》・上総《かずさ》・下総国《しもうさのくに》が「亡国（荒れ果てた国）」と報告され、六月には相模国《さがみ》も「衰老《すいろう》殊に甚《はなは》だし」といわれた。相模国は直接の戦場ではなかったが、兵士・兵粮の供出などで疲弊《ひへい》したと思われる。

さらに、長元七年一〇月、上総介藤原辰重《すけふじわらのときしげ》が『左経記《さけいき》』の筆者源経頼《つねより》を訪ねて、つぎのように話している。

「上総国は平忠常の住国であったため、追討使の平直方《なおかた》と諸国の兵士のために、蓄えは（すべて供出し）何も残っていなかった。そこで、前上総介平維時《これとき》の任期終わりの徴税文書を見たところ、上総国の作田数は一八町であった。前任国司の署名があったから誤りない。上総国の本来の作田数は二万二九八〇町である。平将門の乱の際の衰亡も甚だしかったが、このたびにはおよばない。自分が上総介になったときは五〇町ほどであったが、年ごとに回復して今年は一二〇〇町となり、他の国々に散らばっていた人民も多く帰ってきた。これは政府の命令を守って、いままで官物《かんもつ》をまったく徴収しなかったことによる復興である」

忠常の乱による荒廃ぶりは、すさまじいとしかいいようがあるまい。当時の戦闘方法は、先に述べたように焦土作戦で、農民から兵士や兵粮を徴発するのだから、たまったものではない。古代の戦争による疲弊の様子が、数字で表わされることはほとんどないといっても過言ではなく、多少の誇張があるとしても貴重な史料である。

戦争と暴力

戦争の悲惨さを象徴するものとして、最近、軍隊による性暴力が取り上げられるようになった。古代においても、まったく変わりはない。平将門《たいらのまさかど》が常陸《ひたち》国府を占領した際の『将門記《しょうもんき》』に、つぎのような記述がある。

屏風《びょうぶ》の西施《せいし》は、急《たちまち》に形を裸《あらわ》にするの媿《はじ》を取り、府中の道俗も、酷《から》く害せらるるの危《あや》ぶみに当《あた》る。…定額《じょうがく》の僧尼は、頓命《とんめい》を夫兵《ふひょう》に請《こ》ふ。僅《わず》かに遺《のこ》れる士女《しじょ》は酷き媿を生前に見る。

11

◉戦乱に巻きこまれる女性の悲劇
多くの女性は、戦いが起こっても館《たち》に残り、銃後を守った。そのため、戦いに負けると、夫や父親たちと運命をともにする者や捕らえられる者もいた。(『結城合戦絵巻《ゆうきかっせんえまき》』)

屏風は深窓をイメージさせる。西施とは、中国の春秋《しゅんじゅう》時代に呉《ご》王夫差《ふさ》が愛した美女で、宿敵の越《えつ》王勾践《こうせん》が夫差をおとしめるために嫁がせた女性である。つまり、国司などの妻が、むりやり引き出されたことを意味しているのだろう。そして、わずかに生き残った身分のある女性（士女）が、ひどい恥をさらしたという文と併せてみると、彼女たちが将門の兵士集団に性暴力を受けたことを暗示していると思われる。

また、将門の部下が宿敵平貞盛《さだもり》の妻を発見した際の文章からも、性暴力がうかがえる。

夫兵等のために悉く《ことごとく》虜領《りょりょう》せられたり。就中《なかんずく》、貞盛が妾《め》は、剝《は》ぎ取られて形を露《あらわ》にして、更に為《せ》む方《かた》なし。眉《まゆ》の下の涙は面《おもて》の上の粉《はふに》を洗い、胸の上の炎は心中の肝《きも》を焦《い》る。

貞盛の妻が服を剝ぎ取られ、兵士により集団的な性暴力を受けたと解釈してよいだろう。『今昔物語集《こんじゃくものがたりしゅう》』では、「兵等《つわものら》ノ為ニ被犯《おかされ》タリ」と表記している。『将門記』の作者は、漢籍の修飾を用いて、こうした内容を婉曲《えんきょく》に表現しようとした。やはり、こうした内容をそのまま書くのは、ふさわしくないと考えたのだろう。しかし今日、軍隊による性暴力が世界的な問題となっているとき、あいまいな解釈は許されるべきではない。

また、少し事情は異なるが、前九年合戦の際、安倍《あべ》軍の最後の砦《とりで》であった陸奥国《むつのくに》の厨川柵《くりやがわのさく》が落ちると、源氏《げんじ》側の武者たちが柵内になだれ込み、女・子供も容赦なく斬殺したうえで、「城の中の美女数十人、皆綾羅《りようら》を衣《き》、悉くに金翠《きんすい》を粧《よそ》いて、煙に交わりて悲しび泣けり。出して各軍士に賜《たま》」わっている。着飾っていた女性たちの人格は認められず、「戦利品」として兵士に与えられたのだ。当然、性暴力が伴ったはずである。

しかし、悲惨な目にあったのは、女性ばかりではなかった。前九年合戦では、敵将藤原経清《ふじわらのつねきよ》（藤原清衡《きよひら》の父）が捕縛され、源　頼義《みなもとのよりよし》の家臣になることを拒むと、痛みが増すようにわざと切れない刀で経清の首を切る、という行為におよんでいる。

また、後三年《ごさんねん》合戦（一〇八三～八七年）の際、金沢《かねざわ》柵に籠城《ろうじよう》中、清原家衡《きよはらのいえひら》の乳母の子千任《ちとう》が、「前九年合戦の際、源頼義が清原武則《たけのり》に臣下の礼を取って援軍を依頼したおかげで、安倍貞任《さだとう》たちを滅ぼすことができたにもかかわらず、その恩人の子孫を攻めるとは不義不忠者だ」と源義家《よしいえ》の軍を罵倒《ばとう》した。

義家の逆鱗《げきりん》に触れた千任は生け捕りにされ、歯を

12

●生け捕りにされる千任
武者に押さえつけられ、まさに舌を切り取られようとしている。馬上は義家か。当時の残忍な仕打ちには、怨念《おんねん》を晴らすほかに、見せしめという目的もあった。（『後三年合戦絵巻《ごさんねんかっせんえまき》』）

金箸《かなばし》で突き破られ、舌を引き出して切り取られたうえ、身体を木に吊《つる》されて、その足もとに主人である清原武衡《たけひら》の首を置かれる。主人の首に足は置けないことを見越した、まことに残忍な仕打ちである。『後三年合戦《ごさんねんかっせん》絵巻《えまき》』には、リンチされた千任の様子や、名札を付けて木に吊された数十にもおよぶ首が描き出されている。

どうやら、当時の武士は、きわめて残虐《ざんぎゃく》な性格をもっていたようだ。貴族の日記にも、源義家は「多く罪無き人を殺す」と形容され（『中右《ちゅうゆう》記《き》』嘉承《かしょう》三年〔一一〇八〕正月二十九日条）、源頼義の伯父《おじ》にあたる頼親《よりちか》について、藤原道長《みちなが》は自身の日記『御堂関白記《みどうかんぱくき》』で、「件《くだん》の頼親は殺人上《じょう》手《ず》なり。度々此《たびたびこ》の事《こと》あり」（長和《ちょうわ》六年〔一〇一七〕三月十一日条）と述べている。

さらに、後白河《ごしらかわ》法皇が編纂《へんさん》した今様《いまよう》集『梁塵秘抄《りょうじんひしょう》』には、

鷲《わし》の棲《す》む深山《みやま》には　概《なべ》ての鳥は棲むものか　同じき源氏と申せども
八幡太《はちまんた》郎《ろう》は恐ろしや

（鷲の棲む険しい山に、ふつうの鳥は棲まないではないか。光源氏と同じ源氏とはいっても、八幡太郎源義家は恐ろしいものよ）

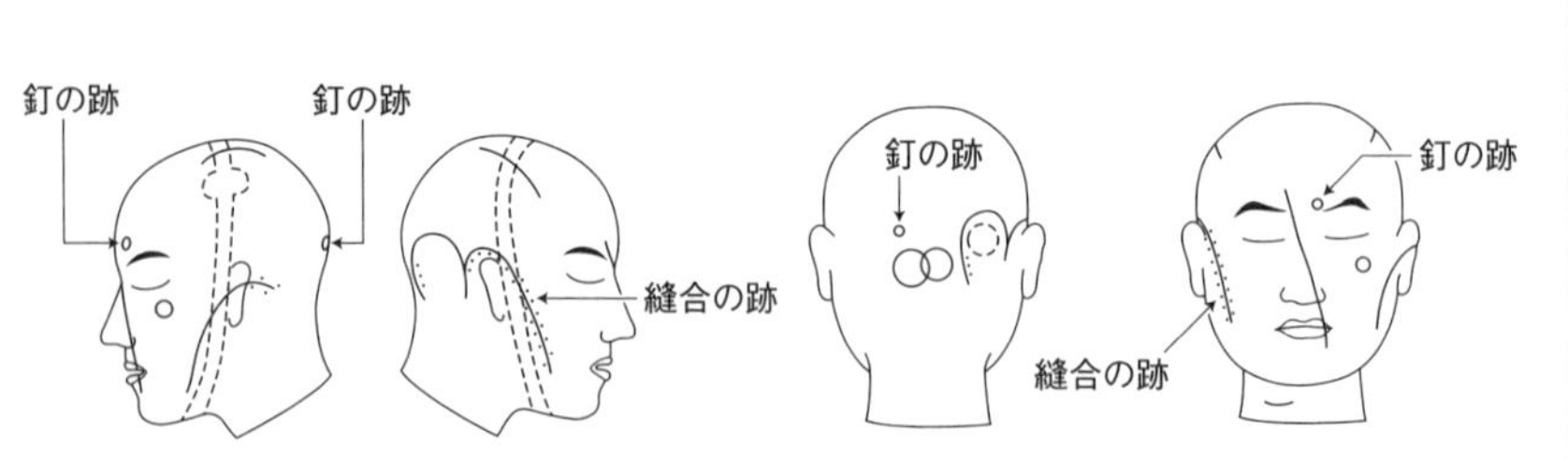

鈴木尚『骨』より作成

とうたわれている。義家を鷲にたとえて、その恐ろしさを強調しているのだ。源義家は、近代社会ではその武勲を賞される一方、和歌を詠み情の深い理想的な武士として描かれ、戦前の教科書にも載った。しかし、その実像には、「英雄八幡太郎義家」の片鱗《へんりん》をみることさえできない。

現在、中尊寺金色堂《ちゅうそんじこんじきどう》（岩手県平泉町）の須弥壇《しゅみだん》の中に、藤原泰衡《やすひら》の首のミイラが安置されている。彼は、源頼朝《よりとも》の脅迫に屈し、父秀衡《ひでひら》の遺言に背いて源義経《よしつね》を殺害したにもかかわらず、最終的には頼朝による奥州《おうしゅう》合戦で殺された。

かつて泰衡のミイラを調査した人類学者は、眉間《みけん》に穿《うが》たれた孔《あな》が、晒首《さらしくび》にする際、八寸釘《くぎ》を打ち付けられたことによってできたこと、また、ミイラに多くの刀傷が残されていることを発見した。奥州藤原氏の栄華を語る金色堂と、その滅亡を象徴するミイラほど、平和のもろさ・弱さ、そして戦争の悲惨さを表わしているものはあるまい。

近・現代社会において、武士は道徳的で潔い者と位置づけられがちであるが、少なくとも発生期の武士は、職業的殺し屋というのがふさわしく、けっして人々から尊敬を集める対象ではなかった。むしろ、眉をひそめられながらも、必要悪として認知されていたというべきだろう。

●藤原泰衡の受けた傷
『吾妻鏡《あずまかがみ》』によれば、泰衡は逃亡する途中、家臣河田次郎に殺され、首を鎌倉に送られた。この頭部には、切り取られた側頭部を糸で縫い付けた痕も残されている。

コラム3

富士山の噴火

富士山は現在、火山活動を休止しているが、過去には活発に活動していた時期もあった。そのうち、噴火の様子が詳細に残っているのは、貞観《じょうがん》六年（八六四）のもので、富士山の北西斜面から噴火し、現在の長尾山が形成されている。

五月二五日、駿河国《するがのくに》から報告があった。それによれば、噴火の勢いはたいそう大きく、一～二里四方の山を焼き（当時の一里は約〇・六キロメートル）、火柱は二〇丈（一丈は約三メートル）に達した。地震も三度ほど起こり、火山灰が雨のように降った。溶岩流は長さ三〇里、幅三～四里で、本栖《もとす》湖に流れ込んだ。

七月一七日には、甲斐《かい》国からも報告が届いた。溶岩流は甲斐国八代《やつしろ》郡本栖湖と「剗《せ》の海《うみ》」を埋め、湖水は湯になり、魚や亀はみな死んだ。人々の家も呑《の》み込まれ、住居は残ったものの、一家が死に絶えた家も数知れなかったという。翌年には、一〇〇〇町（約一一〇〇ヘクタール）にわたって「剗の海」を埋めたと報告された。これは現在「青木《あおき》ヶ《が》原《はら》溶岩流」と呼ばれ、精《しょう》進《じん》湖と西《さい》湖を形成したのである。

◉貞観六年の溶岩流
溶岩流は、現在、青木ヶ原樹海として知られている。西湖の湖畔に行くと、「剗の海」に流れ込んだ溶岩流の痕《こん》跡《せき》がみられる。

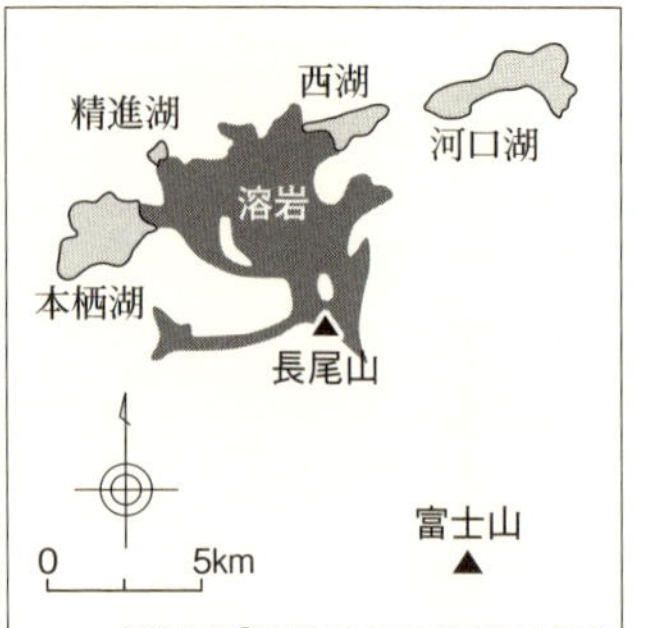

伊藤和明『地震と噴火の日本史』より作成

第四章

受領の成立と列島の動乱

1

受領の時代

国司の変質

国司は、中央から派遣され、国府にあって諸国の行政・警察・司法をつかさどった。九世紀前半は、災害が頻発したこともあり、庶民の生活に心を砕く良吏《りょうり》と呼ばれる国司が重用された。たとえば、天長《てんちょう》四年（八二七）に美濃介《みののすけ》となった藤原高房《ふじわらのたかふさ》は、在地の人々が「堤の神が邪魔して修理不能だ」と口をそろえて反対した灌漑《かんがい》用の池の修造を、「苟《いやしく》も民に利ありせば、死しても恨まず」と公言して、ついに成し遂げている。当時は、地方社会を破綻《はたん》から救い、儒教的倫理観をもつ人物が尊ばれたのであった。

しかし、良吏になれるか否《いな》かは、個人の資質に大きく依存している。誰でも良吏になれるわけではなかった。こうした状況を反映して、九世紀後半には、新たな国司制が構想された。その結果、国司の性格は大きく変化し、郡司や税制などにも影響を及ぼしていく。

こうして成立したのが、受領《ずりょう》国司制である。現代社会でも「物品を受領する」というように、「受領」という言葉がしばしば用いられる。じつは、平安時代の受領も現代の意味と近く、国務を前任者から「受領」するというところからきている。

◉国司の旅

国司になると、一二〇日以内に出発するのが決まりであった。郎等《ろうどう》のほか、武力に秀でた武者、陰陽師、事務に巧みな者を同行させた。（『粉河寺縁起絵巻《こかわでらえんぎえまき》』）前ページ写真そもそも国司には、守《かみ》・介《すけ》・掾《じょう》・目《さかん》という役職の区分があった。それぞれの位階や職務・定員は、官位令《りょう》・職員《しきいん》令という令の編目に規定されていた。律令の原則では国司それぞれが事務分掌《ぶんしょう》をもち、共同で国内を統治していたのである。したがって、税収不足などの問題が生じた際には、特定個人の故意や過失でなければ、国司全体で責任をとる（俸給から補塡《ほてん》する）連座制が適用された。

ところが、九世紀頃から、税の違期《いご》（納期の遅れ）・未進（未納）・粗悪などが生じ、国家財政が不安定になると、国家はその確保を迫られるようになった。従来の国司連座制では、その責任の所在があいまいである。みんな悪ければ、誰も悪くないというわけだ。そこで、国家は九世紀後半ごろ、最上位の国司に責任をとらせる方法へと、国司制を変換させた。この最上位の国司を受領、あるいは受領国司と呼ぶ。一般的には、守が受領にあたるが、上総《かずさ》・常陸《ひたち》・上野国《こうずけのくに》は「親王任国」と呼ばれ、都にいる親王が守に任じられたため、介が受領となった。

国家は、受領に責任を負わせるかわりに、諸国の内政に直接介入することを控え、受領に税の徴収や検察権など、国内支配の権限を大幅にゆだねた。その結果、受領に比べて、介・掾・目などの国司（任用《にんよう》国司とい

国司の職務

役職	人数	職　務
守	1人	神社の維持管理 戸籍・計帳の作成 公民の保護・育成 農業の維持管理 治安の維持 孝子・国学の学生などの推薦 訴訟の受け付け・判決 租・庸・調、出挙など税の徴収 倉・武器・駅伝馬・狼煙・牧・ 関所・家畜・遺失物の管理 寺院・僧尼の戸籍の管理 雑徭・兵士の徴発・使用
介	1人	守に同じ
大掾	1人	治安維持、目が作成した文書の審査・承認、目が発見した公務遅延の判断
少掾	1人	同上
大目	1人	文書授受の記録作成、文書草案の作成 公務遅延の発見、公文の読申
少目	1人	同上

*ほかに権官や員外官を設ける場合がある。
人数については、国の等級に左右される。

う）の権限が縮小し、受領との格差が大きくなった。

国司の性格の変化は、国司が文書に署名する方法にも現われている。八、九世紀には、守のみならず、任用国司も自署を加えることが多かったが、一〇世紀初め以降、受領だけが署名する場合が急増する。任用国司が国務から疎外されたのである。

この情勢の変化は、任用国司たちの不満をつのらせた。たとえば元慶《がんぎょう》七年（八八三）六月に、筑後《ちくご》守都御酉《みやこのみとり》が掾であった藤原近成《ちかなり》に射殺されたように、九世紀後半以降、列島各地で任用国司が受領を襲撃する事件が多発する。おそらく、国衙《こくが》の運営方法や俸給の受け取り額などをめぐって、両者のあいだで紛争が起きたためだろう。

受領を望む貴族たち

受領《ずりょう》が権力を掌握するにしたがって、そのポストを希望する貴族が増えた。理由は、受領の収入の多さにあった。『枕草子《まくらのそうし》』の「すさまじき物（興ざめた物）」に、除目《じもく》で国司《こくし》に任命されそうな人物の家に多くの人が集まって、任命をいまかいまかと待ち望んでいたものの、結局空振りに終わり、翌朝人々がすごすごと帰っていく姿が描かれている。受領に任じられることは本人のみならず、取り巻きにとっても大きな関心事であった。受領に任官されることを望む者は多くいたが、天皇や上皇、そして摂関《せっかん》家などの有力者と「コネ」のある人物以外は、順番待ちを強《し》いられ、なかなかその希望を果たせないのが現実であった。

受領たちは、いちどその地位につくと、蓄えた財物を使って、内裏《だいり》の修理や王権の寺院（御願寺《ごがんじ》）の造営や修理を請け負い、その見返りとして任期を延ばしたり（延任《えんにん》・重任《ちょうにん》）、さらなる位階や官職を手に入れることができた（成功《じょうごう》）。また、私的に摂関家や上皇の居所を造営して、彼らの歓心を買う場合もあった。受領たちの行為は、摂関家や上皇の期待するところでもあったから、もたれあいの構図とみることもできる。

摂関期には、受領の収入の多さに着目した摂関家が、家司《けいし》に多くの受領を抱えた（家司受領）。公卿《くぎょう》たちは、除目に際して、受領の候補者を推薦する権利（受領挙《ずりょうきょ》）をもち、多くの場合、近臣を推挙した。摂関家や院にとっても、受領は必要不可欠であったのだ。

こうした受領の非法を訴えたのが、有名な『尾張国郡司百姓《おわりのくにぐんじひやくしよう》等《ら》解《げ》文《ぶみ》』である。永延《えいえん》二年（九八八）、尾張国の郡司・百姓たちが、尾張守藤原元命《ふじわらのもとなが》を三一か条にわたって国に訴えた。一〇世紀から一一世紀前半にかけて、国司の無法を訴えた事例はしばしばみられるが、これは受領による収奪が苛《か》酷《こく》を極めたこと

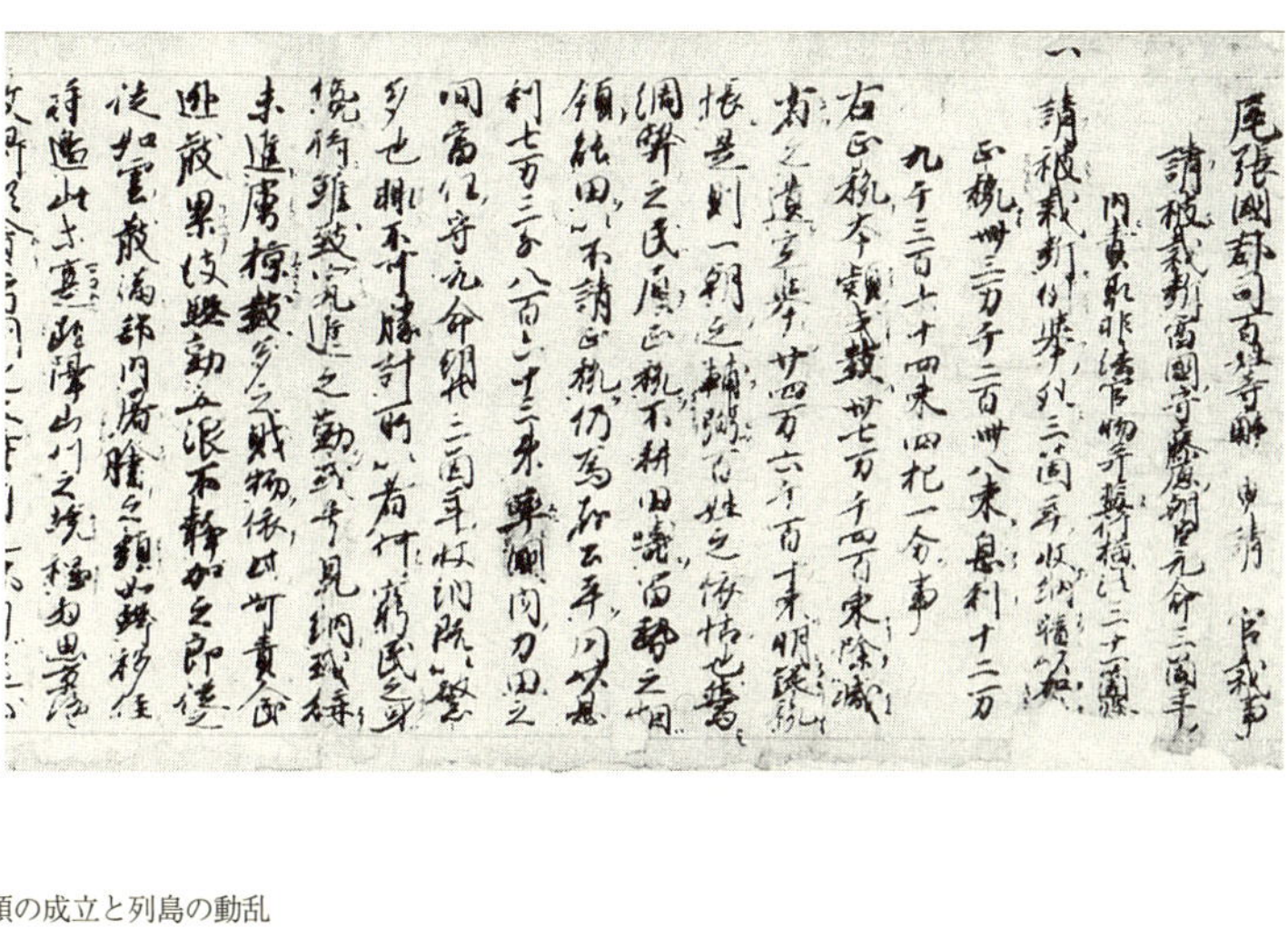

2

◉『尾張国郡司百姓等解文』
公民への過重な課税や収納使の狼藉《ろうぜき》、元命の横領などを三一か条にわたって訴えた文書。漢籍の修飾や漢文の四六駢儷体《しろくべんれいたい》を使用する。

を意味している。『尾張国郡司百姓等解文』による元命の非法は、つぎのとおりである。

第一に、税の不法な徴収があげられる。たとえば、第一条では、正税出挙《しょうぜいすいこ》の元本が四三万一二四八束から二四万六一一〇束に減省《げんせい》(目減り)しているにもかかわらず(当時の利息は三割)、元命は、目減りする前の元本をもとにして利息を取り立て、その差額を着服した。

第二には、不法な税率が告発されている。第三条では、通常ならば段別に一斗《と》五升から二斗ほどしか課税されない米を、元命は倍にあたる段別、三斗六升で徴収している。

第三には、交易の不当がある。物価は需要と供給により変動する。冬物の衣類は夏には安く、逆に冬には高くなる。ところが、元命は、物価の変動を利用して、価格が高騰する時期に、安いときの価格で不当に買い付けた。このほか、布・真綿・糸・漆《うるし》などについても、同様の手口を用いて安く手に入れた。

第四に、元命の子弟郎等《ろうどう》、具体的には子の頼方《よりかた》や元命が都から連れてきた私的な従事者の不当行為がある。彼らは暴力を用いて、在地から収奪行為を行なった。たとえば、彼らが作付け面積や実り具合を認定する検田使になると、ほんとうは一段《たん》しかないのに二~三段と記帳したり、風水害で被害をこうむった損田《そんでん》(免税措置がとられる)をよく実った熟田《じゅくでん》と詐称して、法外な税を徴収した。

このほかにも、駅や農業施設・国分尼寺などを修造する経費を支給しなかったり、みずからにとって都合の悪い命令を、国内に知らせなかったりしたことが指弾されている。

だが、不正行為を彼だけのせいにしてよいのだろうか。というのは、ちょうどこの時期に「永宣《えいせん》旨料物《じりょうもつ》」のような新しい税制が始められたからだ。尾張国は都からさほど離れておらず、官物の海送も可能であった。そうした関係から、多くの税が課された可能性もある。現に、第一八条からは、蔵人所召物《くろうどどころめしもの》が課されていたことがうかがえる。国家財政の再編と元命の収奪強化にどのような関係があったのかという点は、もういちど考えてみる必要があるだろう。

なお、元命は解文の告発を受けて、翌年の二月に尾張守を解任された。しかし、長徳《ちょうとく》元年（九九五）には政界に復帰している。また、父とともに訴えられた息子頼方も、のちに石見守《いわみのかみ》に任じられたようだ。摂関家を含めて、受領の収奪を排除するという考えは乏しかった。受領なくして、彼らの生活も成り立たなかったのだから、当然といえば当然かもしれない。

郡司の変化

国司《こくし》制の変化を受けて、郡司制も大きく変質した。本来、律《りつ》令《りょう》制下では、国造《くにのみやつこ》の子孫を優先的に郡司《ぐんじ》に任命するのが立て前であった（選叙令《せんじょりょう》）。そのため、一般の官人《かんじん》とは異なって、

3

◉国司の生活
銅細工師の娘が北野天神に祈願すると、まもなく播磨守有忠《はりまのかみありただ》の妻になることができた。調度品など、豪華な受領の生活がうかがわれる。（『松《まつ》崎《ざき》天神縁起《てんじんえんぎ》絵巻《えまき》』）

任期が定められていなかった。律令制の立て前からすると、地方では国家の出先として国府とその運営主体である国司が、実権を握っていることになる。

ところが、古代日本では、実際には郡司が税の徴収、出挙《すいこ》、灌漑《かんがい》施設の造営・修造、労働力徴発などを行なっていた。地域を支配するにあたっては、郡司なしには遂行不可能であった。国司は郡司を通して、間接的に在地を支配していたといっても過言ではない。こうした郡司を中心とする在地の有力者のことを、在地首長《ざいちしゅちょう》という。ところが、九世紀以降、郡司制が大きく変質した。

郡司の任命方法については、出身氏族を重視するか、それとも才能を重視するかという点をめぐって幾多《いくた》の変遷がある。本来、郡司に任命されるためには、国司に伴われて文官の任命事務を扱う式部省《しきぶしょう》へ赴き、試験に合格する必要があった。合格すれば、天皇や議政官《ぎせいかん》出席のもと、名を呼ばれて任命される儀式が行なわれた。

ところが、弘仁《こうにん》二年（八一一）には、国司の推薦どおりに郡司が任命されるようになり、郡司選出に関して国司の権限が大きくなった。また、翌弘仁三年には、国司が選んだ候補者を三年間擬任《ぎにん》郡司（定員外の郡司）として試用し、資質を見極めたうえで正式な郡司に任命するようになった。

このことは、郡司の定員が実質的に増大し、より広い階層から郡司が任じられ、郡司の採用に国司の意見が強く反映されるようになったことを意味する。その結果、これまで特定の郡領氏族がもっていた在地社会に対する伝統的支配力は必然的に弱まり、逆に国司への依存度が高くなった。さらに、負名《ふみょう》体制が成立すると、受領《ずりょう》が直接在地に検田使《けんでんし》や収納使《しゅうのうし》などの使者を派遣して、在地を掌握することが可能になった。郡司はしだいに文書作成や徴税など、地方行政の一端を担う国司の手足となっていった。

一方、受領のもと、徴税活動が複雑化し、また国司が任国に赴かない遙任《ようにん》が増えると、諸国の国衙《こくが》では、国司がいなくとも国務を遂行する必要に迫られた。その結果、留《る》守所《すどころ》と呼ばれる機関が成立する。そこでは目代《もくだい》（国司に雇われて下向した都の実務官人）を中心に、郡司のような在地の有力者が、判官代《ほうがんだい》などの肩書きをもつ在庁官人として実務を担当した。彼らは、国衙で文書事務などを担当するとともに、先に触れたように徴税活動も行なった。

一〇世紀前半の郡司は、それまでの在地支配の実質的担当者から国務の下請けへの、過渡的な存在であった。その姿を端的に示すのが、『将門記《しょうもんき》』にみられる足立《あだち》郡司判官代武蔵武芝《むさしのたけしば》である。

「郡司武芝は、年来《としごろ》、公務に恪懃《かくごん》にして誉《ほまれ》有りて謗《そし》りなし。苟《いやし》くも武芝の、郡を治むるの名は、頗《すこぶ》る国内に聴《きこ》ゆ。撫育《ぶいく》の方《みち》は、普《あまね》く民家に在《あ》り」

武芝は、公務に忠実で、郡司として民衆を守り育てる一方、判官代という在庁官人でもあった。彼の置かれた立場の二面性がよく理解できよう。

国司や郡司の変化は、神への貢納《こうのう》物として始まった租《そ》や調《ちょう》が、呪術《じゅじゅつ》的な性格を脱して、国家の運営費用としての税に性格を変えていったことにも対応する。国司と郡司の性格の変化は、第二章でみた富豪の進出とともに在地社会にいろいろな影響をもたらすが、その最たるものが、一〇世紀に起こった内乱なのである。

天慶の乱と武士の誕生

軍事制度の改革

九世紀末から一〇世紀初めにかけて、坂東《ばんどう》では大きな問題が生じていた。群盗の蜂起《ほうき》である。寛《かん》平《ぴょう》元年（八八九）には、東国強盗の首領である物部氏永《もののべのうじなが》が蜂起し、昌泰《しょうたい》年間に至る一〇年間も追捕《ついぶ》しつづけられたという。昌泰三年（九〇〇）には、上野《こうずけ》・武蔵国《むさしのくに》で群盗問題が表面化し、延喜《えんぎ》元年（九〇一）には、信濃《しなの》・上野・甲斐《かい》・武蔵国の四国がもっとも深刻な事態を迎えた。

これらの事件の背後には、二つの問題がひそんでいる。ひとつは「馬」である。なぜなら、この四か国には、駒牽《こまひき》（天皇の前で馬を牽きまわし、臣下に分配する年中行事）に用いるための馬を飼育する御牧《みまき》が存在していたからだ。おそらく群盗のなかに、牧で働く人物が含まれていたのだろう。

二つ目は俘囚《ふしゅう》である。俘囚とは律令《りつりょう》制国家に帰順したエミシのことで、彼らは騎馬や弓矢に優れていたため、弱体化した諸国の軍事機能を補う目的で、筑紫《つくし》地方や瀬戸内、東国に配置された。しかし、国家の内民化政策になじまない者も多く、上総《かずさ》・下総《しもうさ》国などで反乱を起こした。貞観《じょうがん》一二年（八七〇）、上総国に対して俘囚の教諭を命じた太政官符《だいじょうかんぷ》に、「凡《おおよ》そ群盗の徒、これより起これり」とあるから、群盗の構成員に俘囚が含まれていたことがわかる。

群盗と馬の関係がさらに発展したのが僦馬《しゅうば》の党《とう》である。昌泰二年九月の太政官符《だいじょうかんぷ》では、

「坂東諸国の富豪の輩《ともがら》が、掠奪《りゃくだつ》した馬によって東海道と東山道を往来し、人々に甚大な損害を与えた。上野国や隣国が追捕しても、機動力に物をいわせて足柄《あしがら》坂（駿河《するが》国と相模《さがみ》国の境にある坂）や碓氷《うすい》坂（信濃国と上野国の境にある坂）を越え去ってしまう。そこで、この二か所に関を置いて監視せよ」

と命じている。律令制下にあっては、国司の命により、郡司が民衆を率いて調庸物《ちょうようもつ》を運搬した。ところが、荘園制が発達してその生産物を都へ運ぶ必要が出てくると、専門の輸送業者が不可欠となった。そこで運送業を営みながら、一方では盗賊行為を行なったのが僦馬の党であり、一面では、新しい流通体系の出現をも意味した。

　群盗による東国の治安悪化に対して、国家は新たなる軍事制度の整備に迫られた。まず設定されたのが、押領使《おうりょうし》である。押領使は、一般的には一国単位で任命され、太政官から諸国に下された追捕官符《ついぶかんぷ》に基づいて軍兵を起こし、騒乱の鎮圧を任務とした。

　押領使に任命されるのは、武勇に優れ在地の事情に通じた人物で、たとえば天慶《てんぎょう》二年（九三九）六月、平将門《たいらのまさかど》の乱《らん》の鎮圧を

4

◉馬で走りながら射る「騎射《うまゆみ》」
馬は乗用のほか、儀式や軍事行動にも欠かせなかった。財産としても重要で、高級な贈答品としてやりとりされた。『年中行事絵巻《ねんじゅうぎょうじえまき》』

目的としたときには、武蔵国小野牧《おのまき》の別当《べっとう》小野諸興《もろおき》を武蔵権介《ごんのすけ》、武蔵国秩父《ちちぶ》牧の別当藤原惟条《これつな》を上野権介に任命し、押領使を兼務させた。また、将門の乱を契機として、受領《ずりょう》自身が押領使を兼任する場合も現われた。

つぎに、追捕官符が多用されるようになった。追捕官符とは、文字どおり騒乱を起こした人物に、軍事的制裁を加えることを命じた太政官符のことである。追捕官符自体は、すでに奈良時代にみられるが、多用されるのは九世紀末からであった。

律令の規定（軍防令）によれば、本来、兵士二〇人以上を動員するには勅許が必要であった。しかし、事件発生後、いちいち飛駅《ひえき》（早馬）で報告し、勅による指示を求めていたのでは時間がかかりすぎる。そこで、国司《こくし》は解文《げぶみ》（上申文書《じょうしんもんじょ》）によって太政官に報告し、それに基づいて公卿《くぎょう》たちが陣定《じんのさだめ》を開催し、その合議の結果、追捕が必要となれば追捕官符が下されるようになった。

追捕官符を得た国司は、追捕活動を正式に認められ、国内の武勇に優れた者、もしくは国司みずからが、兵士や兵粮《ひょうろう》を徴発することを許可された。また、追捕に成功すると、恩賞が与えられた。逆に、追捕官符を得ずに追捕活動を行なえば、後三年合戦《ごさんねんかっせん》（一〇八三〜八七年）の際の陸奥守源義《むつのかみみなもとのよし》家《いえ》のように私戦と見なされ、恩賞を与えられないばかりか叱責《しっせき》された。

さらに、国司による追捕でも鎮圧できない場合は、追捕使や追討使《ついとうし》が派遣された。一般的に、九世紀から一〇世紀にかけては「追捕使」、それ以降は「追討使」の名称が用いられたようだ。また、一〇世紀には、検非違使《けびいし》を兼ねた衛府《えふ》の官人《かんじん》を派遣するのが通例であった。

平将門の乱の発端

平将門《たいらのまさかど》の祖先は桓武《かんむ》天皇で、祖父高望王《たかもちおう》は九世紀の終わりごろ、東国の群盗を鎮圧するために上《かず》総介《さのすけ》として下向し、任期後も土着したと思われる。父は従五位下《じゅごいげ》良将《よしもち》、鎮守府《ちんじゅふ》将軍であった。

将門の本拠は、下総国豊田《しもうさのくにとよた》・猿島《さしま》郡（茨城県坂東《ばんどう》市ほか）にあった。この地は子飼《こかい》（小貝）川や衣《きぬ》（鬼怒）川が流れる低湿地で、従来は伯父《おじ》たちの領地より地味の点で劣るとされてきた。

しかし、この地は、香取《かとり》の海（常陸《ひたち》国と下総国のあいだに存在した広大な湖沼）と、現在の東京湾に挟まれた河川交通の要衝である。当時の有力者は、「営所《えいしょ》」と呼ばれる軍事・農業施設に居住していたが、いずれも河川近くに所在した。将門は、物資の輸送などに水上交通を活《い》かした領主ではないか、と近年では考えられている。

将門が一族の平国香《くにか》・良兼《よしかね》・良正《よしまさ》らと合戦におよんだ理由は、よくわからない。将門の乱を詳細に記した『将門記《しょうもんき》』の巻首が欠損しているからだ。しかし、省略本の『将門略記《りゃっき》』によれば、延長《えんちょう》九年（九三一）、「女論」によって良兼と将門の仲が悪くなったという。「女論」とは、良兼が自分の娘と将門の結婚を反対したことを指すと思われる。

一方、『今昔物語集《こんじゃくものがたりしゅう》』には『将門記』に素材を求めた説話があり、「故良持（将）ガ田畠《でんぱた》ノ諍《あらそい》ニ依《より》テハ、遂《つい》ニ合戦ニ及」ん

桓武平氏系図

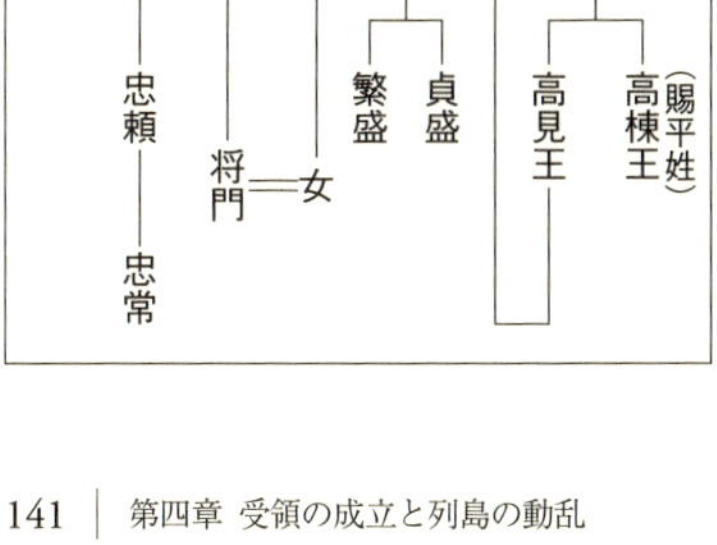

だとある。この記載を信じれば、良将の遺産相続をめぐって、彼の兄弟と子の将門が争ったことになる。つまり、兄弟相続と父子相続の軋轢《あつれき》が原因であったことになる。将門は平国香・常陸大掾《だいじょう》源　護《みなもとのまもる》と戦い、国香および源護の息子を戦死させた。

　ちょうどそのころ武蔵《むさし》国では、足立《あだち》郡司《ぐんじ》で判官代《ほうがんだい》（在庁官人）でもあった武蔵武芝《たけしば》が、武蔵権守《ごんのかみ》興世王《おきよおう》・武蔵介《すけ》源経基《つねもと》と紛争を起こしていた。興世王たちが税の弁済《べんさい》を求めて足立郡に侵入し、掠奪《りゃくだつ》を行なったのである。このことを聞きつけた将門は武蔵国へ向かい、興世王と武芝の仲をとりもつ。ところが、武芝の兵が経基を囲んだことから、経基は上京し、将門たちが謀反を企てていると告発した。太政大臣《だいじょうだいじん》藤原忠平《ふじわらのただひら》は、将門に私信を送り、事件の真相を問いただした。将門は若年のとき、忠平に仕えていたようで、忠平も事を大きくしたくなかったと推測される。

　そのころ常陸国では、のちに将門の運命を左右する事件が起こっていた。常陸国に居住していた藤原玄明《はるあき》と常陸介藤原維幾《これちか》が対立したのだ。玄明は、広大な田地を耕作しながらも税をいっさい納めず、税を徴収するためにやってきた収納使に暴力を加えるなど、国司の命に従わなかった。そこで、維幾は罪状をまとめて上申し、追捕官符《ついぶかんぷ》を得て追討にかかった。

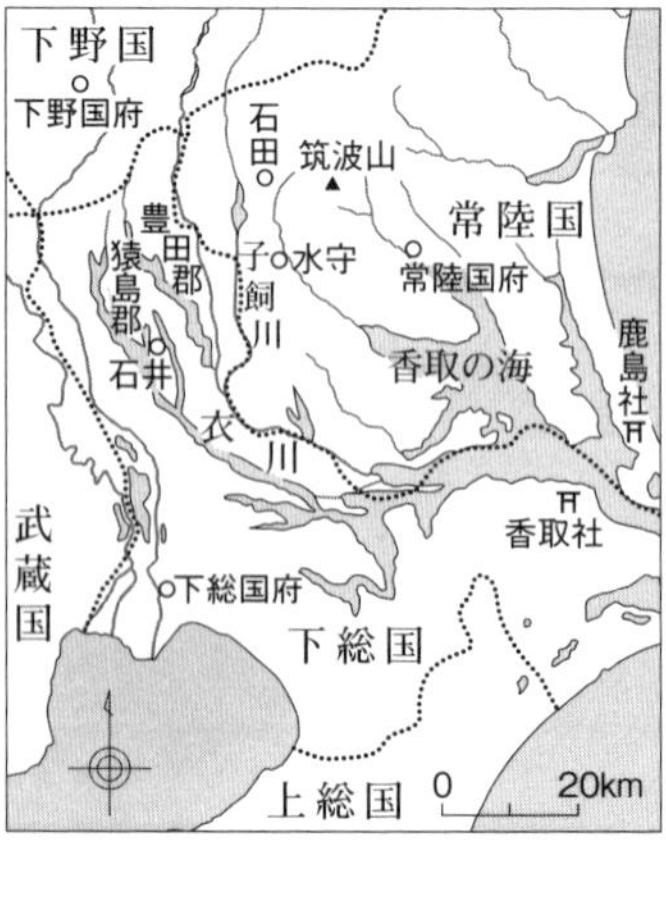

●平将門関係地図
当時の下総国北部から常陸国南部にかけての地域には、内海が広がっていた。平将門の乱に河川交通が関係することが、近年明らかにされた。

このとき、維幾が玄明に連絡する場合、「移牒《いちょう》」を用いていることは見逃せない。のちには将門にも移牒を送っている。移や牒は、令《りょう》に規定があり（公式令）、支配関係のない同等の相手に対して送る文書の様式である。将門についても、彼が位階や官職を得た形跡がいっさいないことを考え合わせれば、国司《こくし》が一介の人間に対して移牒を送るとは、なんとも解せない。おそらく、玄明や将門の背後には、都のしかるべき上流貴族が後ろ盾としていたに違いない。

玄明の場合には知ることはできないが、将門については、先に述べたように藤原忠平と考えられる。将門の武勇はたしかに人並みはずれていた。しかし、彼が坂東《ばんどう》で大きな勢力をもつことができたのは、時の最高実力者と主従関係を結んでいたためでもある。

国家への謀反

追捕《ついぶ》官符《かんぷ》の対象となった藤原玄明《ふじわらのはるあき》は、平将門《たいらのまさかど》のもとに助けを求めて逃げてきた。将門は、弱きを助け強きを挫《くじ》く性格であった。今回も玄明の赦免《しゃめん》を要求するために、常陸《ひたち》国府に向かった。しかし、国府には宿敵平貞盛《さだもり》（国香《くにか》の子）がおり、武器を取って挑みかかってきた。将門も応戦し、ついに常陸国府を占領して藤原維幾《これちか》らを拘束してしまう。時に、天慶《てんぎょう》二年（九三九）一一月のことであった。

以後、将門は興世王《おきよおう》の言にしたがって、下野《しもつけ》・上野《こうずけ》国府を手始めに坂東《ばんどう》八か国および伊豆国《いずのくに》を占領し、部下をそれらの国の受領《ずりょう》に任命する。また、下総国《しもうさのくに》に王城（都）を建設し、左右大臣以下の官《かん》人《じん》を任じた。さらに、上野国府で新皇《しんのう》（新しい天皇）を自称するようになった。そのときの模様を、

『将門記《しょうもんき》』はつぎのように描写している。

「そのとき、ひとりの巫女《みこ》がいた。彼女は、『自分は八幡大菩薩《はちまんだいぼさつ》の使者である』と口走り、『朕《ちん》（天皇だけが使える一人称代名詞）の皇位を平将門にお授けします。その位記（官位の証明書）は、左大臣正二位菅原道真《すがわらのみちざね》の霊魂が捧げるところです。この八幡大菩薩は、八万の兵員を起こして、朕の皇位を将門にお授けするでしょう。いますぐに仏教音楽を演奏して、早く八幡大菩薩をお迎え申し上げください』と言った。…また、武蔵権守《むさしのごんのかみ》興世王と常陸掾《ひたちのじょう》藤原玄茂《はるもち》らも、そのときの権勢のある者で、喜悦することは、たとえば貧者が富を得たようであった。笑うことは、さながら蓮の花が咲き誇るようであった。ここに将門は、自分から諡《おくりな》をつくって奏上した。将門を名付けて『新皇』と称した」

八幡神が巫女に神懸《かみが》かりし、菅原道真《みちざね》の霊魂が仲介して、新皇の位を将門に授けたという内容である。しかし、あまりにも突飛な内容で、将門がほんとうに全坂東を手中に収めたのか、また新皇に即位したのか、という点は以前から疑問視されていた。

しかし、将門が坂東を制圧したことは、間接的ではあるが情報の発信方法から裏付けられる。将門が常陸国府を占領して以降、将門の殺害が都へ報告されるまで、情報は、甲斐《かい》・駿河《するが》・信濃《しなの》国などから発信され、坂東諸国からはいちども発信されていない。このことは、当時、坂東諸国の国府

5

◉神懸かりする女
神懸かりした女性（鳥羽院《とばいん》の女房）が、紅の下袴姿だけで神託を下している。八幡神や天神は古来、託宣する神としても著名だった。（『北野《きたの》天神縁起《てんじんえんぎ》絵《え》巻《まき》』）

の機能が麻痺《まひ》していたために、情報はいったん坂東の隣国に伝えられ、そこからあらためて飛駅《ひえき》（早馬）が立てられたことを意味する。坂東諸国は、将門によって占領されていたといえる。

それでは、将門はほんとうに即位したのだろうか。まず、この場面に、菅原道真の霊魂が出てくることに注目してみたい。筆者はいろいろな史料を調べていくうちに、興味深い人物に出会った。菅原兼茂《かねもち》である。彼は道真の子で、父とともに左遷され、天慶元年には前常陸介《ひたちのすけ》であった。しかも、延長《えんちょう》五年（九二七）には、道真の霊魂が兼茂のもとを訪れ、朝廷に大事件が起こるであろうと語ったというのだ。筆者もこの手の話を鵜呑《うの》みにするつもりはない。しかし、この話の出所は、醍醐《だいご》天皇の子重明《しげあきら》親王の日記『吏部王記《りほうおうき》』である。真偽は不明としても、当時、このような噂《うわさ》話があったことは事実と認めないわけにはいかない。

この噂から一〇年もたたずに、兼茂は常陸国に下向した。しかも、『将門記』の終わり近くには、

「凡《およ》そ新皇、名を失い身を滅ぼすこと、允《まこと》に斯《こ》れ武蔵権守興世王《おきよおう》、常陸介（掾）藤原玄茂等の謀《はかりごと》の為《な》せる所なり」

とあり、将門は、興世王と藤原玄茂の謀によって身を滅ぼしたというのだ。ところが、この二人がそろって『将門記』に登場するのは、即位場面だけである。『将門記』は、即位をこの二人の演出であると、暗に指摘している。しかも、玄茂は、常陸掾の肩書きをもっている。彼は菅原兼茂と入れ替わりか、ことによると同時期に国司であった可能性すら考えられる。即位場面に道真の霊魂を持ち出したのは、ことに玄茂と興世王ではないだろうか。

つぎに、八幡大菩薩が登場した理由は、どこに求められるのだろうか。それは当時、都で八幡信仰が大流行していたこと、そして八幡神が皇祖神という位置づけを与えられていたこと（第八章参照）と関係する。

当時、天皇は「万世一系《ばんせいいっけい》」と信じられ、アマテラスという皇祖神の裏付けをもっていた。将門が新皇を自称するためにも、同様の論理を必要としたはずである。そこで、都で信仰が高まり、庶民から天皇までの幅広い信仰を受けながら、皇祖神と位置づけられた八幡神が持ち出されたのだろう。筆者は、将門の即位を事実として認めたい。

将門、死す

平将門《たいらのまさかど》反乱の第一報は、天慶《てんぎょう》二年（九三九）も押し詰まった一二月二二日、都にもたらされた。そして二九日には、上《こう》野《ずけ》・下野国司《しもつけこくし》が印鎰《いんやく》を奪われ、信濃国《しなののくに》へ追放されたことが、飛《ひ》駅《えき》によって伝えられた。印鎰とは国印と正倉《しょうそう》の鍵のことで、国務のシンボルである。しかも同日、藤原純友《ふじわらのすみとも》が西国で決起した

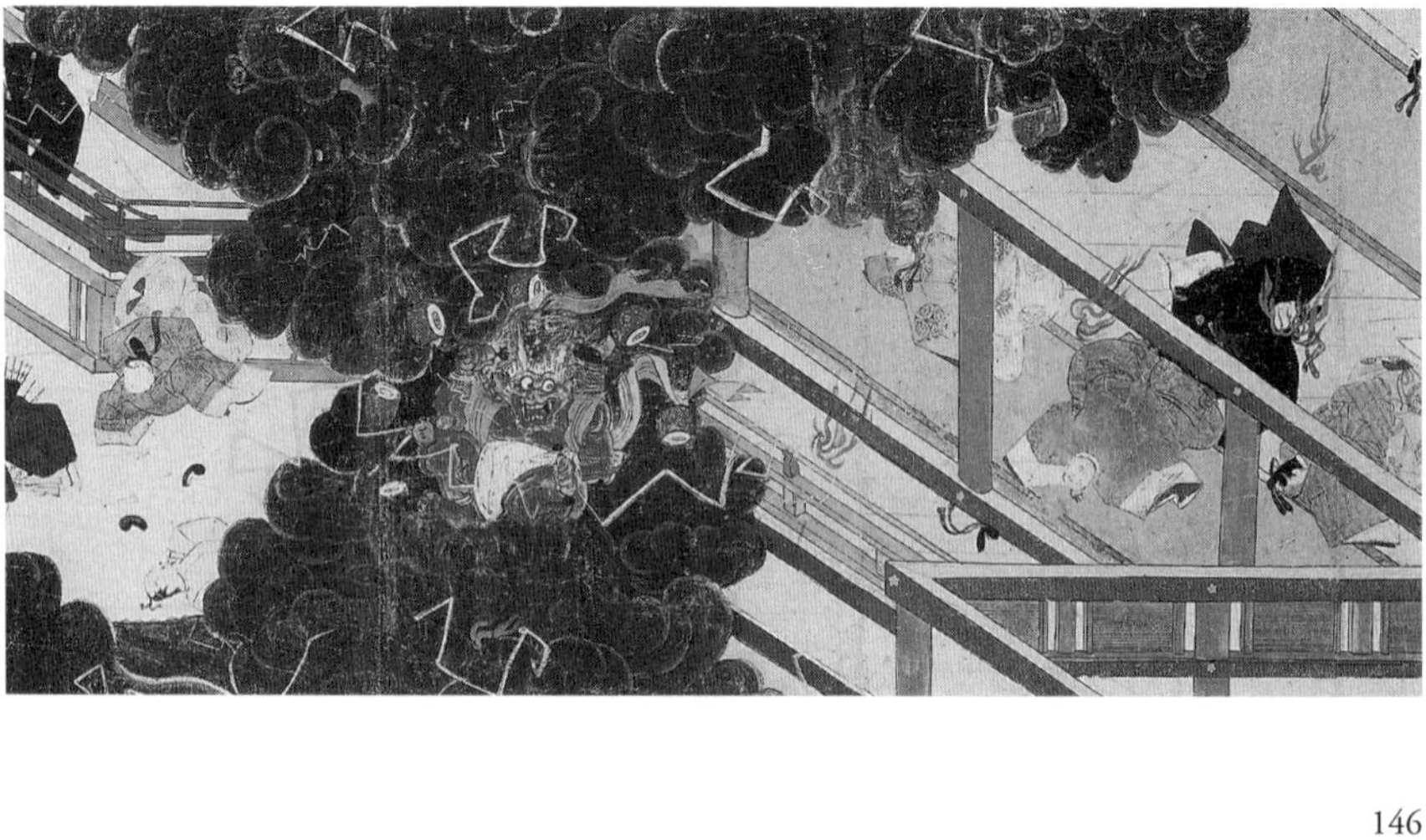

6

ことも報告され、国家は東西から挟み撃ちされる形になった。このときの模様を「この事非常に出《い》ず、騒動せざるはなし」と『本朝世紀《ほんちょうせいき》』は記している。

これに対し、翌年正月一日には、東西に派遣する追捕使《ついぶし》が任命され、一一日には、将門たちを殺害した者に、高い位階と官職を与えることを約束した太政官符《だいじょうかんぷ》が下された。また、一四日には、東国の掾《じょう》八人が押領使《おうりょうし》に任命された。常陸《ひたち》掾平貞盛《さだもり》、下野掾藤原秀郷《ひでさと》らである。

さらに一八日、征東《せいとう》大将軍に藤原忠文《ただふみ》が任命された。兵士二〇人以上を派遣する場合には、天皇の勅許が必要であった。これを天皇の「軍事大権」という。明治期の大日本帝国憲法下での天皇の軍事的位置づけの起源は、律令《りつりょう》制に求めることができる。しかし、天皇みずから軍隊を率いて戦場に赴くわけにはいかない。そこで、軍事大権を指揮官に委任する必要が生まれる。それが征東大将軍であり、そのシンボルが節刀《せっとう》であった。

征東大将軍は、征夷《せいい》大将軍と称したこともあり、坂上田村麻呂《さかのうえのたむらまろ》などが八世紀以来任命されたが、弘仁《こうにん》二年（八一一）以後、中絶していた。忠文のつぎに任じられたのが、寿永《じゅえい》三年（一一八四）、平氏《へいし》を都から追い落とした源《みなもとの》（木曾《きそ》）義仲《よしなか》であるから、百数十年ぶりに任命され、以後二百数十年のあいだ任じられなかったことになる。この事実は、国家がいかに将門の乱を恐れていたかを余すところなく示している。

◉清涼殿への落雷
当時の人々は、菅原道真は死後、雷神となり、大宰府に追いやった人々に祟《たた》りをなしたと考えた。そのため、都に北野天神が創建された。（『北野天神縁起絵巻《きたのてんじんえんぎえまき》』）

それでは、この時期の将門はどうしていたのだろうか。『将門記《しょうもんき》』によれば、正月中旬、彼は貞盛たちを探すために常陸国東部を巡歴したが、発見することはできなかったという。ところが、藤原師輔《もろすけ》の日記『九条殿記《くじょうどのき》』には、二月二六日に陸奥国《むつのくに》からの飛駅が届き、将門が一万三〇〇〇人の兵を率いて、陸奥・出羽《でわ》両国を襲撃しようとしていたとの報告があった。

この知らせは、将門が殺されたとの第一報が届いた翌日に報告されたので、大きく取り上げられなかったが、飛駅の日数を考慮すれば、出立したのは一月中旬から下旬ごろのこととなる。将門の父良将《よしもち》は鎮守府《ちんじゅふ》将軍で、実際、陸奥国には将門の兄弟将種《まさたね》がおり、陸奥権介伴有梁《ごんのすけとものありはり》とも姻戚関係にあったから、将門が奥羽地方に出兵しようとしていた可能性は十分に考えられる。

ところが、彼は一月下旬に兵をいったん解散させている。一見すると、矛盾するようにも思われるが、理由があった。当時の兵士の多くは農民でもあった。というより、農閑期に限って兵士として徴発されたという表現のほうが正しい。一月下旬といえば、現在の三月初旬。田起こしなどの農作業が待っている。徴兵期間を長引かせることは、求心力の低下を招くことになる。解散後、残された兵はわずかに一〇〇〇人ほどであった。

このすきをねらったのが、下野掾兼押領使藤原秀郷と常陸掾兼押領使平貞盛であった。秀郷は、延喜《えんぎ》一六年（九一六）に罪人として配流され、延長《えんちょう》七年（九二九）にも追捕官符の対象となった人物である。まさに、毒をもって毒を制すという表現が当てはまる。

秀郷たちを発見した将門の部下は、すぐさま攻めかかった。しかし、戦略に勝る秀郷軍の前になす術《すべ》もなく敗れた。彼らは、二月一三日、将門の本拠地猿島《さしま》郡に攻め寄せ、将門の館《たち》をはじめ与力《よりき》の家々を焼き尽くした。当時の戦法は、徹底的な焦土作戦であった。

二月一四日午後、最後の決戦が始まった。最初、平将門は風上に立って、戦いを有利に進めた。当時、最大の武器は矢であったから、風上に立つことは絶対的に有利であった。ところが、急に風向きが変わり、将門が乗っている馬が歩みを止めた。そこへ一閃《いっせん》の矢が将門に突き刺さった。あっけない最期であった。

将門が亡くなると、反乱軍は総崩れとなり、一族の者は散り散りとなった。そこへ征東軍が到着。掃討が始まり、興世王《おきよおう》たちは殺害された。将門の首は都へ運ばれ、東《ひがし》の市《いち》に晒《さら》された。

一方、藤原秀郷には従四位下、平貞盛には従五位上、そのほか勲功があった者たちに位階や官職が授けられた。それは、正月一一日の官符が約束したとおりであった。この恩賞が武士の発生を促し、のちの武家政権の誕生を予兆することになるのだか、その点は後述する。

7

●入京する平将門の首
日本では明治に至るまで、見せしめとして晒首が行なわれたが、その初例は平将門である。そのため、将門伝説には首にまつわる話が多い。（『俵藤太絵巻《たわらのとうたえまき》』）

反乱以前の藤原純友

藤原純友《ふじわらのすみとも》の乱《らん》（九三九～九四一年）についても、近年、新説がつぎつぎと現われ、研究が進んでいる。『尊卑分脈《そんぴぶんみゃく》』によれば、純友は藤原冬嗣《ふゆつぐ》の子長良《ながら》の流れをくみ、一族には伊予国《いよのくに》など西日本の国《こく》司《し》をつとめた者が多くいる。純友の名が史料上最初にみられるのは、承平《じょうへい》六年（九三六）である。

南海賊徒首《なんかいぞくとのかしら》藤原純友、党を結び、伊予国日振島《ひぶりしま》に屯聚《とんしゅう》し、千余艘を設け、官物・私財を抄劫《しょうごう》す。爰《ここ》に紀淑人《きのよしと》を以《もっ》て伊予守《かみ》に任じ、追《つい》捕事《ぶのこと》を兼行せしむ。賊徒其の寛仁《かんにん》なるを聞きて、二千五百余人過を悔いて刑につく。魁帥《かいすい》小野氏彦《おののうじひこ》・紀秋茂《あきもち》・津時成《つのときなり》等、合わせて卅余《さんじゅうよ》人《にん》、手を束ねて交名《きょうみょう》を進めて帰降す。即ち衣食・田畠を給いて種子を行ない、農業を勧めしむ。之《これ》を前海賊と号す。

南海賊首《ぞくしゅ》の藤原純友が党を結成し、伊予国日振島に集まって、海賊行為を続けていた。そこで、紀淑人を伊予守に任命して追捕させた。賊は淑人が寛大であることを知り、二五〇〇人が投降した。淑人は衣食や田畠を与え、農業に従事させた。このような内容である。『日本紀略《にほんきりゃく》』によれば、純友は、承平六年の段階から、海賊の長であったことになる。

8

●伊予国日振島
愛媛県宇和島《うわじま》市の西に位置し、豊後《ぶんご》水道から瀬戸内海に至る海上交通の要衝にある。古来、瀬戸内地方には、海賊がしばしば出現した。

ところが、『本朝世紀《ほんちようせいき》』天慶《てんぎよう》二年（九三九）十二月条には、「今日、伊予国、解状を進《たてまつ》る。前掾藤純友、去る承平六年、海賊を追捕すべきの由《よし》、宣旨を蒙《こうむ》る」とあり、天慶二年に純友が反乱を起こした際、伊予国が進上した解文《げぶみ》（上申文書《じようしんもんじよ》）には、純友が前伊予掾で、承平六年に海賊を追捕すべき宣旨を受けたと指摘している。こちらの史料を信じれば、先の『日本紀略』とはまったく逆に解釈しなければならない。

それでは、どちらの史料を信じればよいのか。それは、伊予国の解文を引用している『本朝世紀』である。『本朝世紀』は、『外記《げき》日記』を編纂《へんさん》材料にしており、信憑《しんぴよう》性がきわめて高い。『外記日記』とは、太政官《だいじようかん》の一員で、公文書の作成などに携わった外記が、職務上記した日記のことである。

ここにおいて、純友像は大きく転換することになった。おそらく純友は、伊予守の経験をもつ伯《お》父《じ》藤原元名《もとな》あたりの推薦を受けて伊予掾になり、承平六年当時、警固使として追捕官符《かんぷ》に基づいて海賊を鎮圧し、その後、伊予国に土着したのだろう。さらに、近年、承平六年段階では紀淑人はまだ伊予守ではなく、追捕使として派遣され、その功績によって伊予守に任じられたと考えられるようになった。

藤原純友の謀反

天慶《てんぎよう》二年（九三九）一二月二一日、藤原純友《ふじわらのすみとも》は、突然海上に向けて出船する。純友が兵を率いて出海したことは、伊予守紀淑人《いよのかみきのよしと》の制止を振り切ったもので、周囲から驚きの眼をもってみられたことがわかる。純友は、突然謀反を決意したのだ。これに対して、国家は、純友を召還する官符《かんぷ》を下した。平将門《たいらのまさかど》の場合とまったく同じである。

さらに同月二六日には、純友の配下である藤原文元《ふみもと》たちが、摂津国《せっつのくに》で捕まえた備前介《びぜんのすけ》藤原子高《さねたか》の耳を切って鼻を割り、妻を奪って子高の子を射殺したうえ、播磨介《はりまのすけ》島田惟幹《しまだのこれもと》を生け捕りにするという事件が起きた。よほど子高に対する恨みが深かったのだろう。このあたりに、反乱の直接の原因がありそうだ。そこで注目されるのが、『本朝世紀《ほんちょうせいき》』閏《うるう》七月五日条である。

左大臣、御前に於いて小除目《こじもく》の事を定む。備前介藤子高等なり。…是《これ》より先、又宣旨《せんじ》を給う。

左大臣藤原仲平《なかひら》が、臨時の除目（任官儀礼）を行ない、備前介に藤原子高らを任命し、宣旨を下したという意味だ。天皇の前で除目が行なわれるのは異例であり、それほど重要な人事であったといえる。また、宣旨とは追捕《ついぶ》宣旨と考えられる。つまり、子高たちに海賊の鎮圧を命じるのが、このたびの除目の目的だったのだ。

おそらく、追捕宣旨を受けた子高らは、瀬戸内諸国で文元たちを厳しく追捕したのだろう。その恨みが純友を動かし、子高父子へのリンチとなって現われたと推察する。天慶二年一二月、国家は、東の将門、西の純友に対して、同時に対処する必要に迫られたのである。

純友反乱の謎

藤原純友《ふじわらのすみとも》が反乱を起こした理由であるが、従来は瀬戸内の海運業者でもあった海賊たちが、純友を担ぎ上げて党を形成し、新たな社会的位置づけを要求して立ち上がった、あるいは、王臣家《おうしんけ》の家《け》人《にん》であった純友が、承平《じょうへい》六年（九三六）に蜂起《ほうき》した海賊を自分の部下として組織し、海運権や交易権の承認を国家に求めて決起した、などと説明されてきた。しかし、純友が蜂起した事情は、史料があまりないことも手伝って、いまひとつ明らかではなかった。

こうしたなかで新説が現われた。純友・藤原文元《ふみもと》たちは、承平の海賊鎮圧に功績があったにもかかわらず、恩賞が与えられなかったことに不満をもち、その要求のために蜂起したというものである。関白太政大臣《かんぱくだいじょうだいじん》藤原忠平《ただひら》の日記『貞信公記《ていしんこうき》』天慶《てんぎょう》三年（九四〇）正月三日条に、「聊《いささ》か除目《じもく》有り。海賊の時軍功を申す人等也」とあり、この「海賊の時軍功を申す人等」を承平の海賊鎮圧に軍功があり、瀬戸内海沿岸に土着していた純友・文元らに比定したのである。

だが、この部分は、正月一日に任命した、純友に対する追捕《ついぶ》使《し》（山陽道の小野好古《おののよしふる》）の下僚《かりょう》を任じたこととも解釈でき、純友らが「海賊の時軍功を申す人」に含まれていたとは断言できない。むしろ、閏《うるう》七月の備前介《びぜんのすけ》藤原子高《さねたか》らの任命と追捕宣旨《せんじ》の

藤原純友系図

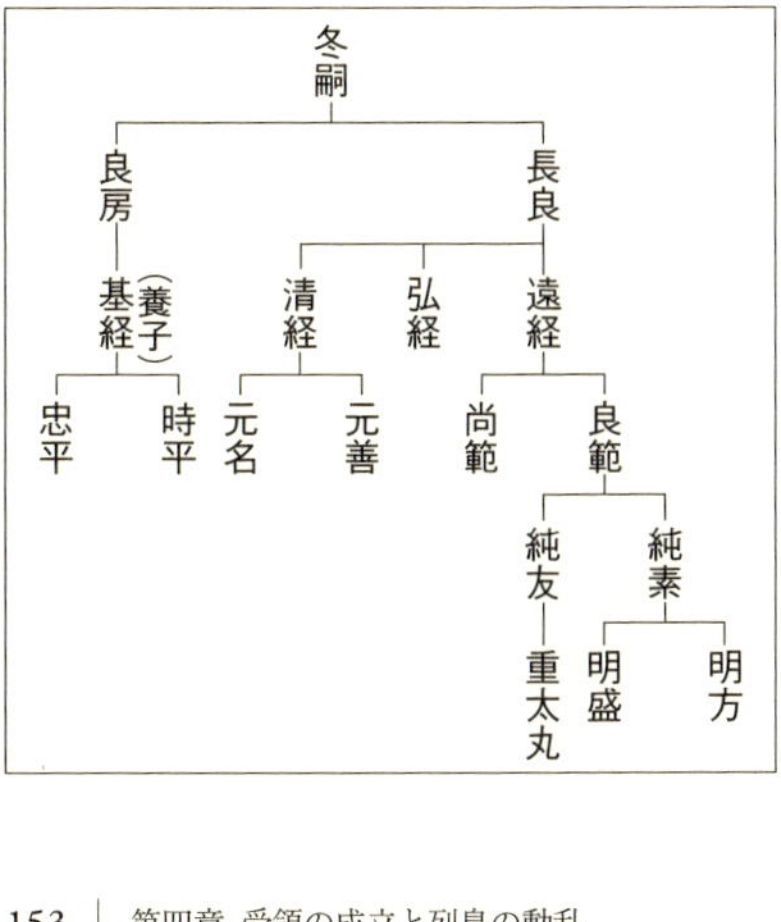

発行が、直接の原因ではなかろうか。

　確かなのは、この時期の国家は、純友に対しては全面的な対決はせず、まず、平将門《たいらのまさかど》に対して全力投球していたことだ。そのため、二月初めには純友の甥《おい》の藤原明方《あけかた》を使者に立てて、純友に五位を授ける懐柔策《かいじゅうさく》をとり、純友も「悦《よろこ》び状」を提出している。また、純友の配下に、位階・官職をちらつかせて離反を促し、将門の追討軍に組み込んでもいる。まったく巧妙な戦略である。その結果、藤原遠方《とおかた》・成康《しげやす》たちは寝返って征東《せいとう》軍に加わったのち、今度は純友討伐に向かうことになる。ただし、文元は誘いをはねのけ、純友と行動をともにした。

　だが、このような小康状態は長くは続かなかった。二月下旬に将門敗死の知らせが都に届いたからである。将門の死をきっかけとして、純友のみに戦力を投入することが可能になった。三月初めには追捕南海凶賊使《なんかいきようぞくし》が任命され、六月には純友らへの追捕官符《かんぷ》が山陽道追捕使に下され、包囲網がせばめられていった。純友にとって、将門の早すぎる死は、予想外の痛手だったに違いない。

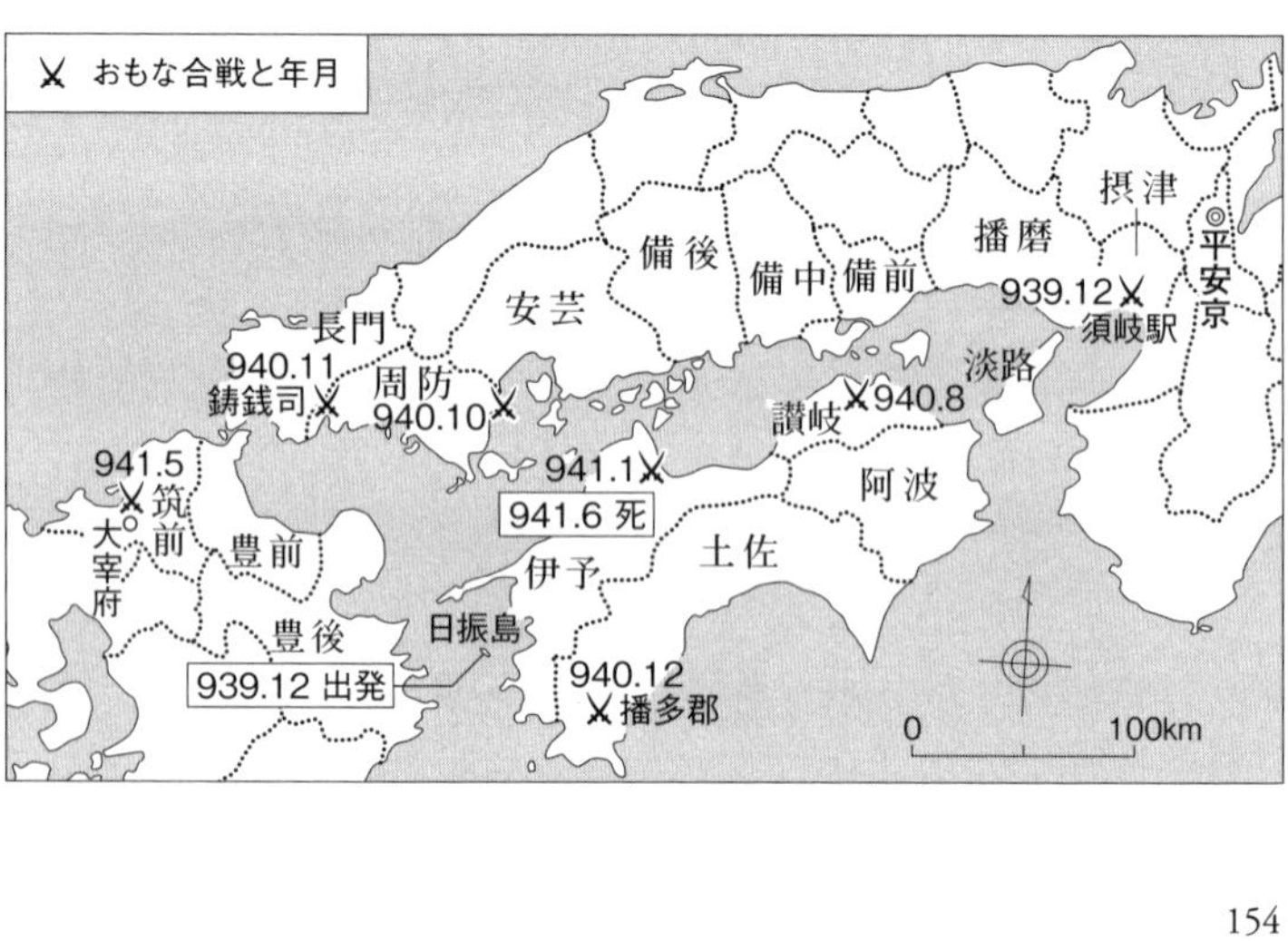

●藤原純友関係地図
藤原純友の行動範囲は、瀬戸内全域と博多を含む広範囲におよんでいた。純友たちは、内海の海流や地理などを知り尽くしていたのだろう。

そればかりではない。今度は、将門鎮圧に活躍した者たちを純友鎮圧に利用しはじめたのだ。六月初めには平貞盛《さだもり》が出陣の準備を命じられ、将門の謀反を最初に訴えた源経基《みなもとのつねもと》も大宰少弐《だざいのしょうに》兼警固使《けいごし》に、一一月には相模掾《さがみのじょう》兼押領使《おうりょうし》であった橘遠保《たちばなのとおやす》が伊予《いよ》警固使に任命された。

もちろん、純友たちもすぐに鎮圧されたわけではない。天慶三年八月には、四〇〇艘の船団で伊予・讃岐国《さぬきのくに》に乱入し、備前・備後《びんご》国の兵船も焼き払った。一〇月には安芸《あき》・周防《すおう》国の兵、そして大宰府の追捕使を逃走させ、一二月には土佐《とさ》国を焼き討ちした。

しかし、形勢はしだいに逆転しはじめる。翌天慶四年正月には、純友軍の副将格であった前山城《やましろ》掾藤原三辰《みつとき》が伊予国で殺され、二月には純友側から寝返った藤原恒利《つねとし》らが伊予国で海賊を撃破した。続いて五月には、征東大将軍であった藤原忠文《ただふみ》が征西《せいせい》大将軍に任命される。

これに対して、純友軍も大宰府を襲撃する。大宰府が炎上したことは、近年の発掘調査で明らかになり、観世音寺《かんぜおんじ》が大きな被害を受けたことは、一一世紀終わりに作成された資財帳からなまなましく知ることができる。しかし、翌日には追捕使小野好古たちが、博多津《はかたのつ》で賊を討ち果たす。

ついに六月、純友父子は、伊予国で橘遠保によって殺害され、都で晒首《さらしくび》となった。藤原文元も一〇月、昔の友を頼って坂東《ばんどう》へ落ち延びようとするところを但馬《たじま》国朝来《あさご》郡でだまし討ちにあい、あえなく落命した。こうして純友の乱は、鎮圧されたのであった。なお、平将門の乱と藤原純友の乱を合わせて天慶《てんぎょう》の乱《らん》という。

将門の乱の記憶

平安貴族は、平将門《たいらのまさかど》の乱《らん》をのちのちまでも記憶していた。安和《あんな》二年（九六九）、左大臣 源 高明《みなもとのたかあきら》が突然大宰権帥《だざいのごんのそち》に左遷される事件が起きた（安和の変）。そのときの模様を『日本紀略《にほんきりやく》』は、「禁中の騒動、殆《ほと》ど天慶《てんぎょう》の大乱の如《ごと》し」と表現している。天慶二年（九三九）一二月から翌年にかけて都の貴族を震撼《しんかん》させた、平将門と藤原純友《ふじわらのすみとも》の謀反を念頭に置いているとみられる。

また、永久《えいきゅう》元年（一一一三）には、興福寺《こうふくじ》と延暦寺《えんりゃくじ》の僧兵が、強訴《ごうそ》を行なうという事件が発生した。いわゆる「南都《なんと》北嶺《ほくれい》の強訴」である。これに対し藤原宗忠《むねただ》は、自身の日記『中右記《ちゅうゆうき》』のなかで、「京中の騒動、記し尽くすべからず」「天下の災い、未《いま》だかくの如きこと有らず」「開闢《かいびゃく》以来、未だかくの如きこと有らず」などと嘆いたあと、将門の乱の大きさと対比している（『永久元年記』）。

さらに治承《じしょう》四年（一一八〇）九月、源頼朝《よりとも》の挙兵の第一報を聞いた藤原兼実《かねざね》は、「彼《か》の義朝《よしとも》の子大《たい》略謀叛《りゃくむほん》を企つか。宛《あた》かも将門の如し」と日記『玉葉《ぎょくよう》』に書き付けた。

じつのところ、国家的な戦乱や騒動が起きた際、将門の乱は、その大きさを推し量る判断基準とされ、一二世紀後半の源平争乱期と南北朝の動乱期にはとくに想起された。将門の乱は一過性の反乱ではなく、中世に至るまで貴族に語り継がれた大事件であったのだ。平安貴族は、将門の乱に対する嫌悪と畏怖《いふ》の感情、現代風にいえばトラウマを、親から子へ、子から孫へと伝承していった。

このように将門の乱をとらえたとき、なぜ、武士の起源を天慶の乱の鎮圧者に求めたのか、という点もおのずと明らかになる。つまり、これほど平安貴族に精神的ダメージを与えた将門の乱ならば、その乱を鎮圧した氏族が特別な力、すなわち「辟邪《へきじゃ》（邪悪なものを寄せつけない）の武」をもっていると考えたであろうし、鎮圧者側もその点を強調したと思われる。ここに、将門の乱の鎮圧者を祖とする考え方が生まれたのである。

武士はなぜ生まれたのか

武士といえば、日本の歴史において、重要な位置を占める存在である。だが、古代の氏族は積極的に武士になろうとしたとは考えにくい。桓武《かんむ》天皇の子葛原《かずらはら》親王には、高棟王《たかむねおう》と高見《たかみ》王という二人の子がいた。しかし、この二人は対照的な人生を歩んだ。高棟王は大《だい》納《な》言《ごん》正三位按察使《あぜち》となり、その子孫からは、中納言や大納言などの公卿《くぎょう》を輩出した。一方、高見王は早世したらしく、その子孫は坂東《ばんどう》に土着し、桓武平氏《へいし》が生まれた。貴族社会からはじき出された好例である。

武官よりも文官が尊ばれた背景には、九世紀以降、大規模な征夷《せいい》や対外的緊張がなくなり、中国から文章経国《もんじょうけいこく》思想（文章を重んじる考え方）が取り入れられたことがあろう。それまで武官として歩んできた坂上《さかのうえ》・紀《き》・小野《おの》氏なども、しだいに文章道《もんじょうどう》や明法道《みょうぼうどう》（法律）などに進出していった。桓武平氏も積極的に武への道を歩んだのではなく、仕方なしに土着し、武勇を身につけたと考えられる。

◉初期の武士
甲冑に身を固め、刀や弓を持つという初期の武士の姿をよく伝えているが、一〇世紀当時の武器・武具類については不明な点も多い。（『将軍塚絵巻《しょうぐんつかえまき》』）

それでは、なぜ、武士は発生したのか。従来その点については、つぎのように考えられてきた。律令《りつりよう》制下の都では、衛府《えふ》や京職《きようしき》、平安時代以降は検非違使《けびいし》も加わって巡回・警備を行ない、地方では国司《こくし》・郡司《ぐんじ》が治安維持に努めてきた。ところが、律令制の変質とともに、地方政治が乱れ、盗賊や戦乱が頻発した。そのため、地方豪族や有力農民は、自分たちの所領を守るためにみずから武装し、そこから武士が発生した、と。つまり、武士は草深い田舎から発生したという説である。

一方、このような武士論とは根本的に異なる新説が現われた。この説の特徴は、武士を職能としてみることにある。論点は多岐《たき》にわたるが、武士を武士として認知したのは王権であり、武士は首都平安京の護《まも》り手であったという考え方である。筆者も武士を職能として認識すべきだと考えている。そこで、職能制の視点から武士の発生を描き出してみたい。

万寿《まんじゆ》五年（一〇二八）七月、左衛門尉藤原範基《さえもんのじようふじわらののりもと》という人物が、殺人の容疑をかけられた際のこと。藤原実資《さねすけ》は自身の日記『小右記《しようゆうき》』のなかで、「とんでもないことだ。範基が武芸を好むことは、万人が許さないことだ」と述べ、その理由として「内外ともに武者の種胤《しゆいん》にあらず」と記している。父方母方ともに武者（武士）の血筋ではないから、武芸を好んではならないというわけである。

また、盗賊として著名な袴垂《はかまだれ》が、武勇の者として知られた大和守《やまとのかみ》藤原保昌《やすまさ》をつけねらったという説話が、『今昔物語集《こんじやくものがたりしゆう》』に収められている。その保昌について、「家《いえ》ヲ継《つぎ》タル兵《つわもの》ニモ非《あら》ズ」あるいは「家《いえ》ノ兵《つわもの》ニモ不劣《お(と)らず》トシテ心太《こころふと》ク、手聞《てき》キ、強力《ごうりき》ニシテ」と評し、保昌に子供がなかったのは、武士の家柄でもないのに武勇に優れていたからだと締めくくっている。

つまり、武士の条件とは、個人的に武勇に秀でているということではなく、特定のイエ、血統に属していることが重要なのである。それでは、そのイエとはどのようなものだったのだろうか。

『今昔物語集』に、弁官《べんかん》の某《なにがし》が盗賊に襲われたが、「ここで盗賊と戦ってはならない。このようなことはしかるべき人が行なうべきである。…私は満仲《みつなか》・貞盛《さだもり》の子孫でもないのだから」と言って逃げたという話（巻一九）がある。満仲とは、源経基《みなもとのつねもと》の子である。そして、「唐皮《からかわ》という鎧《よろい》、小烏《こがらす》という太刀《たち》は、平貞盛から当家につき、平維盛《これもり》まで嫡々に伝わって九代にあたる」（『平家物語《へいけものがたり》』）との平氏《へいし》の当主維盛の発言もふまえれば、桓武平氏は貞盛を祖と仰いでいたとわかる。

一方、源氏《げんじ》は、鎌倉《かまくら》時代になると、前九年《ぜんくねん》・後三年《ごさんねん》合戦に勝利した源頼義《よりよし》・義家《よしいえ》父子を祖と仰ぐ。これは満仲の子が摂津《せっつ》源氏（頼光《よりみつ》）・大和《やまと》源氏（頼親《よりちか》）・河内《かわち》源氏（頼信《よりのぶ》）のイエに分かれ、互いに仲が悪く合戦におよぶ場合もあったためで、平忠常《たいらのただつね》の乱《らん》（一〇二八～三一年）をおさめた源頼信以前は、祖を経基に求めていた。源平《げんぺい》ともに、天慶《てんぎょう》の乱《らん》の鎮圧者をイエの始まりとみていたのである。

武士のイエの成立

平将門《たいらのまさかど》の乱《らん》が鎮圧された一〇世紀前半に、ほんとうに武士が発生したのか、というとそうではない。なぜなら、この時点

清和源氏系図

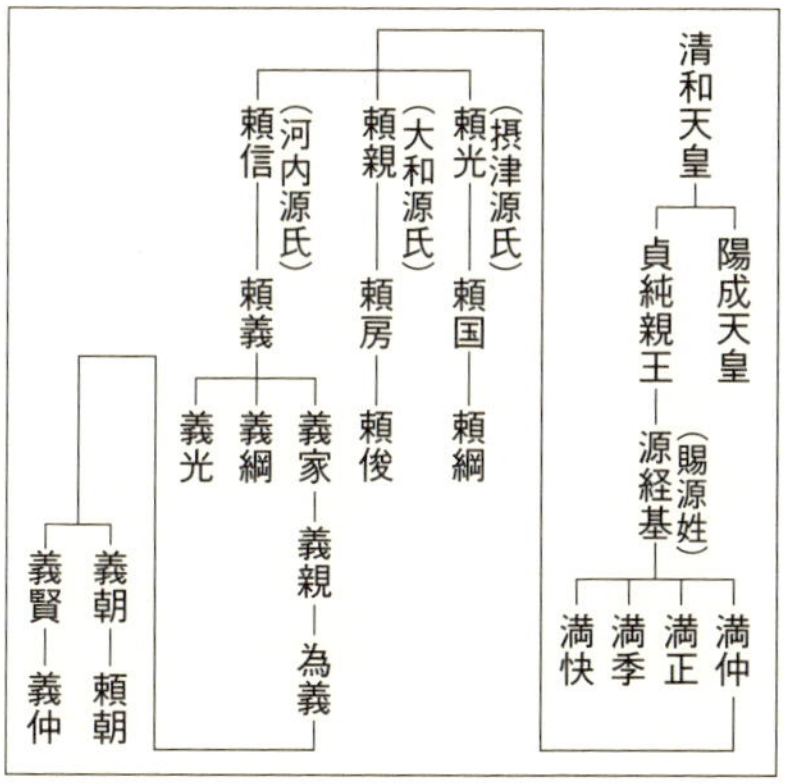

では、まだ武士のイエが成立していないからだ。たとえば将門の乱の当時、伯父《おじ》たちは、血族である将門よりも、姻族である源護《みなもとのまもる》の味方をしている。一〇世紀前半では、結束の強いイエは、まだ成立していないとみるべきである。

その点で、平貞盛《さだもり》が甥《おい》などを積極的に養子にしたとの『今昔物語集《こんじゃくものがたりしゅう》』の説話は、象徴的である。実際、貞盛流平氏《へいし》の多くは「維」という文字を名前の一字に入れている。おそらく、「維」という文字は、貞盛流平氏の象徴として大きな意味をもっていた。したがって貞盛流平氏のイエが成立するのは、一〇世紀後半から末といえる。筆者は、この時期をもって武士が成立したと考える。

ただし、武士にとって都がすべてであったわけではない。その多くは都で職をもちながら、本拠地とも交流していた。むしろ所領で武力を鍛錬《たんれん》して家臣を育て上げ、都で勤務するのが一般的であった。また、武士の多くは、陸奥《むつ》・出羽《でわ》国司《こくし》や鎮守府《ちんじゅふ》将軍、秋田城介《すけ》にも任命された。エミシや俘《ふ》囚《しゅう》と接するなかで、実践的な武力に磨きがかかったとも推測される。都と地域社会を往復することが、武士発生のうえで大きな役割を果たしたのも確かである。

さて、初期の武士には、源満正《みつまさ》・頼光《よりみつ》・頼親《よりちか》・頼信《よりのぶ》、平維《これ》叙《のぶ》・維将《これまさ》・維衡《これひら》・維時《これとき》らがいるが、いずれも源満仲《みつなか》と平貞盛の子孫であった。だが、将門を殺害した最大の功労者藤原秀郷《ふじわらのひでさと》の子孫の名はない。じつは安和《あんな》の変《へん》（九六九年）で、秀郷の子千《ち》晴《はる》が没落し、以後、歴史の表舞台に現れることはなかったの

秀郷流藤原氏系図

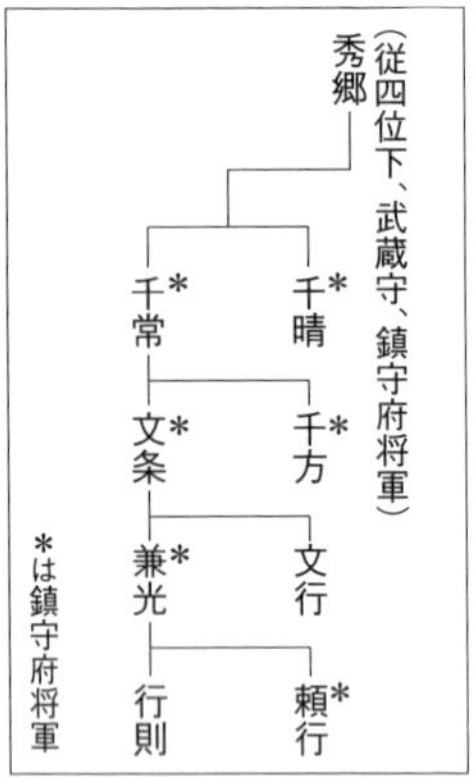

だ。しかし、秀郷の子孫は、都の警備にあたる検非違使《けびいし》や北方の護《まも》りの要《かなめ》である鎮守府将軍に、連綿として任じられている。やはり、「辟邪《へきじゃ》の武」を認められていたのであった。

先に述べたように、九世紀以来、武官は文官より軽んじられていた。しかし、その大きな転換点は天慶《てんぎょう》の乱《らん》にあり、さらに、イエの成立をもって武士が発生したといってよいのではなかろうか。

また、先に触れた天慶三年（九四〇）一月一一日の官符《かんぷ》も重要な役割を果たした。将門を殺害した者には五位以上の位階と収公されることのない田（功田《こうでん》）、次将を斬った者にも五位以上の位階を約束したのである。この官符は絶大な効果をもたらした。恩賞をめあてに、多くの武勇に優れた者たちが反将門に立ち上がったのだ。そして、約束どおり、秀郷には従四位下《じゅしいげ》下野守《しもつけのかみ》と功田、平貞盛には従五位上右馬助《うめのすけ》が与えられ、一一月には数十人が恩賞にあずかった。

この官符によって、秀郷の場合、最低でも五階級、最高なら八階級も特進したことになる。このような昇進はほとんど前例がない。この官符は、鎮圧者およびその子孫の位置づけを貴族社会のなかで飛躍的に上昇させ、兵として再生産（世襲《せしゅう》）させる道を開拓したものだった。この官符が武士の発生に与えた影響は、きわめて大きい。

平忠常の乱の発端

万寿《まんじゅ》五年（一〇二八）六月、平忠常《たいらのただつね》とその子常昌《つねまさ》を対象とする追捕宣旨《ついぶせんじ》が下され、さらに追討使《ついとうし》も定められた。追討使の候補には源頼信《みなもとのよりのぶ》もあげられたが、結局、検非違使尉《けびいしのじょう》の平直方《なおかた》と検非違使志《さかん》の中原成道《なかはらのしげみち》が選ばれた。当時、追討使には、武勇に長《た》けた検非違使尉と法律に明るい検非違使志をあてることが、恒例となっていたからである。

いったい平忠常とはどのような人物なのか。彼の祖父は平良文《よしぶみ》といい、将門の叔父《おじ》にあたる。これまで系図や『今昔物語集《こんじやくものがたりしゅう》』といった、いわば伝承の世界にしか登場しなかった。ところが、『大《だい》法師浄蔵伝《ほっしじょうぞうでん》』の奥書《おくがき》に引用された『外記日記《げきにっき》』逸文には、将門が殺害されたことを最初に伝えた人物として「平良□」が見え、写本調査の結果、平良文であることがほぼ確かめられた。このことから、良文も将門との戦いに加わったと推定される。

忠常の父は、陸奥介忠頼《むつのすけただより》といい、実在が確認できる。彼については、興味深い逸話が残されている。平貞盛《さだもり》の弟繁盛《しげもり》は、「武略、神に通ずる人也」といわれた猛者《もさ》であったが、年老いて延暦寺《えんりやくじ》に「大《だい》般若経《はんにやきよう》」を奉納しようとした。ところが、忠頼と弟の忠光《ただみつ》が意趣返しのため邪魔をしたので、寛和《かんな》二年（九八六）、繁盛は国家に訴えたのだった。良文流平氏と貞盛流平氏が不仲であったことがわかる。

忠常は上総介《かずさのすけ》、下総権介《しもうさのごんのすけ》などの肩書きをもち、上総・下総国に居住していた。彼が房総で大きな勢力をもてたのは、おそらく、祖父良文が将門の乱の鎮圧者として恩賞を得た結果であろう。興味深いことに、『今昔物語集』の説話によると、忠常は下総国と常陸国《ひたちのくに》のあいだに広がっていた湖沼の奥まった場所に住み、下総・常陸国に勢力を張っていたという。

忠常が追討された直接の原因は、安房守惟忠《あわのかみこれただ》を焼き殺したことによる。また、彼の従者が上総介県犬養為政《あがたいぬかいのためまさ》の住んでいた館《たち》に乱入し、従類《じゅうるい》を縛るという事件も起こしている。忠常の乱の原因は、国司との軋轢《あつれき》に求められそうだ。その詳細を知ることはできないが、為政が上総介に任じられたのは、万寿二年の春であり、長元《ちょうげん》元年（一〇二八）はちょうど任期の最後の年にあたる。国司は任期の最終年度にもっとも苛《か》酷《こく》に官物《かんもつ》を取り立てたから、そのことが原因になったのではないだろうか。

貞盛流平氏と良文流平氏

長元《ちょうげん》元年（一〇二八）八月、追討使《ついとうし》が都を出発するに先立って、平忠常《たいらのただつね》の従者が入京したとの噂《うわさ》が流れ、従者は検非違使《けびいし》に捕らえられた。この者たちの話によれば、忠常は都の貴族たちに郎等《ろうどう》を派遣し、追討の停止を工作しているとのことであった。彼らは関白藤原頼通《かんぱくふじわらのよりみち》の弟教通《のりみち》、中納言《ちゅうなごん》源師房《みなもとのもろふさ》、運勢《うんせい》らへの書状を持っていた。

また、のちに判明したところによると、忠常は二、三〇騎で上総国夷灊《かずさのくにいじみ》郡（千葉県夷隅《いすみ》市付近）の山に入り、教通からの返事があれば、山から出てくるとのことであった。忠常は教通と主従関係を結んでおり、謀反を起こそうとは考えていなかったようだ。

しかし、忠常の思いどおりに事は運ばなかった。追討使が派遣され、長元二年二月には、ふたたび忠常を追討する官符《かんぷ》が下された。さらに、県犬養為政《あがたいぬかいのためまさ》

貞盛流平氏と良文流平氏

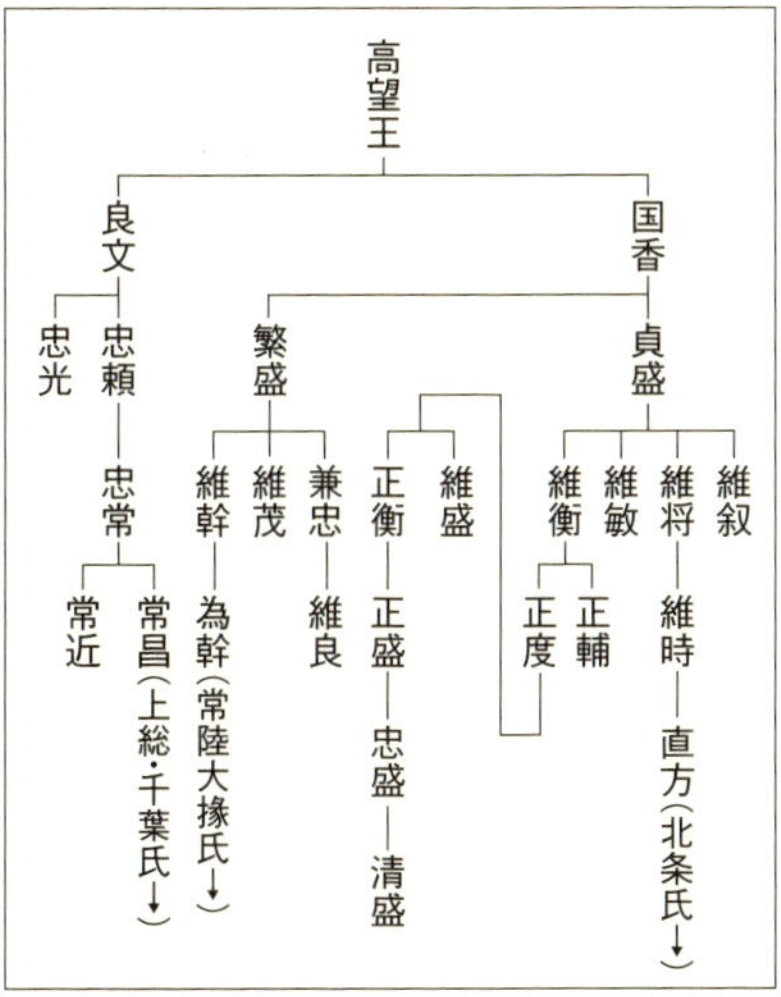

にかわって、平維時《これとき》が上総介《すけ》に任命された。維時は貞盛《さだもり》流平氏《へいし》の出身で、追討使平直方《なおかた》の父である。この任命は、追討使と上総介が連携して忠常の乱を鎮圧するという意図を含んでいた。

貞盛流平氏と良文《よしぶみ》流平氏は、「彼《か》の旧敵」といわれ、『今昔物語集《こんじやくものがたりしゅう》』でも、忠恒（常）が貞盛流の平惟（維《これ》）幹《もと》（常陸大掾《ひたちのだいじょう》氏の祖）を「先祖の敵《かたき》」と呼んでいるように、敵対関係にあった。国家は、貞盛流平氏を投入することで、その鎮圧をねらったのであろう。

だが、追討使や上総介維時は、芳しい戦果をあげられなかった。私怨《しえん》も手伝って、戦乱による坂《ばん》東《どう》の荒廃が進み、厭戦《えんせん》気分が広がったためかもしれない。そこで、先年追討使の候補になった源頼《より》信《のぶ》が甲斐守《かいのかみ》に任じられた。新たな忠常包囲網をつくりあげようとしたのだ。そして一二月には、当初から直方と不仲で、追討使として下向することに難色を示していた中原成道《なかはらのしげみち》が解任された。

長元三年になると、安房守光業《あわのかみみつなり》が印鎰《いんやく》を捨てて都に逃げ帰ってきた。安房国も完全に忠常の支配下に入ったのだろう。ここに至って、安房守に平正輔《まさすけ》を任命した。正輔も貞盛流平氏の一員であり（伊勢《いせ》平氏の祖）、貞盛流平氏の総力戦という状況を呈してきた。

しかし、正輔が戦いの準備のため本領があった伊勢国へ下ったところ、同じく伊勢国に本拠があり、父の代からの宿敵であった平致経《むねつね》との戦いに巻き込まれ、ついに、坂東に下ることができなかった。致経は、将門《まさかど》の伯父《おじ》平良兼《よしかね》の子孫と思われ（平姓で「致」を通字とする）、ここでも貞盛流平氏との確執が表面化した。正輔は任国へ下向するにあたり、海上からの攻撃を想定していたから、もし彼の参戦が実現したならば、異なった展開があったかもしれない。

追討の不調に対して、国家の対応も徐々に変化してきた。五月には、追討使平直方がさらなる追討官符《かんぷ》の発行を申請したが、却下された。その理由は、平忠常が出家したこと、追討側が忠常の所在をつかめないでいること、そして、忠常が藤原兼光《ふじわらのかねみつ》を通じて直方に物品を贈って和睦《わぼく》の意思を示していたためである。兼光とは、平貞盛《さだもり》とともに将門《まさかど》を倒した藤原秀郷《ひでさと》の子孫と思われる。『今昔物語集』には、貞盛流平氏《へいし》平維茂《これもち》と秀郷の子孫藤原諸任《もろとう》が争った説話が収められている。貞盛流平氏と秀郷流藤原氏にも、確執が生じていたと推定される。昔の友もきょうの敵というわけだ。

七月、ついに十分な戦果をあげられなかった直方が召還される。また、父維時《これとき》も病気を理由に上総介《かずさのすけ》を辞退した。ここにおいて、貞盛流平氏による忠常追討は完全に終わった。

源頼信と鎌倉

貞盛《さだもり》流平氏《へいし》にかわって追討使《ついとうし》に選ばれたのが、先にも候補にのぼった甲斐守源頼信《かいのかみみなもとのよりのぶ》である。彼は追捕《ついぶ》官符《かんぷ》を受けて、一戦も交えずに平忠常《たいらのただつね》を降伏させる。

その勝因を解き明かしてくれるのが、先の『今昔物語集《こんじゃくものがたりしゅう》』である。以前、頼信が常陸介《ひたちのすけ》として下向した際、下総国《しもうさのくに》北部に居を構えていた忠常は、頼信の命令を聞かなかった。そこで、頼信が攻めようとしたところ、忠常は香取《かとり》の海（下総国と常陸国のあいだにあった湖沼）を渡って来られないように、と船を隠した。ところが、頼信は先祖からの言い伝えとして（父満仲《みつなか》は常陸介経験者）、馬で渡れる浅瀬があることを知っていたので、案内人を立てて渡河してしまう。これによって、さしもの忠常も降参し、主従関係を結んだという。

この説話は史実を含んでいるようで、忠常は、乱の以前から頼信を主君と仰いでいたために、一戦も交えることなく降伏したようだ。降伏した忠常は、頼信に伴われて京に向かったが、美濃《みの》国で病死する。あるいは詰め腹を切らされたのかもしれない。頼信は忠常の首を持って上京した。

頼信には恩賞が与えられて丹波《たんば》守となったが、ほどなく美濃守に遷任された。変更の理由は、母の墓が美濃国にあるということであったが、じつは美濃国が、坂東《ばんどう》と都を結ぶ交通上の要所に位置していたからである。こうして清和《せいわ》源氏《げんじ》は、東国に勢力を伸ばすことに成功した。

一方、忠常は亡くなったものの、まだ、その子孫は房総《ぼうそう》に残されたままであった。都ではさらなる追討をという意見もあったが、坂東の荒廃が著しいために、結局、沙汰《さた》止《や》みとなった。

以後、追討使には、検非違使の如何《いかん》にかかわらず、武勇に秀でた源平両氏の武士が派遣されるようになった。海賊の掃討に功績があり、ついに昇殿を許された平忠盛《ただもり》などが著名である。

なお、頼信の武勇に感じ入った平直方《なおかた》は、娘を頼信に嫁がせ、あわせて先祖からの相伝の地相模《さがみ》国鎌倉《かまくら》の地を譲り渡したという。二人のあいだに誕生したのが源頼義《よりよし》である。直方の祖父維将《これまさ》は、相模守に任じられたことがあるので、鎌倉はその際に入手したのだろう。源氏と鎌倉の深いかかわりは、じつにこのときから始まったのだ。忠常の子孫である千葉常胤《ちばつねたね》・上総広常《かずさひろつね》の助力によって、源頼朝《よりとも》は鎌倉幕府を開くことになるが、それにはまだ一二五〇年以上もの時間を必要とした。

エミシの世界

俘囚が蜂起した元慶の乱

延暦《えんりゃく》二四年（八〇五）、桓武《かんむ》天皇を中心とした徳政《とくせい》論争によって、それまで積極的に行なわれていた征夷《せいい》は中止された。もちろん、それ以降も文室綿麻呂《ふんやのわたまろ》などによる征夷は継続したが、規模は縮小した。弘仁《こうにん》二年（八一一）、水害を避けるために、志《し》波《わ》城（岩手県盛岡市）を移転したいとの申請が出された。この移転先が徳丹《とくたん》城（岩手県紫波《しわ》郡）と推定されるが、志波城と比べてかなり小規模になっている。征夷が縮小したことを象徴している。

だが、国家とエミシの問題は、これで終わったわけではなかった。元慶《がんぎょう》二年（八七八）三月、出羽国《でわのくに》秋田城下の野代《のしろ》など一二村の夷俘《いふ》が反乱を起こし、秋田城や秋田郡家《ぐうけ》、周辺の民家などを焼き討ちする事件が起きた（元慶の乱）。夷俘とは、帰順の程度が浅いエミシのことである。

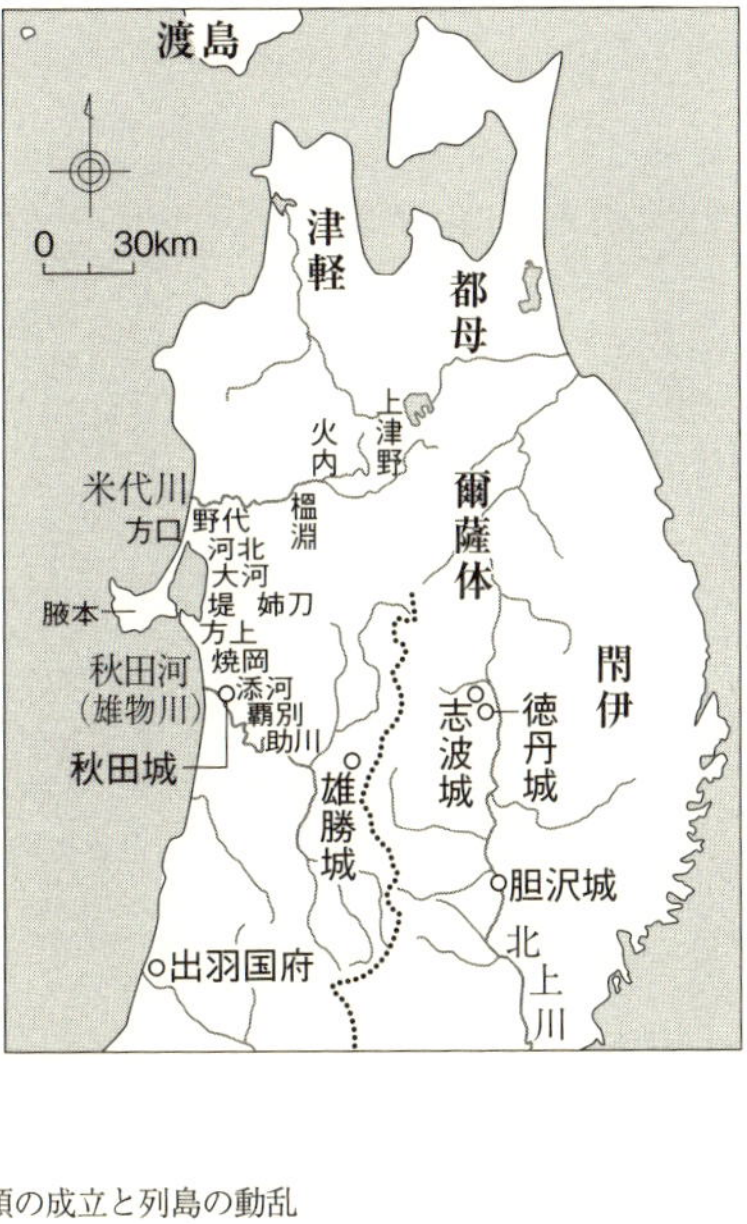

●元慶の乱関係地図
上津野《かみつの》・火内《ひない》・榲淵《すきぶち》・野代などのムラは秋田河（雄物川）の北に位置し、秋田城の支配下にあったが、津軽・都母《つも》・爾薩体《にさったい》・閉伊《へい》などは、国家の手がおよんでいなかった。

事件が起きた直接的原因は、前年からの凶作に加え、出羽介《すけ》で秋田城司でもあった良岑近《よしみねのちかし》が、厳しく税を取り立てたこと、院宮王臣家《いんぐうおうしんけ》の使者が良馬・良鷹を収奪していったことに求められる。「国内の黎氓《れいみん》、苛政《かせい》に苦しみ来たり、三分の一、奥地に逃げ入る」とあるように、公民までもが国司《こくし》の苛政によって、津軽を含む奥地に逃げ込んでいた。

エミシの蜂起《ほうき》に対して、国家は出羽権掾小野春泉《ごんのじょうおののはるいずみ》、文室有房《ふんやのありふさ》らに秋田城の奪還を命じたが成功せず、ついに陸奥《むつ》国に援軍を要請した。五月には藤原保則《ふじわらのやすのり》を出羽権守《ごんのかみ》に任じたが、エミシたちは、秋田河（雄物《おもの》川）以北の独立を主張した。陸奥国からの援軍と合わせて五〇〇〇人に達した鎮圧軍は、秋田城に再結集して反撃に備えたが、夷俘軍の不意打ちにあって大敗し、膨大な数の甲冑《かっちゅう》・米・糒《ほしいい》・衾《ふすま》・馬を奪われてしまった。

一連の過程をみていくと、エミシ集団はかなり統制されており、計画的な反乱であったと思われる。惨敗の報告はただちに都にもたらされ、使者は左《さ》近衛陣《このえのじん》で公卿《くぎょう》へ直接報告した。このような聴取方法は、異例中の異例であり、きわめて大きな衝撃だったことがわかる。

そこで国家は、小野春風《はるかぜ》を鎮守府《ちんじゅふ》将軍に任命し、陸奥権介坂上好蔭《ごんのすけさかのうえのよしかげ》とともに、陸奥国の精兵と東海・東山道の勇敢な者を率いて出羽国へ派遣した。八月になると、津軽と渡島《わたりしま》（北海道）の俘囚が鎮圧軍に加わり、反乱は徐々に鎮圧されていった。当時、米代《よねしろ》川以北の地は、まだ律令《りつりょう》国家の支配が完全には浸透しておらず、支配もゆるやかであった。そのため、秋田城の苛政もおよばず、逆に国家側についたと推測される。

乱の鎮圧後、渡島のエミシの首領一〇三人は、三〇〇〇人の身内を引き連れて秋田城を訪れ、反乱軍に加わらなかった津軽エミシとともに、律令国家の支配下に入ることを請うている。

津軽のエミシ

史料によって、王臣家《おうしんけ》がエミシの毛皮などをさかんに求め、代価として防寒用の綿や鉄を渡していたことがわかる。鉄は農具のほか、武器にも加工された。九世紀から一〇世紀にかけて、米代《よねしろ》川流域と津《つ》軽《がる》地方に製鉄関連遺跡が濃密に分布しており、考古学的にも裏付けられる。

また、最近の考古学的調査によれば、青森県五《ご》所《しょ》川原窯《がわらよう》では、九世紀後半から須恵器《すえき》の生産が開始され、赤褐色を呈する製品が東北北部から北海道南部にかけて出土している。エミシとの交易品として、特別に生産されたようだ。さらに、エミシを懐柔《かいじゅう》するために、陸奥《むつ》・出羽《でわ》国司《こくし》が位階や官職を乱発したことが、文献的にも裏付けられている。

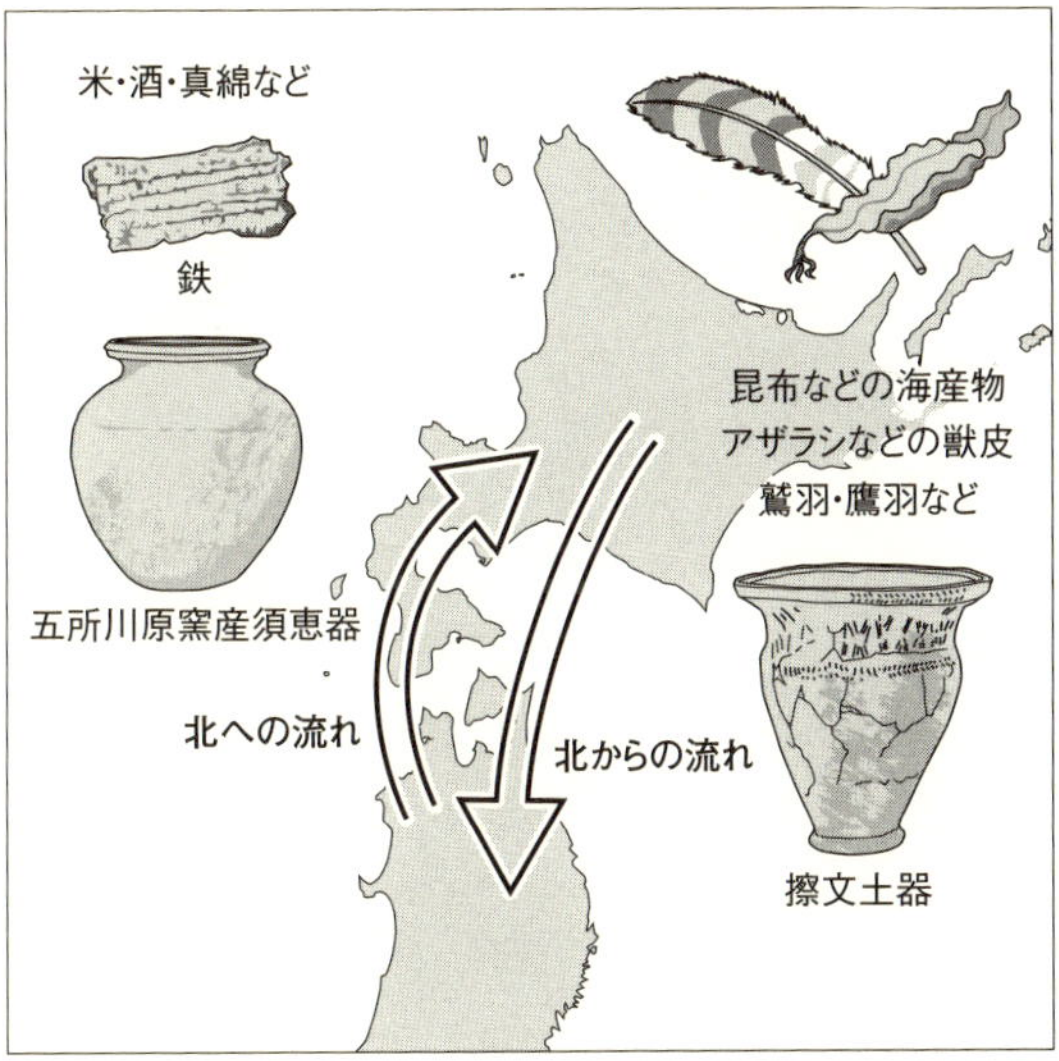

●北方との交流
北からは昆布・鷹羽・獣皮など、南からは鉄・真綿・須恵器・米・酒などが供給された。本州からは北海道の人々が用いた擦文《さつもん》土器も出土し、両地域の密接な関係がうかがえる。

律令《りつりょう》国家との交流によって、エミシ社会も相応に内国化していった。しかし、エミシ社会の変容は、大きな弊害ももたらした。元慶《がんぎょう》の乱《らん》後、津軽と渡島《わたりしま》のエミシは、「夷《い》を以《もつ》て夷を撃つは、古《いにしえ》の上計《じょうけい》」とみずからも述べているように、エミシ内部に深刻な対立を引き起こしたのだった。

ところで、この戦乱で活躍した興味深い人物がいる。それは鎮守府《ちんじゅふ》将軍小野春風《おののはるかぜ》である。彼は、対新羅《しらぎ》関係が悪化した貞観《じょうがん》年間（八五九～八七七）に対馬守《つしまのかみ》として赴任した経験をもち、しかも祖父永見《ながみ》、父石雄《いわお》、兄春枝《はるえだ》は、いずれも鎮守府将軍を歴任していた。彼はエミシの言葉を話すことができ、武器を持たずに単身乗り込んで、話し合いによってエミシたちを説得した。

彼がこうした行動をとることができたのは、若くしてエミシ社会と接していた経験があったからだ。元慶の乱以降、陸奥守や出羽守、そして鎮守府将軍には、武力に長じるだけでなく、現地の情勢に通じた人物が任じられるようになった。

空白の世紀

元慶《がんぎょう》の乱《らん》（八七八年）以降の東北は、どうなったのだろうか。寛平《かんぴょう》五年（八九三）には、渡島《わたりしま》エミシと奥地のエミシの確執があり、延喜《えんぎ》二年（九〇二）にも出羽国《でわのくに》から反乱を伝える早馬が到着している。さらに天慶《てんぎょう》二年（九三九）には、秋田城の軍兵と出羽国の俘囚《ふしゅう》が戦ったが、いずれも断片的な史料で、詳細は不明である。そして、これ以後、前九年《ぜんくねん》合戦（一〇五一～六二年）までのあいだ、ほとんど文献史料はなくなってしまう。

ところが近年、考古学的見地から、新たな発見が相次いだ。まず、九世紀後半以降、集落が爆発的といってよいほど増加するが、延喜一五年、十和田《とわだ》（湖《こ》）火山の大噴火により、甚大な被害を受ける。この点は第三章で述べたが、以後、米代川《よねしろ》流域の集落は、台地や段丘上に移らざるをえなくなったようだ。

次いで一〇世紀中ごろから、集落数が急激に減少しはじめる一方、北奥から南北海道にかけて、台地の上にまわりを堀で巡らせた集落が出現する。こうした遺跡は高地性防御集落《ぼうぎょしゅうらく》（環濠《かんごう》集落・囲郭《いかく》集落）などと呼ばれ、戦乱に伴って敵の侵入を防ぐ目的でつくられたという見方が有力である。「平穏な時代」ではなかったようだ。

代表的な遺跡として、青森県八戸《はちのへ》市の林ノ前《はやしのまえ》遺跡があげられる。全長三〇〇メートルを超える高地性集落で、首長の居住区と推定される部分が環濠で囲まれ、その北東地区に竪穴《たてあな》住居群が配されている。遺物には灰釉《かいゆう》陶器・馬具・刀装具・鉄鏃《てつぞく》のほか、貴金属用の坩堝《るつぼ》などがあり、一般集落とは考えにくい。なんらかの戦乱があったことを示唆しているのかもしれない。

また、最近注目されている遺跡に、青森市の新田《にった》（Ｉ）遺跡

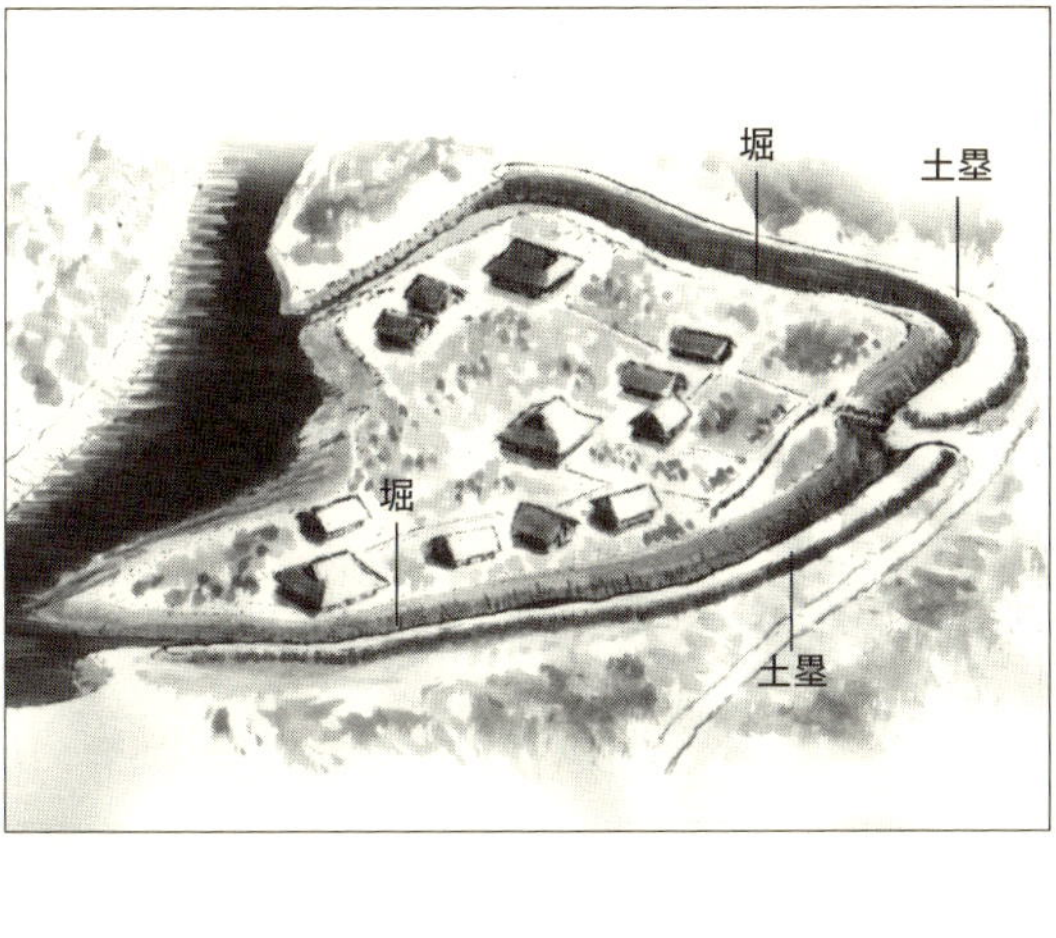

◉高屋敷館《たかやしきだて》遺跡復元図（青森市）
幅六m、深さ三・五mの堀で囲まれた一〇世紀後半〜一二世紀初めにかけての環濠集落。堀を掘った土は外側に盛り上げ、土塁として使用。

がある。一〇世紀後半から一一世紀に営まれた遺跡で、土師《はじ》器《き》・須恵器《すえき》・擦文《さつもん》土器（もともとは北海道以北に起源をもつ土器）のほか、貴族が用いる檜扇《ひおうぎ》、物忌札《ものいみふだ》（陰陽道《おんようどう》で物忌のときに用いる札）、木製の仏像、塔身《とうしん》、斎串《いぐし》や形代《かたしろ》（祭祀《さいし》に用いる道具）、そして荷札木簡《にふだもっかん》など、地方の官衙《かんが》（国府や郡家《ぐうけ》）と共通する多彩な遺物が出土した。ところが、当時、この地域にはまだ国家の支配がおよんでおらず、「郡」として把握されていなかった。この地は、新城川《しんじょうがわ》（新田川）の河口に発達した三角洲《す》で、北方に向けた交易港が存在したのではないかとも推定される。北海道と本州を結ぶ中継基地のひとつだった可能性も考えられる。

10

◉新田（I）遺跡出土品（青森市）
本州最北端に位置し、檜扇（上）・斎串（下）・仏像の光背などが出土した。律令制国家の統治下にはなかったが、その影響は受けていた。

安倍氏と前九年合戦

文献史料がほとんど残されていない時期を経て現われたのが、安倍《あべ》氏である。この安倍氏を中心として起きたのが前九年《ぜんくねん》合戦で、『陸奥話記《むつわき》』が詳細を語ってくれる。これまで、『陸奥話記』の作者は不明とされてきたが、『新猿楽記《しんさるがくき》』などの文学作品を残した藤原明衡《ふじわらのあきひら》とも推測されている。

「東夷《とうい》の酋長《しゅうちょう》」の子孫安倍頼良《よりよし》が支配していたのが、奥六郡《おくろくぐん》（胆沢《いさわ》・和賀《わが》・江刺《えさし》・稗貫《ひえぬき》・斯波《しわ》・岩手《いわて》の六郡）と呼ばれる地域（176ページの地図参照）であった。「東夷の酋長」が、蔑視《べっし》的表現かどうかについては見解が分かれるが、近年、頼良の父忠好《ただよし》（良）が、長元《ちょうげん》九年（一〇三六）に陸奥権守《ごんのかみ》に任命されたことが判明し、中央官人《かんじん》の子孫である可能性が高くなった。延暦《えんりやく》二一年（八〇二）、鎮守府《ちんじゅふ》が多賀《たが》城から胆沢城に遷《うつ》され、奥六郡はエミシに対する最前線となった。頼良は、奥六郡の支配を公認されていたのだろう。

ところが、頼良は官物《かんもつ》を出すことなく、国司《こくし》の命令も聞き入れなかったので、永承《えいしょう》五年（一〇五〇）、陸奥守藤原登任《なりとう》と秋田城介平繁成《すけたいらのしげなり》（秋田城主には出羽《でわ》介が任じられたので、秋田城介と呼ぶ）が合戦をしかけた。鬼切部《おにきりべ》（宮城県鳴子《なるこ》町）で両軍は激突するが、国司軍が大敗する。合戦の原因は、現任国司と土着国司の子孫との対立と思われる。繁成は、桓武《かんむ》平氏《へいし》の祖平貞盛《さだもり》の弟繁盛《しげもり》の孫で、彼の叔母《おば》が登任と結婚していたため、加勢したと考えられる。

この敗北を承《う》けて、翌永承六年、源頼義を陸奥守に任じ、追討を命じた。武芸に秀でていただけでなく、父頼信《よりのぶ》が平忠常《たいらのただつね》を一戦も交えず帰服させたことで、東国に勢力を築いていたからだ。源氏《げんじ》にとって、奥羽《おうう》地方に勢力を伸ばす絶好のチャンスが訪れた。

ところが、上東門院藤原彰子《じょうとうもんいんふじわらのしようし》の病気平癒《へいゆ》のための大赦《たいしゃ》があ

安倍・清原・藤原氏の関係

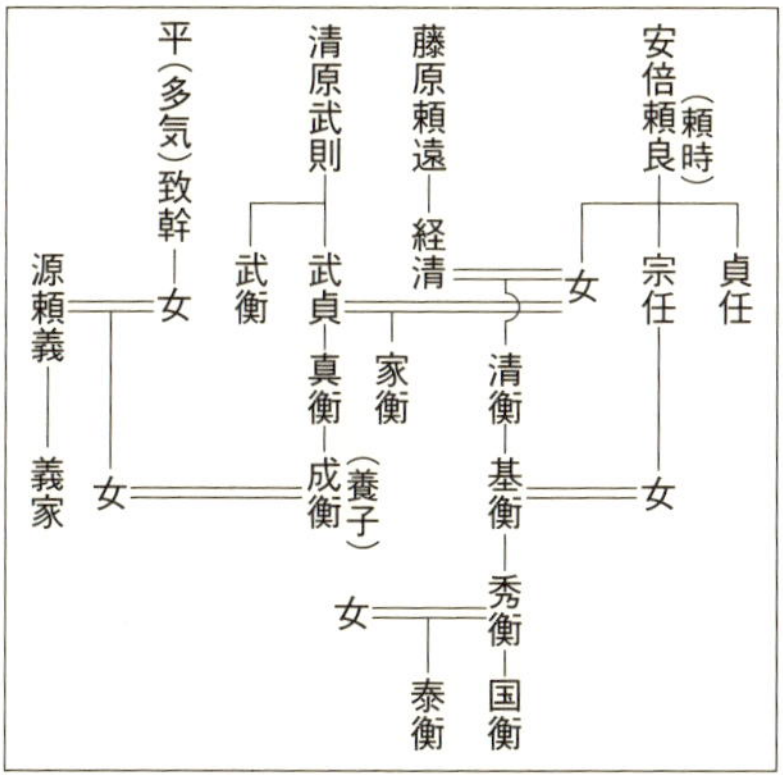

り、頼良の罪は許される。彼は喜び、「頼義」と読み方が同じであった「頼良」という名を「頼時《よりとき》」に改めた。中国の影響で、天皇をはじめとする貴人と同じ名は、礼に反するとの思想があったからだ。一方、頼義は、鎮守府将軍も兼任することになった。頼時も頼義にしたがい、しばらくは平穏な日々が続いた。

武士の地位を確立した源氏

源頼義《みなもとのよりよし》の任期終了間近の天喜《てんぎ》四年（一〇五六）、陸奥権守藤原説貞《むつのごんのかみふじわらのときさだ》の子が、安倍頼時《あべのよりとき》の子貞任《さだとう》に襲撃されたとの讒言《ざんげん》があった。そして、頼義が貞任を召し出して罰しようとしたことから、事件は起こった。頼時は、この対応に反発し、衣川関《ころもがわのせき》を固めて頼義と対立した。衣川とは、奥六郡《おくろくぐん》の南限を流れていた川である。奥六郡には一歩たりとも踏み込ませない、という決意表明である。怒った頼義は、坂東《ばんどう》から兵を集め対峙《たいじ》した。

この讒言については、合戦の口実をつくるために、頼義側から「因縁」をつけた可能性が高い。当時、奥羽地方は、馬・鷹羽《たかのは》・砂金などの宝庫であった。頼義は、陸奥守として紛争を鎮圧し、その功績により、あわよくば延任《えんにん》・重任《ちょうにん》にあずかろうとしたのかもしれない。

ところで、頼時の娘婿《むすめむこ》で陸奥権守であった藤原経清《つねきよ》と平永衡《たいらのながひら》という者がいた。経清は、平将門《まさかど》を倒した藤原秀郷《ひでさと》の子孫と伝えられ、亘理《わたり》郡に本拠を置いていた。一方、永衡は前陸奥守藤原登任《なりとう》とともに下ってきた従類《じゅうるい》で、伊具《いぐ》郡に勢力を有していた。国司《こくし》が従類を連れて下向《げこう》することは、『尾張《おわり》国郡司百姓等解文《のくにぐんじひゃくしょうらげぶみ》』にも記されている。彼らは頼義に味方したのだが、永衡は裏切り者だとの讒言があり、頼義に殺害されてしまう。頼義の人格に疑いを抱いた経清は、頼時軍に身を投じた。

頼義は、天喜四年、陸奥守を重任した。そして、気仙郡司金為時《けせんぐんじこんのためとき》を使って、鉇屋《かなや》・仁土呂志《にとろし》・宇曾利《そり》のエミシを仲間に引き入れ、頼時を挟み撃ちにしようとした。これを察知した頼時は、エミシの説得に赴くが、伏兵にあい、あえない最期を遂げる。鉇屋・仁土呂志は糠部《ぬかのぶ》（岩手県北東部）、宇曾利は下北《しもきた》半島にあたる。この地域が「郡」で表記されていないのは、まだ日本国に組み入れられていなかったからだ。頼義が遠くのエミシと組んで、近くの頼時を攻めようとしたことは、元慶《がんぎょう》の乱《らん》（八七八年）の鎮圧策とほとんど同じである。

ここにおいて、頼義は、諸国の兵士・兵粮《ひょうろう》を徴発することを許可した追捕《ついぶ》宣旨《せんじ》を得る。軍事行動が国家に承認されたのだ。彼はこの威勢をかって貞任を黄海《きのみ》柵（岩手県東磐井《ひがしいわい》郡）に攻めた。ところが季節は冬。官軍は大敗してわずかに七騎となり、頼義は命からがら逃げのびたという。

頼義の部下のなかには、主人のために奮戦して亡くなった者もいた。こうした側近は、平将門《たいらのまさかど》の乱《らん》などにみえる従類が発展したものであるが、自分の身命を賭《と》して主人を助けるという考えは、これ以前にはみられなかった。兵《つわもの》のイエの成立、そして武家の棟梁《とうりょう》の成立に伴って、主従関係が強化されたのである。この関係が、一二世紀後半の源平《げんぺい》の争乱、そして鎌倉《かまくら》時代にみられる武士の主従関係に発展していく。

逃げ帰った頼義は、出羽国《でわのくに》北部に勢力をもつ清原光頼《きよはらのみつより》とその弟武則《たけのり》に加勢を求めた。清原勢と合流した頼義は、康平《こうへい》五年（一〇六二）、軍勢を率いて陸奥国に至り、まず、安倍貞任・宗任《むねとう》兄弟の叔父《おじ》である僧良昭《りょうしょう》が守る小松柵《こまつのさく》を激戦の末に奪い取り、攻め寄せた貞任軍をも武則の助言によって退けた。その後、高梨宿《たかなしのしゅく》・石坂《いしざか》柵・衣川関・大麻生《おおあそう》柵・瀬原《せはら》柵・鶏鳴《あかとき》柵・鳥海《とりうみ》柵・黒沢尻《くろさわじり》柵・鶴脛《つるはぎ》柵・比与鳥《ひよどり》柵とつぎつぎに攻略していく。貞任・経清らは敗走を続け、厨川《くりやがわ》柵に陣取った。

この柵は、川と湿地に挟まれた天然の要害に立地していたうえに、さらに溝を掘り、その底には刀を逆さに立て、蒔菱《まきびし》をまくという堅固な造りであった。官軍が攻めても不落である。そこで頼義は、付近の村から建築部材を集めて溝を埋め、火を放たせた。柵には矢がびっしり刺さっていたため、火はその矢羽に燃え移り、柵は炎上した。

作戦は成功し、貞任は討死《うちじに》、経清は捕虜となったのちに無惨《むざん》に殺され（第三章参照）、彼らの首は都に運ばれて晒《さら》された。争乱の結果、源頼義は伊予守《いよのかみ》、嫡男義家《よしいえ》は出羽守、清原武則は鎮守府《ちんじゅふ》将軍に任じられた。この戦いを通じて、源氏《げんじ》は武士の棟梁としての地位を確立したものの、奥羽の地には清原氏の勢力が拡大することになった。これが後三年《ごさんねん》合戦の火種となるのである。

奥六郡と前九年・後三年合戦関係図

延久合戦から後三年合戦へ

応徳《おうとく》三年（一〇八六）に前陸奥守源頼俊《むつのかみみなもとのよりとし》が進上した申文《もうしぶみ》と、延久《えんきゅう》三年（一〇七一）に下された宣旨《せんじ》から、後三年《ごさんねん》合戦前夜の様子（延久合戦）がわかる。

頼俊は大和《やまと》源氏《げんじ》で、治暦《じりゃく》三年（一〇六七）、陸奥守として下向した。延久二年暮れに「荒夷《あらえびす》が兵を発し、黎民《れいみん》（民衆）が騒擾《そうじょう》し」たために、「衣曾《えぞ》別嶋《わけしま》の荒夷並びに閉伊《へい》七村の山徒」を鎮圧し、彼らの首や捕虜を連れて都に上った（『朝野群載《ちょうやぐんさい》』）。「衣曾別嶋」とは北海道南部を指し、「閉伊七村」とは陸奥国の東北部、いまだ国家の支配がおよんでいない地のことであった。前九《ぜんく》年《ねん》合戦の際、源頼《より》義《よし》が味方に引き入れたエミシの居住地「鉇屋《かなや》・仁土呂志《にとろし》」とも重複する地域である。

ところが、彼に対して褒賞《ほうしょう》はなく、逆に清原真衡《きよはらのさねひら》（『平安遺文《へいあんいぶん》』は「貞衡」とするが「真衡」の誤りか）が鎮守府《ちんじゅふ》将軍に任命されてしまう。この真衡こそ、前九年合戦の際、源頼義が助力を求め、乱後、鎮守府将軍に任じられた清原武則《たけのり》の孫で、後三年合戦の原因をつくる人物である。

本州の北端（北奥）は、北海道と強い結びつきをもっていた地域で、延久合戦では、真衡を中心とする清原氏の軍勢が活躍したのだろう。このなかにエミシや俘囚《ふしゅう》がいた公算は高いと思われる。

鎮守府《ちんじゅふ》将軍に任じられた清原真衡《きよはらのさねひら》は、囲碁でのいさかいが原因で、一族の吉彦秀武《きみこのひでたけ》と不仲になる。清原氏は、平安《へいあん》時代中期には文官を多く輩出した氏族である。出《で》羽国《わのくに》になぜ勢力を張ったのかは明らかでないが、国司《こくし》もしくは目代《もくだい》の子孫ではないかと考えられる。一方、吉彦氏はもと君子部（吉弥侯部）などと表記され、俘囚《ふしゅう》に多く付けられたウジ名である。

永保《えいほう》三年（一〇八三）、源義家《みなもとのよしいえ》が陸奥守《むつのかみ》として下向《げこう》してくると、真衡はともに秀武を追討するために出羽国に進軍した。怒った秀武は、清原家衡《いえひら》・藤原清衡《ふじわらのきよひら》と語らって、真衡の留守を攻めた。清衡はのちに奥州藤原氏の開祖となる人物であり、前九《ぜんく》年《ねん》合戦で敗れた藤原経清《つねきよ》と安倍頼時《あべのよりとき》の娘のあいだに誕生した子である。前九年合戦によって父を失った母子は、清原武貞《たけさだ》のもとに身を寄せ、母は家衡をもうけた。つまり、真衡・家衡・清衡はいずれも兄弟にあたる。ところが、真衡が、突然、陣中で病死してしまった。

家衡・清衡は、跡継ぎ問題から真衡と敵対していた。真衡には子がなく、惣領《そうりょう》の座と莫大な財産は、家衡が継ぐはずであった。ところが、真衡はこともあろうに、海道《かいどう》（福島県磐城《いわき》地方）平氏《へいし》から成衡《なりひら》という養子を迎えてしまう。しかも、その妻には、源頼義《よりよし》が常陸平氏《ひたちへいし》の平致幹《たいらのむねもと》の娘に一夜にして産ませた女性を迎える。腹違いの兄弟に継がせるよりも、血のネットワークを南東北・坂東《ばんどう》に広げることで、清原氏の地位を不動のものにしたいと考えたのだろう。したがって、真衡が亡くなったい

11

ま、家衡と清衡のあいだで惣領の座と遺産をめぐる争いが起こることは、火をみるよりも明らかだった。

応徳《おうとく》三年（一〇八六）、以前から不満をつのらせていた家衡は、清衡を攻めて妻子を殺害する。清衡は義家に助けを求め、家衡がこもる沼柵《ぬまのさく》を取り囲んだが、勝敗がつかないまま冬を迎え、餓死寸前となった義家たちは撤退した。家衡は叔父《おじ》武衡《たけひら》の協力を得ると、より守りの堅い金沢《かねざわ》柵に居を移した。義家たちは寛治《かんじ》元年（一〇八七）に兵力を増強し、金沢柵を包囲したが攻略に手こずり、吉彦秀武にしたがって兵粮《ひょうろう》攻めを始めた。

一方、義家は、この戦いを清原家衡の謀反として国家に報告し、追討宣旨《ついとうせんじ》を請求したが認められなかった。これは、義家が坂東をはじめとする諸国の兵の信望を集めていたためで、国家が義家に対して警戒心を抱いていたからにほかならない。二か月間におよぶ兵粮攻めの結果、ついに金沢柵は陥落し、火がかけられた。煙のなかで、人々は飢えのためにうめき騒ぎ、まるで地獄のようであったという。武衡は池の中に身を隠していたが、発見されて斬首《ざんしゅ》され、家衡も同じ運命をたどった。

しかし、ここからが前九年合戦とは異なっていた。追討宣旨を得た公戦ではなく、私戦と認定されたため、義家に恩賞は与えられなかった。かわって漁夫の利を得たのが、清衡《きよひら》である。彼はまんまと奥六郡《おくろくぐん》を手中に収めて館《たち》を平泉《ひらいずみ》に移し、奥州《おうしゅう》全域に勢力を伸ばしていった。彼こそが奥州藤原氏の初代藤原清衡である。数奇な運命にもてあそばれた清衡は、中尊寺金色堂《ちゅうそんじこんじきどう》にいまも眠っている。

◉疾走する源義家軍
雁が飛び立ったことで、安倍軍が待ち伏せていることを知った源義家の部下は、弓を振り絞っていまにも矢を放とうとしている。義家の知略は、大江匡房《おおえのまさふさ》から授かったといわれる。（『後三《ごさん》年合戦絵巻《ねんかっせんえまき》』）

コラム4

『今昔物語集』に歴史を読む

『今昔物語集《こんじゃくものがたりしゅう》』に、上総介藤原時重《かずさのすけふじわらのときしげ》という人物が、「法華経《ほけきょう》」一万部を読ませるとの大願を立てた説話がある（巻一七）。時重は、経典を一部読む者に籾《もみ》一斗《と》を与えたために、多くの人々が集まり上総国は復興した。するとある晩、時重の夢枕に地蔵菩薩《じぞうぼさつ》が現われて和歌を詠んだので、以後、深く菩薩に帰依《きえ》したという。

一般的にこのような説話は史実とは考えにくい。しかし、この時重は、平忠常《たいらのただつね》の乱《らん》によってわずか一八町にまで激減した上総国の耕地面積を、税を免除することで復興させた上総介藤原辰重《ときしげ》（第三章参照）と同一人物であると推測できる。「辰」には「とき」の読みがあるから、時重と辰重は音通するのだ。したがって、説話の骨子も十分信じられることになる。辰重は、仏教（地蔵信仰）の力を借りて、他国に逃散《ちょうさん》していた人々を帰国させ、上総国を復興させたのである。

彼は、万寿《まんじゅ》二年（一〇二五）一〇月、前任国で善政を敷いたため、従五位上《じゅごいじょう》に叙せられた（治国の賞）。おそらく、その腕前を買われて、疲弊しきった上総国の受領《ずりょう》に任命されたのだろう。

◉衆生を救う地蔵菩薩
地獄（冥界）の思想が普及すると、弥勒菩薩《みろくぼさつ》が下生《げしょう》するまでの間、地獄に堕《お》ちた衆生《しゅじょう》を救ってくれる地蔵信仰が盛んになった。（『矢田《やた》地蔵縁起絵巻《じぞうえんぎえまき》』）

第五章

新しい仏教

1

天台宗と真言宗

最澄と天台教学

最澄《さいちょう》は、神護《じんご》景雲《けいうん》元年（七六七）、近江国《おうみのくに》滋賀郡古市《ふるいち》郷（滋賀県大津《おおつ》市付近）に、三津首百枝《みつのおびとももえ》の子として生まれた（前年生まれの説もある）。幼名は広野《ひろの》。三津首は、後漢《ごかん》の献帝《けんてい》の血を引くと称する渡来《とらい》系の家柄であった（『新撰姓氏録《しんせんしょうじろく》』）。最澄は、一二歳で近江国分寺の大国師行表《ぎょうひょう》の弟子となり、一五歳で得度《とくど》、二〇歳で受戒《じゅかい》した。当時は、剃髪《ていはつ》して出家すると治部省《じぶしょう》から度《ど》牒《ちょう》が出され、さらに戒壇院《かいだんいん》（彼の場合は東大寺《とうだいじ》）で受戒すると僧綱所《そうごうしょ》（寺院や僧侶を統括する仏教統制機関）から戒牒《かいちょう》が下され、ようやく正式な官僧と認められるのであった。

最澄は受戒した年、比叡山《ひえいざん》に登って山林修行を始めた。山林修行とは、深山幽谷の霊気に触れることによって超自然的パワーを体得するもので、神秘体験を重んずる密教と相通じる部分が多かった。ここで、最澄は初めて天台教学《てんだいきょうがく》に目覚める。当

◉金銅密教法具
金剛盤《こんごうばん》・五鈷鈴《ごこれい》・五鈷杵《ごこしょ》から構成され、密教修法を行なう際に用いられる。これらは空海が唐から持ち帰ったものと推定される。
前ページ写真

2

◉描かれた最澄
頭巾《ずきん》をかぶり、禅定印《ぜんじょういん》を結び瞑想《めいそう》する最澄。インド・中国の天台宗の高僧一〇人を、一一世紀に描いた画像のなかの一幅である。

時、日本には、鑑真《がんじん》らによって天台宗関係の経典《きょうてん》が将来《しょうらい》されており、最澄はそれを読んだようだ。そして、延暦《えんりゃく》一六年（七九七）には、三一歳で定員一〇名の内供奉十禅師《ないぐぶじゅうぜんじ》に任命される。これには、呪術《じゅじゅつ》能力が高くて行ないが清らかな僧が選ばれ、宮中で天皇の安寧《あんねい》を祈ることを任務とした。

延暦二一年正月、最澄にとって大きな転機が訪れた。和気弘世《わけのひろよ》・真綱《まつな》（道鏡《どうきょう》の託宣事件で功績をあげた和気清麻呂《きよまろ》の子）の招きにより、高雄山寺《たかおさんじ》（のちの神護寺《じんごじ》、和気氏の氏寺）での法会で講説したのである。この席で、弘世たちは天台教学を知り、その興隆を志すことになる。桓武《かんむ》天皇も、弘世らを介して天台教学に注目するようになった。

同二一年九月、桓武天皇は、天台を興隆させるにはどうすればよいか、広世に諮問した。広世は最澄と相談し、遣唐使《けんとうし》に留学僧を加えることを求めた。この時点では、最澄以外の留学僧を派遣する予定であったが、結局、桓武は最澄自身が渡唐するように命じた。天皇がいかに最澄に強い期待を寄せていたかがよくわかる。

唐に渡った最澄

延暦《えんりゃく》二三年（八〇四）七月、最澄《さいちょう》は遣唐使《けんとうし》の第二船に乗り込み、肥前国《ひぜんのくに》を旅立った。奇《く》しくも、空海《くうかい》は第一船に乗っていた。第四船は孤島に流され、第三船は行方不明となったが、第二船は、幸いにも九月に明州《めいしゅう》（寧波《ニンポー》）に着くことができた。その後、最澄は一〇日をかけて台州《だいしゅう》（浙江《せっこう》省）に到着すると、刺史《しし》（長官）の陸淳《りくじゅん》に仲介を依頼して、天台第六祖湛然《たんぜん》（天台中興《ちゅうこう》の祖）の弟子道邃《どうずい》・行《ぎょう》満《まん》に弟子入りした。道邃は、天台宗第七祖で天台山修禅寺《しゆうぜんじ》の座主《ざしゆ》を兼ねていた。陸淳は、最澄がはるばる海を越えてやってきたことに感激し、道邃に天台の経典《きようてん》などを書写させて贈った。

最澄の旅は続く。彼は最終目的地である天台山国清寺《こくせいじ》に向かった。この地は、天台宗を開いた天台智顗《ちぎ》が修行に励み、天台の教理を悟った場所であった。最澄は弟子の義真《ぎしん》とともに、天台教学《てんだいきようがく》のみならず禅も学ぶ。最澄自身は中国語を話せなかったから、義真がもっぱら通訳にあたった。なお、最澄は国清寺に堂を寄進しており、これ以後、「日本堂」と呼ばれるようになったという。

こうして天台宗の本場である天台山を訪れた最澄は、ふたたび台州へ戻り、道邃から天台教学を学び、菩薩戒《ぼさつかい》を授けられた。最澄が日本に持ち帰った経論などの目録『僧最澄請来目録《そうさいちようしようらいもくろく》』のなかには、道邃の書も含まれている。

次いで、最澄は明州に向かった。この地には、南方に流されていた遣唐使第一船が福州《ふくしゆう》からまわされており、遣唐使一行との久しぶりの対面となった。しかし、最澄はとどまることなく、越州《えつしゆう》へ旅立った。越州は紹興酒《しようこうしゆ》の産地として知られるところである。最澄の目的は、龍興寺《りゆうこうじ》の経論を書写することだった。しかも幸いなことに、龍興寺の近くで順暁《じゆんぎよう》が修行していた。順暁は、善無畏《ぜんむい》—義林《ぎりん》—順暁と続く天台密教の正統な継承者で、一行《いちぎよう》ならびに不空金剛《ふくうこんごう》にも学んだ僧である。順暁のもとに赴いた最澄は、胎蔵界《たいぞうかい》三部および金剛界五部の灌頂《かんじよう》を授けられた。

密教では、付法《ふほう》（教義を授けること）の証として印信《いんじん》と呼ばれる文書が授けられるが、順暁が最澄に与えた印信が四天王寺《してんのうじ》に伝存している。順暁の四番目の付法弟子となった最澄は、順暁の助力により、多くの経論や密教修法《しゅほう》に必要な法具を手にし、所期の目的を果たすことができた。こうして最澄は唐での修行を終え、遣唐使第一船に乗り、明州から帰国の途についた。時に延暦二四年五月のことであった。

帰国した最澄は、七月、経典などを宮中に献上し、天台の教えが桓武《かんむ》天皇の求めた仏教にふさわしいものであるという帰朝報告を行なった。桓武もこれにこたえ、天台の教えを天下に広めるよう和気弘世《わけのひろよ》に命じた。こうした桓武の篤《あつ》い信仰の裏には、彼自身の病気も関連していた。桓武は早良《さわら》親王の怨霊《おんりょう》を恐れ、苦しんでいたのである。早良親王とは、長岡京《ながおかきょう》造営中、藤原種継《ふじわらのたねつぐ》暗殺事件に関与したとして幽閉され、食を断って自死した（殺害されたとの説もある）桓武の実の弟である。現に、この年には功徳を積むために、九〇人以上の者が得度《とくど》を認められる。

このような時期に、唐から密教がもたらされたのだ。桓武が喜ばないはずがない。最澄もこの期待にこたえ、翌年には南都《なんと》諸宗と同様、天台宗にも年分度者《ねんぶんどしゃ》（毎年得度を許される定員を定めた制度）を請い、許可される。このことは、国家が天台宗を正式に認可したことを示している。

九月、最澄は高雄《たかお》山寺《さんじ》において、円澄《えんちょう》らに初めて伝法《でんぽう》灌頂を授けた。また、殿上《てんじょう》では毘盧《びる》遮那《しゃな》法《ほう》が修されたが、いずれも桓武の病気平癒《へいゆ》のためであったという。そしてこれ以降、空海との関係が始まっていく。

3

◉善無畏
円珍《えんちん》が八五五年、長安にある青龍《せいりゅう》寺《じ》の僧法全《はっせん》から授けられたもの。修法を行なう善無畏の姿には、インド人の特徴がよく現われている。（『五部心観《ごぶしんかん》』）

役人を捨てた空海

空海《くうかい》は、宝亀《ほうき》四年(七七三)、讃岐国多度郡《さぬきのくにたど》(香川県善通寺市《ぜんつうじ》)に生まれた。父は多度郡司佐伯直《ぐんじさえきのあたい》氏、母は阿刀《あと》氏。幼くして、母の外舅《がいきゆう》で、桓武《かんむ》天皇の子伊予《いよ》親王の侍講《じこう》であった阿刀大足《おおたり》について学問を修め、その後、上京して大学で明経道《みようぎようどう》(儒教を教授する学科)を学んだ。ここで彼は、漢文の基礎知識を身につけ、中国語も習得したのだろう。このまま順調にいけば、役人としての将来は約束されていた。

しかし、彼はこの道に満足せず、突然仏教に目覚め、出家してしまう。その契機になったのが、ひとりの沙門《しやもん》との出会いであった。その沙門は、空海に「虚空蔵求聞持法《こくうぞうぐもんじほう》」を授けたという。「虚空蔵求聞持法」とは、智恵をつかさどる虚空蔵菩薩《ぼさつ》を本尊とし、山中でその真言《しんごん》を百万遍唱えると、記憶力が格段に増進するという修法である。仏教修行では、経典《きようてん》や陀羅尼《だらに》、そして難解な注釈書を暗記しなければならなかった。そのためには、並みはずれた記憶力が要求されたのだ。

こうして空海は、仏教に大きく人生の舵《かじ》を切った。以後、大滝岳《おおたきだけ》や室戸《むろと》崎、あるいは石鎚《いしづち》山や石《いし》峰《みね》山など、四国の山々を跋渉《ばつしよう》し修行に励んだ。このとき著わしたのが、『三教指帰《さんごうしいき》』である。時に延《えん》暦《りやく》一六年(七九七)、空海二五歳であった。『三教指帰』は、儒教・道教・仏教、それぞれを擬人化し、論争の形をとりながら仏教が儒教や道教よりも優れていることを示しており、出家に反対した親類に対して、俗世との断絶を宣言したのであった。

つぎに空海が史料に現われるのは、延暦二三年七月の遣唐使《けんとうし》出発時である。残念ながら、『三教指帰』を書いてからの七年間は、足取りがつかめない。したがって、当時名もない空海が、遣唐使に加われた事情も明らかではない。推測するならば、東大寺《とうだいじ》大仏の建立に尽力し、平城京《へいじょうきょう》から長岡京《ながおかきょう》、そして平安京《へいあんきょう》への遷都に大きな功績があった佐伯今毛人《さえきのいまえみし》あたりの推薦によるものではなかろうか。形式的とはいえ、空海の出身氏族と同族の関係にあったからである。

空海と真言教学

空海《くうかい》は、遣唐使《けんとうし》として第一船に乗船した。この船は一か月間漂ったあげく、福州長渓県赤岸鎮《ふくしゅうちょうけいけんせきがんちん》になんとかたどり着いた。しかし、この地は遣唐使が着岸する定例の場所ではなかったので（一般的には長江《ちょうこう》下流の揚州《ようしゅう》か蘇州《そしゅう》）、福州の観察使は、当初、上陸の許可を与えなかった。遣唐大使藤原葛野麻呂《ふじわらのかどのまろ》は、上陸を求める書状を何度も送ったが、取り上げてもらえなかった。そこで空海が、日本と中国との深い関係や旅の苦難、そしてこのたびの遣唐使を信用してほしいことなどを盛り込んだ文書を代筆した。この文章は名高く、空海の文章を集めた『性霊集《しょうりょうしゅう》』に収められている。

空海の上申《じょうしん》によって一行は上陸を許され、長安《ちょうあん》に向かうこと

4

◉弘法大師（空海）
床几《しょうぎ》に座って右手に五鈷杵《ごこしょ》を持ち、左手に数珠を下げる姿を描く。正和《しょうわ》二年（一三一三）に東寺御影堂《とうじみえいどう》の本尊として施入された画像である。

になった。当初、空海は同行を許されなかったようだが、のちに許可も下りて、葛野麻呂らとともに長安に向かった。その距離、じつに七五二〇里。一行は、八〇四年一二月にようやく到着し、翌年正月、時の皇帝徳宗《とくそう》に拝謁《はいえつ》した。おそらく、唐の壮麗な宮殿、世界都市長安のにぎわい、寺院はもちろん、日本にはない道観《どうかん》（道教の宗教施設）、景教《けいきょう》（ネストリウス派キリスト教）、回教（イスラム教）などに驚いたに違いない。

大使一行は、所期の目的を果たし、二月には長安を離れて帰国の途についた。最澄《さいちょう》が途中で合流し、帰国したことは先に述べたとおりである。

一方、空海は、橘逸勢《たちばなのはやなり》らと残ることになり、長安の西明寺《さいみょうじ》（高宗《こうそう》が建立した寺院）に移った。この寺には、日本からの留学生が多く住んでいた。彼はこの寺を根城にして、まず、北インド出身の般《はん》若三蔵《にゃさんぞう》と牟尼室利《むにしり》三蔵から、梵語《ぼんご》（サンスクリット語）とバラモンの教え（インド哲学）を学び、般若三蔵が漢訳した経典《きょうてん》を贈られた。おそらく、空海は、日本人で初めてサンスクリット語を本格的に理解できた人物ではないだろうか。これで密教を学ぶ準備が整った。いよいよ青龍寺《せいりゅうじ》の名僧恵果《けいか》阿《あ》闍梨《じゃり》に面会を求めるときがきた。

ところで、当時の中国密教だが、インドから金剛智《こんごうち》と善無畏《ぜんむい》という二人の僧侶が、開元《かいげん》年間（七一三〜七四一）に長安を訪れている。彼らは、サンスクリット語で書かれた密教経典を漢訳したが、そのなかには善無畏が訳した「大日経《だいにちきょう》」（密教の根本経典のひとつ）も含まれていた。

続いて、セイロン島（スリランカ）出身ともいわれる不空《ふくう》金剛が年若くして訪れ、金剛智に師事した。この系統を金剛頂経《ちょうきょう》系の密教と呼ぶ。不空は経典の漢訳に大きな功績を残すとともに、玄《げん》宗《そう》・粛宗《しゅくそう》・代宗《だいそう》の三代にわたって唐王朝に仕えた。玄宗は彼の仏弟子となって深く帰依し、代宗も宮中に内道場《ないどうじょう》を設けて密教修法を行なわせた。この制度をまねたのが、のちに空海によって平安宮《へいあんきゅう》に創設された宮中真言院《きゅうちゅうしんごんいん》である。

不空の弟子が、青龍寺の恵果である。彼は、加持祈禱《かじきとう》の力によって、代宗・徳宗・順宗《じゅんそう》に仕えた。その一方で恵果は、善無畏―一行《いちぎょう》と続く、大日経系の密教も修得しており、中国に伝わったインド系密教のすべてを理解していた。

空海と恵果との出会い

八〇五年、空海《くうかい》は密教の修得のために、青龍寺《せいりゅうじ》の恵果《けいか》を訪れた。そのときの模様を『僧空海請来目録《そうくうかいしょうらいもくろく》』（空海が唐《とう》から持ち帰った経典《きょうてん》・仏具などを記載した目録）は、つぎのように伝える。

我《われ》先より、汝《なんじ》の来れるを知り、相待つこと久し。今日相見《あいまみ》ゆるは、大いに好《よ》し大いに好し。報命竭《つ》きなんとするに、付法《ふほう》する人なし。必ず須《すべから》く速やかに香花《こうか》を弁じ、灌頂壇《かんじょうだん》に入るべし。

◉恵果
空海が唐から持ち帰った画像をもとに描かせた一幅。東寺所蔵の原本は傷みが激しいが、中国の肖像画としても貴重である。

私（恵果）は、以前から空海の来訪を予期し、長いあいだ待っていた。きょう会えたのは、たいへんよいことである。私の命は尽きようとしているのに、密教を伝える人がいない。早く香や花を準備して灌頂壇に入りなさい、という意味である。

そして恵果は、六月に胎蔵界《たいぞうかい》の灌頂、翌月に金剛界《こんごう》の灌頂、八月には伝法灌頂《でんぽう》を空海に授け、わずか三か月のうちに、真言《しんごん》密教の奥義《おうぎ》をことごとく伝授した。さらに、修法《しゅほう》に必要な経典・曼荼《まんだ》羅《ら》・仏具なども空海に贈った。これらの遺品は、東寺《とうじ》（教王護国寺《きょうおうごこくじ》）や金剛峯寺《こんごうぶじ》などに伝存し、今日でも眼にすることができる。灌頂には、曼荼羅に花を投げ入れ、着地した仏と縁を結ぶ儀式があるが、空海が投げると、胎蔵界・金剛界ともに、中央、つまり大日如来《だいにちにょらい》に落ちたという。これが彼の法名「遍照金剛《へんじょうこんごう》（大日如来）」の由来である。

その年の一二月、恵果は予言どおりに亡くなった。空海は、翌八〇六年、弟子を代表して師を追慕する碑文を作成し、その死を悼んだ。彼の弟子は一〇〇〇人を超えたが、伝法灌頂を受けたのは六人、両部（胎蔵界・金剛界）の灌頂を授かったのは、義円《ぎえん》と空海の二人のみであった。義円は若くして亡くなったため、インド直伝の正統な密教は中国に残ることなく、日本に将来《しょうらい》された。この法脈は、神話的な人物も含めて「大日如来―金剛薩埵《こんごうさった》―龍猛《りゅうみょう》―龍智《りゅうち》―金剛智《こんごうち》―不空《ふくう》金剛―恵果―空海」と付法された。

ちょうど、そのころであった。長安《ちょうあん》に遣唐使《けんとうし》の一行が到着した。空海は、碑文を作成するとすぐ、帰国を願う申請書を書いた。当初は二〇年計画で密教を学ぼうと考えていたが、三年ほどのあいだにほとんどすべてを修得してしまった。一刻も早く帰国し、流布《るふ》させたいと考えたに違いない。勅許が下りると越州《えつしゅう》に赴き、経典類を書写・収集したのち、大同元年《だいどう》（八〇六）八月に帰国した。越州は、つい数年前に最澄《さいちょう》が修行し、順暁《じゅんぎょう》から天台教学《てんだいきょうがく》を学んだ地。多くの経典が存在したのだろう。

帰国後、空海はしばらく大宰府《だざいふ》にいたようだが、詳しい動向はわからない。彼は、大同四年頃に上京し、高雄山寺《たかおさんじ》に止住《しじゅう》した。そして、いよいよ最澄との交流が始まる。

最澄と空海の決裂

当初の立場からすると、最澄《さいちょう》と空海《くうかい》では、最澄のほうが桓武《かんむ》天皇の信任も厚く、はるかに上であった。もちろん年長。一方の空海は、嵯峨《さが》天皇に欧陽詢《おうようじゅん》（日本の書風にも影響を与えた中国の書家）の書や筆などを献上する程度であった。しかし、時、あたかも唐風《とうふう》文化の全盛期。喜ばれないはずがない。最初は、仏教ではなく、中国の文化や文物を通しての接近であった。

しかし、最澄は、立場の違いにもかかわらず空海を重んじて、しばしば経典《きょうてん》などの借覧を願った。これは、最澄が唐に八か月しかおらず、しかも中国密教の本流である恵果《けいか》から多くの教えを得た空海と比較すれば、当然のことであった。しだいに、空海との差を感じはじめていたに違いない。

弘仁《こうにん》三年（八一二）一一月、ついに最澄は高雄山寺《たかおさんじ》において、空海から金剛界《こんごうかい》の灌頂《かんじょう》、続いて翌一二月に胎蔵《たいぞう》界の灌頂を受けた。このことは、最澄が空海の弟子になったことを意味する。このときに灌頂にあずかった人々の名前を書き連ねた空海直筆の文書《もんじょ》が神護寺《じんごじ》に残されており、そこに最澄の名前を見いだすことができる。

しかし、両者の関係は徐々に冷え込んでいく。その原因のひとつが、弘仁四年、最澄が経典の借用を依頼したことに対して、空海がきっぱりとその申し出を断わったことにある。空海は言う。

「また秘蔵の奥旨《おうし》（奥義）は文《ぶん》の得《う》ることを貴《とおと》しとせず。唯《ただ》心を以《もっ》て心に伝うるに在り。文はこれ糟粕《そうはく》（残りかす）なり、文はこれ瓦礫《がれき》なり」（『性霊集《しょうりょうしゅう》』）

密教の真理は、書かれた文字ではなく、師から弟子への心による相承《そうしょう》にある、と。最澄が文献により密教を理解しようとすることを、空海は強く戒めたのだ。

原因のもうひとつは、最澄が空海のもとに派遣した弟子泰範《たいはん》が戻らず、空海の弟子になってしまったことだ。それに対し、弘仁七年五月、最澄は泰範につぎのような書状を送った。

「老僧最澄は五〇歳。老い先も長くはない。住む場所も定まっていない。…独《ひと》りで法華一乗《ほっけいちじょう》主義を担って俗世間に布教している。ただ、恨みに思うのはお前（泰範）と別居していること

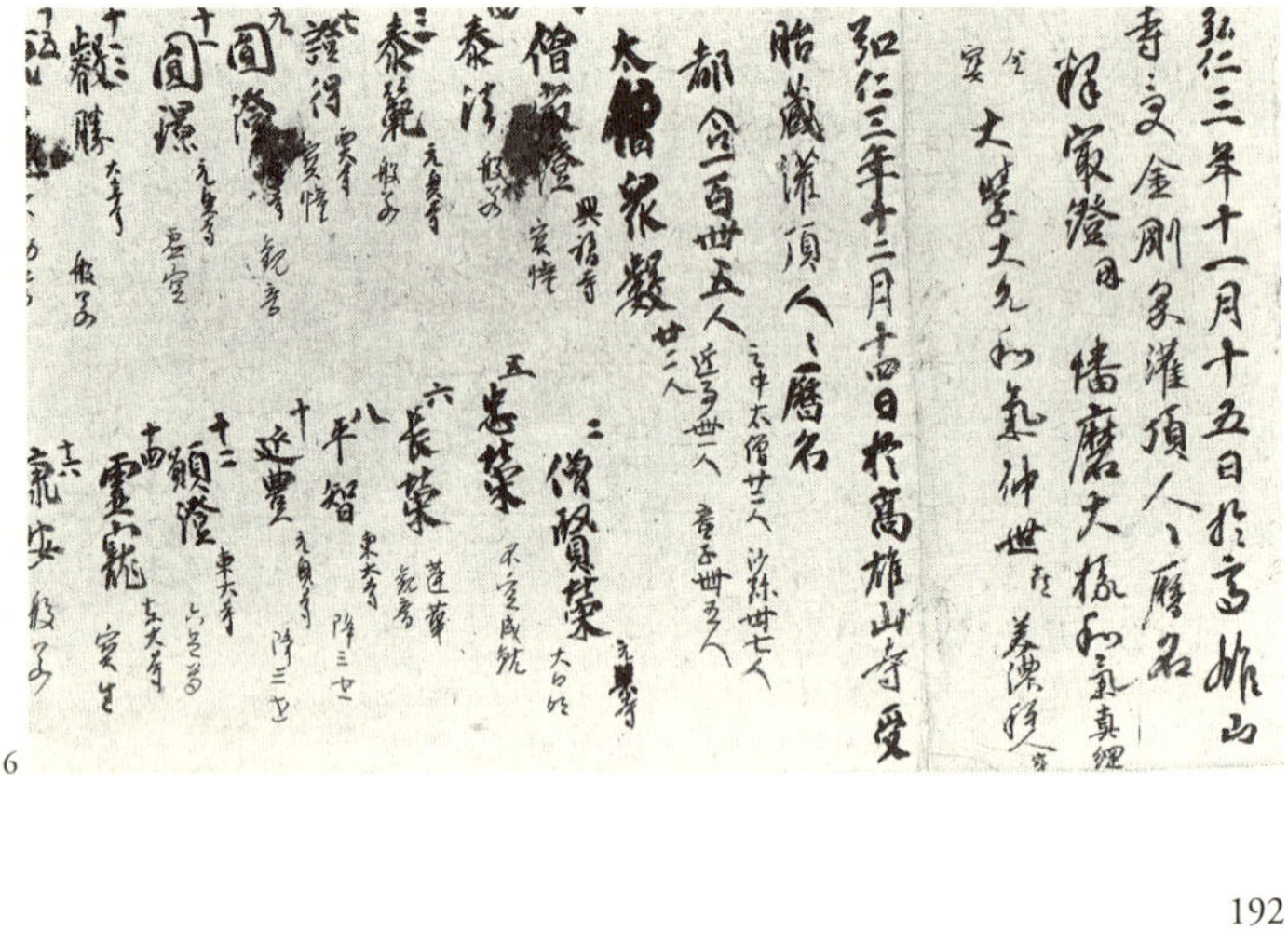

6

●『灌頂歴名《かんじょうれきみょう》』
弘仁三年一二月一四日に空海から灌頂を受けた人々を列記した、空海自筆の文書。「僧最澄、興福寺、宝幢《ほうどう》」とあり、泰範、円澄《えんちょう》（第二代の天台座主）の名も見える。

だ。昔、お前と約束したのは、仏法のために身を忘れ、菩提心《ぼだいしん》を興《おこ》して仏法を助けようということだった。私はすでに年分度者《ねんぶんどしゃ》（延暦《えんりゃく》二五年（八〇六）に二人の年分度者が認められたこと）を設け、法華十講（延暦一七年以来の『法華経』の講義）も興《おこ》した。お前のことは片時も忘れない。また、高雄の灌頂には、志を同じくして求道し、ともに仏の恵みを受けることを約束したのに、どうして予測できたろうか、お前が本懐に背いて、久しく別の所（空海のもと）に住むことを。

思うに、劣ったものを捨てて、勝ったものを取るのは世の習いだろう。しかし、法華一乗（天台《てんだい》宗《しゅう》のこと）と真言《しんごん》一乗とにどうして優劣があるだろうか。…私とお前とはこの世で『縁《えん》』を結び、弥《み》勒菩薩《ろくぼさつ》にお会いすること（五六億七〇〇〇万年後に弥勒菩薩が現われて衆生《しゅじょう》を救済すること）を待っている。もし、深い『縁』があれば、ともに生死を繰り返して、民衆を助けよう」（『平安遺文《へいあんいぶん》』）

まるで、恋敵のもとに走った恋人を呼び返そうとするかのような文章だ。筆者は、これを読むたびに、人間「最澄」を強く感じる。

それに対して、空海が泰範の代筆をして反論した。天台宗は仮の教えであり、真言宗はほんとうの教えである。両者には隔たりがある、と。

ここにおいて、両者の亀裂は決定的となった。恵果の正統な密教を継いだという空海の自負が、「最澄何するものぞ」という思いに凝縮しているのだ。

天長《てんちょう》七年（八三〇）、空海は『秘密曼荼羅十住心論《ひみつまんだらじゅうじゅうしんろん》』を著わし、宗派を一〇等級に分け、真言宗を最上位に位置づけた。しかし、次位を天台宗ではなく、華厳《けごん》宗に与えた。空海が大日如来《だいにちにょらい》を毘盧遮《びるしゃ》那仏《なぶつ》（華厳宗の本尊）と呼ぶ例があることからもわかるように、真言宗と華厳宗は深い関係にあったためだが、空海の天台宗に対する評価を知ることができる。

大乗戒壇の設立

最澄《さいちょう》は空海《くうかい》と決別し、弘仁《こうにん》八年（八一七）から東国の布教へと旅立った。上野国緑野寺《こうずけのくにみどのでら》・下野国《しもつけ》大慈寺《だいじじ》などには、「東国の化主《けしゅ》」と呼ばれ、鑑真《がんじん》の持戒《じかい》第一の弟子と称《たた》えられた道忠《どうちゅう》の弟子たちがおり、天台《てんだい》教団と深い関係にあったからだ。円仁《えんにん》の伝記『慈覚大師伝《じかくだいしでん》』（三千院本）には、集まった民衆の数は下野五万人、上野九万人に達したと記されている。誇張があるとしても、膨大な数の民衆が帰依《きえ》したことは間違いない。じつのところ、初期の天台座主《ざす》（天台宗の責任者）は、ほとんど東国の出身者で占められている。

しかし、最澄の教線拡大は、思わぬ伏兵を呼び覚ました。会津《あいづ》の恵日寺《えにちじ》に住んでいた法相宗《ほっそうしゅう》の高僧徳一《とくいつ》である。彼はもともと興福寺《こうふくじ》の僧で、そのころ東北から常陸国《ひたち》にかけて広く布教していたため、最澄の進出に脅威を感じたのだろう。しかも法相宗と天台宗とでは、成仏《じょうぶつ》をめぐって解釈にも大きな隔たりがあった。二人のあいだで、三一権実論争《さんいつごんじつ》と呼ばれる激論が交わされた。これは、成仏できない衆生《しゅじょう》がいるとする法相宗の三乗主義と、すべての衆生が成仏できると説く天台宗の一乗主義との、教義の違いから生まれた論争だった。一種の「宗教戦争」といっても過言ではあるまい。

さて、最澄は東国から帰ると、かねてからの宿願であった独自の戒壇《かいだん》「大乗戒壇《だいじょう》」の設立に全力を尽くす。古代において、正式な僧侶（官度僧《かんどそう》）となるには、授戒《じゆかい》が必要であった。授戒する場を戒壇といい、東に下野薬師寺《やくしじ》、畿内に東大寺《とうだいじ》、西に観世音寺《かんぜおんじ》があった。この三か所で授戒しなければ正式な僧侶になれないため、最澄にとって、南都《なんと》仏教の影響を排除するには、独自の戒壇を設立することがぜひとも必要だった。だが、戒壇を管理している南都にとっては、みずからの権益を侵されることにもなり、最澄のもくろみを許すことはできない。こうして、最澄と南都を代表する僧綱《そうごう》とのあいだで、戒壇をめぐって壮烈な論戦が繰り広げられた。

最澄が『山家学生式《さんげがくしようしき》』を著わして大乗戒壇の設立を求めると、嵯峨《さが》天皇は、護命《ごみよう》たち僧綱（南都側）に意見を求めた。彼らは、最澄は入唐《につとう》したものの、中国の辺境で修行しただけで浅学であるなどと批判し、設立に反対した。これに対し、弘仁一一年、最澄は『顕戒論《けんかいろん》』を提出し、痛烈な再批判を行なった。

以後、最澄と僧綱との関係は膠着《こうちやく》状態に陥った。そして、空海・徳一・僧綱との論戦が災いしたのか、最澄は弘仁一三年六月、ついに帰らぬ人となった。嵯峨天皇は、最澄が亡くなる前日（没後七日とする説もある）、比叡山《ひえいざん》に大乗戒壇の設立を許可した。

一方、空海は、弘仁六年に内供奉十禅師《ないぐぶじゆうぜんじ》に任じられ、弘仁七年、高野山《こうやさん》に道場を建立することを許される。これがのちの金剛峯寺《こんごうぶじ》である。ま

7

◉延暦寺戒壇院

戒壇院は正式な僧と認められる際、授戒を行なう場所。延暦寺では天長《てんちよう》四年（八二七）頃に建立された。現在の建物は江戸時代の再建。

た、弘仁一四年には、東寺《とうじ》を下賜《かし》され、新たに教王《きょうおう》護国寺《ごこくじ》と命名した。東寺は、もともと平安京《へいあんきょう》鎮護のために、桓武《かんむ》天皇の命によって建立された寺院であったが、ここにおいて密教寺院として生まれ変わったのだった。

　現在、東寺の講堂には、空海が構想した仏像群が安置されている。これは、大日如来《だいにちにょらい》・五大明王《ごだいみょうおう》像など曼荼羅《まんだら》に配された尊像を三次元に再構成した「立体曼荼羅」でもある。

　さらに、空海は、承和《じょうわ》元年（八三四）一二月、長いあいだの念願であった宮中真言院《きゅうちゅうしんごんいん》の創立を許可される。これは先に述べたように、中国の内道場《ないどうじょう》に範を求めたものである。最澄が僧綱と鋭く対立したのに比べ、空海は僧綱との関係も良好で、さしたる障害もなかった。そして、その三か月後の承和二年三月、空海は六二歳の生涯を閉じたのだった。

8

◉東寺講堂の諸尊
中央に真言宗の主尊である大日如来をはじめとする五智如来、向かって右に五菩薩、左に五大明王を配し、立体曼荼羅を構成している。空海が計画し、弟子の実恵《じちえ》が完成させた。

神仏習合と新しい寺院制度

苦悩する神からの解脱

倭国《わこく》に仏教が伝来した当初、物部《もののべ》・中臣《なかとみ》両氏は、日本には独自の神がいるから「蕃神《ばんしん》（仏教のこと）」を崇拝すべきでないと排仏をとなえ、蘇我《そが》氏と対立したという。著名な崇仏・排仏論争である。また、『皇大神宮儀式帳《こうたいじんぐうぎしきちょう》』によれば、伊勢《いせ》神宮では、寺を「瓦葺《かわらぶき》」、僧侶を「髪長《かみなが》」などと呼んで忌み言葉として使用していたというから、神祇《じんぎ》信仰には仏教を忌避《きひ》する考え方もあった。

しかし、多くの場合、仏教と神祇信仰は共存し、仏教は神祇信仰に影響を及ぼした。これが神仏《しんぶつ》習合《しゅうごう》と呼ばれる現象である。宇佐八幡《うさはちまん》が東大寺《とうだいじ》大仏の建立に関与したように、すでに奈良《なら》時代前半にはその徴候がみられたが、本格化するのは八世紀後半からであった。

神仏習合の様子を、地方と都の実例から考えてみたい。

養老《ようろう》鉄道養老線の多度《たど》駅（三重県桑名《くわな》市）の近くに多度神社がある。その神宮寺《じんぐうじ》（神社近くに建てられた寺院）が、多度神宮寺であった。同社が所蔵する資財帳によれば、多度神宮寺の創建の事情は、おおむねつぎのようである。

「天平宝字《てんぴょうほうじ》七年（七六三）、多度神社の東に満願《まんがん》という僧侶が居住し、阿弥陀如来《あみだにょらい》像をつくった。そのときである。『私は多度神である。自分は重い罪を犯したために神となってしまった。そこで、神の身から解き放たれるために、仏教に帰依《きえ》したい』との託宣《たくせん》が下った。満願は、小さな堂と神像をつくり、多度大菩薩《だいぼさつ》と称した。以後、桑名郡の郡司《ぐんじ》が鐘・鐘楼、美濃国《みののくに》の在俗僧が三重塔を寄進した。また、朝廷も四人の僧侶を下賜し、大僧都賢璟《だいそうずけんぎょう》も三重塔を造立した」

このように、神が神であることに苦悩し、仏の力により解脱《げだつ》（神身離脱）したいとの託宣が下って神宮寺が建立される場合が、地方の著名な神社にみられる。当時、私出挙《しすいこ》による収奪や天候不順などによって村落の荒廃が進行した結果、神社の祭祀《さいし》にあたっていた在地豪族の支配力が低下し、民衆に対する神の求心力も下落した。そこで、その神の力を補強するために、仏教の力を借りようとしたのが神宮寺建立の目的だと、これまで説かれてきた。つまり、「苦悩する神」とは、在地有力者自身の姿を投影したものだと考えられたのだ。神像の多くが、修行中の姿を表わす菩薩《ぼさつ》の形態をとるのは、そのためである。

ところが、中国の高僧伝をひもといてみると、神が神であることに苦悩し、神の身から脱したいとの託宣を下した例があ

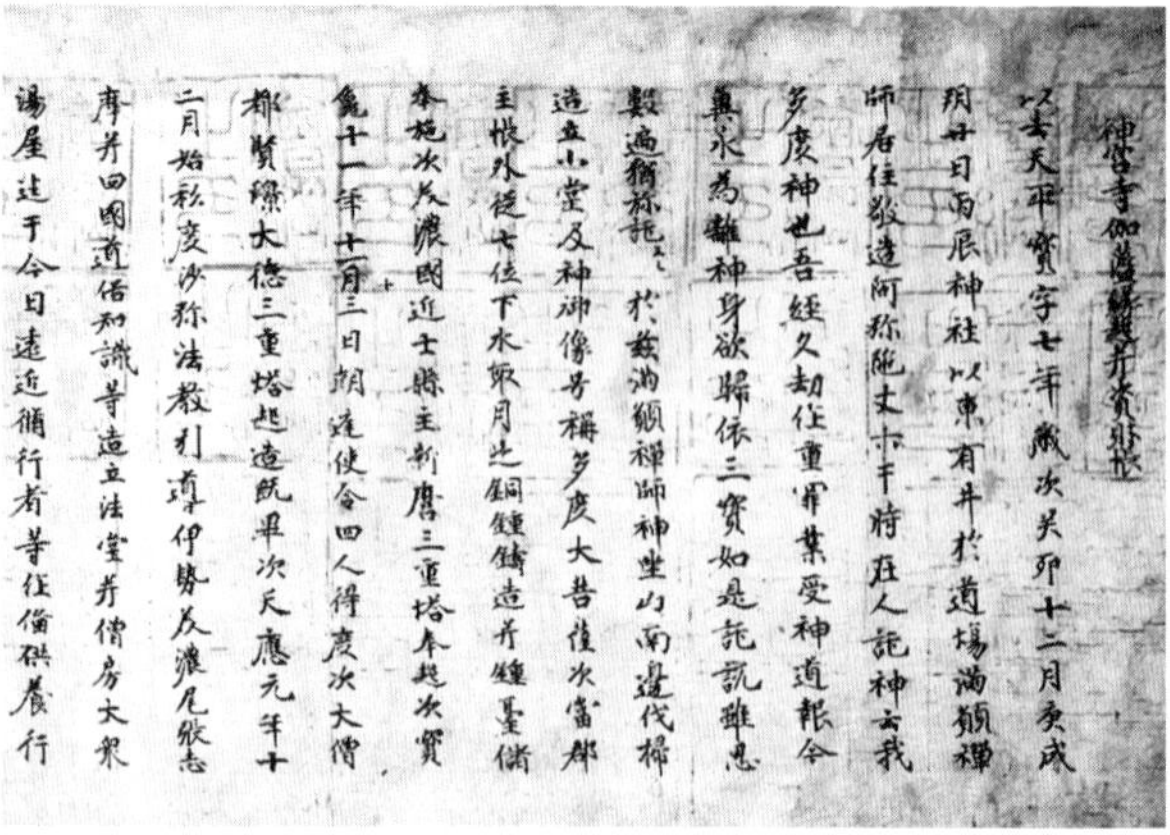
神宮寺伽藍縁起幷資財帳
以去天平宝字七年歳次癸卯十二月庚戌
朔廿日丙辰神社以東有井於道場満願禅
師居住敬造阿弥陀丈六于時在人託神云我
多度神也吾経久劫作重罪業受神道報今
冀永為離神身欲帰依三宝如是託訖雖忍
数遍猶弥託云々於茲満願禅師神坐山南辺伐掃
造立小堂及神御像号称多度大菩薩次当郡
主帳外従七位下水取月足銅鐘鋳造并鐘台儲
奉施次美濃国近士県主新麿三重塔奉起次宝
亀十一年十一月十三日朝廷使令四人得度次大僧
都賢璟大徳三重塔起造既畢次天応元年十
二月始私度沙弥法教引導伊勢美濃尾張志
摩并四国道俗知識等造立法堂并僧房大衆
湯屋迄于今日遠近修行者等作備供養行

9

●「多度神宮寺伽藍縁起幷流記資財帳《がらんえんぎならびにるきしざいちょう》」
多度神社は古来、祈雨の神として信仰され、また、神社の背後にある多度山は、神奈備山《かんなびやま》（神の宿る山）として、伊勢湾を航行する船の目印であった。在地社会と密着した神であったため、神仏習合が生じたのだろう。資財帳の巻末には、成立年代として「延暦廿年」とあるが、「延暦七年」に加筆・改竄《かいざん》がなされたようだ。

り、日本の「神身離脱」思想は、中国の影響によるものではないかという説が、近年となえられている。たとえば、唐《とう》の僧侶道宣《どうせん》が著わした『続高僧伝』には、神が僧侶の講話を聞くと、「神道」の苦悩から脱することができたという話が載せられており、先ほどの多度神宮寺のストーリーとよく似ていることがわかる。もちろん、中国の影響のみに絞る必要はないが、中国の影響を受けつつ、在地社会の変質も影響しているとみるべきだろう。

また、満願という僧侶だが、彼は諸国を遍歴した遊行《ゆぎょう》僧と思われ、天平宝字年間（七五七〜七六五）に常陸《ひたち》国鹿島《かしま》神宮寺《じんぐうじ》や相模《さがみ》国箱根《はこね》神宮寺《じんぐうじ》を開創した人物としても知られる。神仏習合を伝播《でんぱ》させた人物像を知るうえで貴重な存在である。

さらに近年、こうした神仏習合が、村落にも存在したことがわかってきた。房総《ぼうそう》半島からは、平《へい》安《あん》時代を中心として、多くの墨書《ぼくしょ》土器が出土する。しかも同一の集落内から、「神」と「仏」、あるいは「寺社」と書かれた墨書土器が出土し、九世紀代には、東国の集落内でも、神仏習合が一般的にみられたことが判明してきた（第七章参照）。

たとえば、三キロメートルほど離れて位置する千葉県東金《とうがね》市久我台《くがだい》遺跡と作畑《さくはた》遺跡からは、「弘貫」と書かれた墨書土器が出土している。これは僧侶の名前とみられ、僧が異なった集落間を往来した姿も浮かび上がってきた。満願を念頭に置けば、こうした名もなき僧侶が村々を遊行し、仏教のみならず神仏習合を説いたのではなかろうか。おそらく、神宮寺の建立は、村落レベルにも広がっていた神仏習合思想に支えられていたのだろう。

都市の神仏習合

神仏習合《しんぶつしゅうごう》は、地域社会だけでなく、長岡京《ながおかきょう》や平安京《へいあんきょう》でも広がっていった。

延暦《えんりゃく》一三年（七九四）一二月、山城国乙訓郡《やましろのくにおとくに》の乙訓社にあった仏像を京都の大原寺《おおはらでら》に移すという事件が起きた。その仏像は、薪採《たきぎ》りの人が乙訓社で休息しているときに刻んだもので、神験《しんげん》があらたかだという評判から民衆の篤《あつ》い信仰を集めていたという（『日本紀略《にほんきりゃく》』）。

日本では、古来、木に神が宿ると信じられてきた。神社の御神木《ごしんぼく》、あるいは諏訪大社《すわたいしゃ》の御柱祭《おんばしらさい》でもわかるように、高い木は、神が降臨《こうりん》する依代《よりしろ》と考えられたのである。

また、一木造《いちぼくづく》りの仏像のなかには、時として前屈《まえかが》みになったり、後ろにのけぞるような姿勢をとるものがある。その理由は、素材の木の形に制約されたためで、いわれのある霊木が選ばれたからではないか、と美術史家は説明している。乙訓社は、長岡京の地主神（護《まも》り神）であったから、長岡京の民衆を守ると信じられ、その社の霊木から神像がつくられたのであろう。

ところで、聖徳太子《しょうとくたいし》信仰、そして弥勒菩薩《みろくぼさつ》像で名高い広隆寺《こうりゅうじ》（京都市）の成り立ちを記した『広隆寺縁起《えんぎ》』が、国立公文書館に所蔵されている。成立は明応《めいおう》二年（一四九三）と下るが、そのなかにつぎのような一節がある。

「檀像薬師《だんぞうやくし》如来《にょらい》像　山城国乙訓郡にひとつの神社があった。昔、西山《にしやま》に入って薪を採る人がこの神社で休息した。この社の前に切り株があり、ひとりの樵《きこり》がこの切り株で仏像をつくった。この仏像には霊験《れいげん》があったので、民衆が参詣《さんけい》した。大原寺の住持智威《ちい》（唐《とう》の人で、初めは元興寺《がんごうじ》に住み、のちに大原寺に住んだ）が、延暦一二年一一月に大原寺にこの仏像を安置した」

一般的に、こうした縁起は、簡単に信じることはできないが、明らかに先の『日本紀略』と似ている部分がある。この時期の『日本紀略』は、『日本後紀《にほんこうき》』を省略しながら書かれたから、この縁起は、いまは残っていない『日本後紀』を参照しながら書かれたものらしい。そうであるならば、大原寺にいた智威という渡来《とらい》僧についても、『日本後紀』に記されていた可能性がある。このような推測のもとに史料を繰っていくと、「正倉院文書《しょうそういんもんじょ》」のなかに彼の名前を見いだすことができた（『大日本《だいにほん》古文書《こもんじょ》』一―三）。彼は鑑真《がんじん》の弟子として渡来した僧であったのだ。

したがって、『広隆寺縁起』は、史料としての信憑性《しんぴょう》が高いといえる。この神像は、平安京遷都《せんと》後、しばらくして広隆寺別当道昌《どうしょう》の手によって広隆寺に納められ、本尊になったと縁起は伝える。現に、寛平《かんぴょう》二年（八九〇）に作成された『広隆寺資財交替実録帳《しざいこうたいじつろくちょう》』には、広隆寺の仏像群の最初に「霊験薬師仏檀像壱軀《いっく》」と見える（『平安遺文』一七五号文書）。この像に該当する可能性が高い。

ここで、平安時代の広隆寺に眼を転じると、薬師《やくし》信仰で著名な寺院であったことが裏付けられる。たとえば長和《ちょうわ》三年（一〇一四）には、上下貴賤《きせん》の者がこぞって参詣《さんけい》し、同五年には、三条院《さんじょういん》が眼病を治すために参籠《さんろう》している。また、後白河《ごしらかわ》法皇によって編纂《へんさん》された今様《いまよう》集『梁塵秘抄《りょうじんひしょう》』巻二にも、

太秦《うずまさ》の薬師がもとへ行く麿《まろ》を　しきりとどむる木嶋《このしま》の神

（太秦の広隆寺にいらっしゃるご本尊のお薬師さんに参詣しようとする私を、しきりにとどめようとす

る木島神であることよ)

とあり、庶民への薬師信仰の広がりを感じさせる。

このころ、都市で恐ろしいのは、天然痘《てんねんとう》(痘瘡《とうそう》)をはじめとする伝染病であった。そこで、長岡京の地主神を祀る乙訓社で制作された神像が、長岡京《ながおかきょう》では民衆のもっとも切実な願い(病気平癒《へいゆ》)をかなえる薬師像として、篤い信仰を集めたのだろう。

その一方で、広隆寺は、平安初期に寺域が平安京に取り込まれたり、大規模な火災に見舞われたりして、衰退の危機に陥っている。また、檀越《だんおつ》である秦《はだ》氏自体も、ウジとしての結束力を失っていった。存亡の危機を打開するためには、新たな信仰の対象が必要となる。そこで、長岡京において民衆の熱狂的な信仰を集めた神像を、本尊として勧請《かんじょう》したのであろう。こうして広隆寺は、秦氏の氏寺から都市寺院へと変貌《へんぼう》を遂げることに成功したのであった。

現在でも広隆寺には、本尊として薬師像(重文)が安置されている。美術史家によれば、かの薬師像そのものではないが、姿をしのばせるには十分であるという。筆者も拝観したことがあるが、たしかに宝冠を戴《いただ》いたその菩薩様の像容には、一般的な薬師如来像にはない独特の雰囲気が漂っていた。その背景には、乙訓社でつくられた神像が、紆余曲折《うよきょくせつ》を経て広隆寺の本尊となった歴史が、秘められているように思われる。

国分寺にかわる定額寺

聖武天皇《しょうむてんのう》は、天平《てんぴょう》一三年（七四一）に国分寺《こくぶんじ》建立の詔《みことのり》を発し、五穀豊穣《ごこくほうじょう》、国家の安寧《あんねい》を祈願した。しかし、すでに奈良《なら》時代後半には各地で破損が進み、たびたび修造の命令が出された。国分寺は、国司《こくし》と諸国で寺院や僧尼を統括する国師《こくし》（のちに講師《こうじ》と改称）が管理していたが、国司は修理に熱心ではなかった。

その結果、平安《へいあん》初期には国分寺の経営が思わしくなくなる。しかし、第三章で述べたように、この時期に自然災害が頻発し、仏教による護国は必要不可欠であった。そこで、国家は新たな寺院制度を導入する。それが定額寺制《じょうがくじ》である。定額寺の定義については、寺院数に制限を加えたとする見解、国家が寺額（寺院名）を承認したとする説などがあるが、正確なところはよくわかっていない。

しかし、定額寺制と国分寺制とは、根本的に大きく異なる点がある。それは、もともと氏寺として建立された私寺を定額寺として認定し、官寺に準じて各種の保護を与えたという点である。その後、承和《じょうわ》期（八三四〜八四八）ごろから、定額寺で「大般若経《だいはんにゃきょう》」「仁王経《にんのう》」「薬師経《やくし》」などの護国経典《きょうてん》の読誦《どくじゅ》や、攘災《じょうさい》を願う各種の法会《ほうえ》が催されるようになり、国分寺の機能と共通する性格が濃厚になった。

こうした定額寺自体の性格の変化に基づいて、国分寺・国分尼寺《にじ》が焼失した場合に、その代替として定額寺を転用する例が、しばしばみられるようになる。たとえば伊豆国《いずのくに》では、承和三年に焼失した国分尼寺にかわって、元慶《がんぎょう》八年（八八四）に定額寺を昇格させている。新たに国分尼寺を再建するよりも、はるかに経費がかからないというわけである。ほかにも、能登《のと》・尾張《おわり》・近江《おうみ》国分寺などでも、同様の措置がとられている。

ところで、一一世紀前半代に作成された『上野国交替実録《こうずけのくにこうたいじつろく》帳《ちょう》』(国司《こくし》交替時に作成された不与解《ふよげ》由状《ゆじょう》案)には、定額寺が列挙されており、そのなかに放光寺《ほうこうじ》の名が見られる。

定額寺

放光寺

件《くだん》の寺、氏人《うじびと》の申請に依《よ》り、定額寺と為《な》さず。仍《よっ》て除き放つこと已《すで》に了《おわ》んぬ

氏人の申請によって、定額寺から(おそらく破損が進んで)除かれている。放光寺の名は、天武《てんむ》天皇一〇年(六八一)に建立された山ノ《やまの》上碑《うえひ》(群馬県高崎《たかさき》市)にも見られ、また「放光寺」と刻まれた文字瓦の発見もあり、群馬県前橋市総社《そうじゃ》町の山王廃《さんのうはい》寺《じ》であることが判明した。

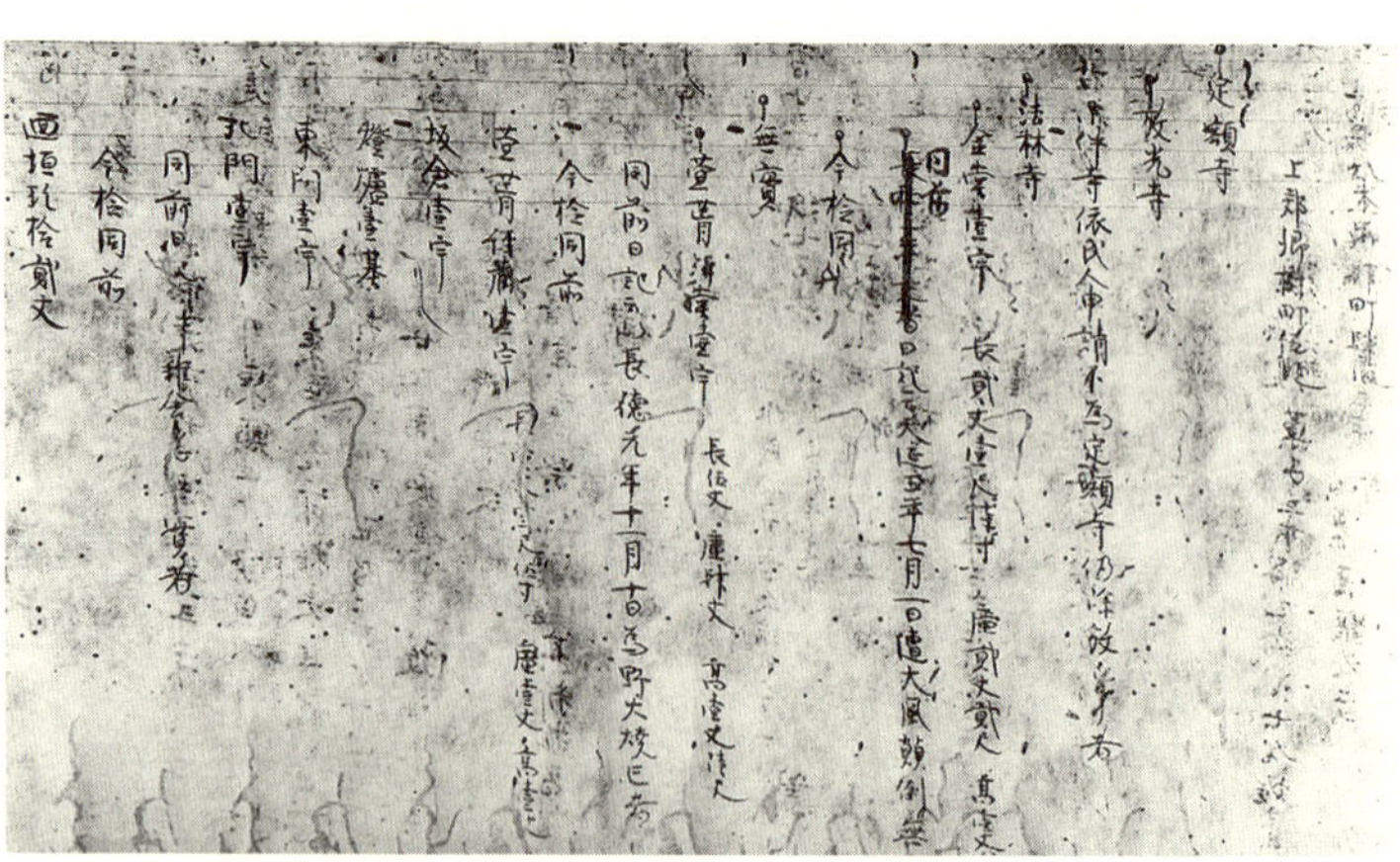

10

●『上野国交替実録帳』長元《ちょうげん》三年(一〇三〇)頃、前上野介《すけ》と新任の介のあいだで作成された不与解由状案。神社・国分寺・定額寺・郡家《ぐうけ》などの破損と修理状況を示す。

山王廃寺は、七世紀後半でも早い時期に創建された、上野国《こうずけ》でもっとも古い寺院である。現在も塔の心礎《しんそ》や石製鴟尾《しび》（寺院の屋根の両側に置く魚の尾の形をした飾り）、根巻石《ねまきいし》（柱の下部を飾る石）などが残っており、それらの石材加工技術は、近隣にある終末期古墳の蛇穴山《じゃけつさん》・宝塔山《ほうとうさん》古墳（大型方墳《ほうふん》）の石室と共通するといわれる。古墳から寺院へと、権力のシンボルが移動したことが推測される。

放光寺が、いつごろ定額寺に指定されたのかは不明であるが、律令《りつりょう》制の変質により、建立した郡司《ぐんじ》（もとは上毛野国造《かみつけのくにのみやつこ》か）などの有力氏族の解体とともに、破損が進行したのだろう。放光寺の歴史は、古代寺院と古代氏族の衰退をよく表わしている。逆にいえば、広隆寺のように、氏寺から民衆の支持を得られる形態に転身できた古代寺院のみが、今日まで存続できたのであった。

ほかに、東京浅草にある浅草寺《せんそうじ》、長野市の善光寺《ぜんこうじ》なども古代寺院が転身できた例である。いずれからも古瓦が出土していることから、奈良時代に、おそらく氏寺として創建されたと推定される。しかし、それだけではなく、中世以降、観音信仰によって庶民から有力者までの信仰を集め、法灯をいまに伝えているのである。

11

◉「放光寺」銘文字瓦

『上野国交替実録帳』定額寺項の「放光寺」が、どの寺院であったのか不明であったが、文字瓦の出土によって山王廃寺であることが判明した。

末法を生きる

極楽往生をめざす人々

元禄時代《げんろくじだい》（一六八八～一七〇四）、金峯山《きんぷせん》（奈良県）の山頂付近から、金色に輝く絢爛《けんらん》豪華な経筒《きょうづつ》が掘り出された。そのなかには、下半が欠失していたものの、「法華経《ほけきょう》」「阿弥陀《あみだ》経」「弥勒成仏《みろくじょうぶつ》経」「般若心経《はんにゃしんぎょう》」などの経典《きょうてん》が納められていた。経筒には銘文《めいぶん》が刻まれており、寛弘《かんこう》四年（一〇〇七）八月に、時の内覧《ないらん》・左大臣藤原道長《さだいじんふじわらのみちなが》が、極楽往生《ごくらくおうじょう》を願って埋納したものであることが判明した。

しかも、この経筒の価値はそれだけではない。彼の日記『御堂関白記《みどうかんぱくき》』に供養の模様が克明に記されているのだ。実物と本人の日記から、当時の埋経の具体的な様子を知ることができる稀有《けう》な事例である。

そもそも、金峯山は、桜で有名な吉野山《よしのやま》のさらに奥に位置し、古来、修験《しゅげん》の霊場であった。この地は、蔵王権現《ざおうごんげん》が出現した地としても知られており、山岳信仰と仏教の習合《しゅうごう》した形態を示している。蔵王権現とは、釈迦《しゃか》あるいは弥勒の化身ともいわれ、吉野の蔵王堂に巨像が安置されている。

『御堂関白記』によれば、道長は、都から九日間をかけて山頂に到着し、精進潔斎《しょうじんけっさい》ののち、一条《いちじょう》天皇・冷泉院《れいぜいいん》・中宮《ちゅうぐう》（藤原彰子《しょうし》）・東宮（居貞《いやさだ》親王、のちの三条天皇）のために、先年書写した経典を埋納し、その上に金銅製の灯籠《とうろう》を建てた。経筒の銘文は語る。

仰ぎ願わくは、慈尊成仏《じそんじょうぶつ》の時に当《あ》たり、極楽界より仏所に往詣《おうけい》し、法華会《ほっけえ》の聴聞と為《な》り、成仏の記をその庭に受けん。

慈尊とは、弥勒菩薩《ぼさつ》を指す。弥勒菩薩は現在修行中の身で、五六億七〇〇〇万年後、この世に下《げ》生《しょう》して、人々を救済すると経典に説かれている。この銘文は、弥勒下生《げしょう》の折、極楽からその場所に馳《は》せ参じ、法会《ほうえ》を拝聴したいとの意味である。道長の信仰には、極楽往生をめざす浄土教《じょうどきょう》とともに、弥勒信仰も含まれていたのだ。

それでは、道長は、なぜこのような信仰をもったのだろうか。それは末法《まっぽう》思想と大いに関係する。釈迦入滅《にゅうめつ》後、一〇〇〇年を正法《しょうぼう》、さらに一〇〇〇年を像法《ぞうぼう》、それ以後を末法と呼び、末法の世には仏法が衰えすたると考えられた。日本では、壬申《じんしん》年（紀元前九四九年）を釈迦入滅の年としたから、二〇〇〇年後の永承《えいしょう》七年（一〇五二）が末法第一年にあたると信じられていた（異なる説もある）。

長保《ちょうほう》二年（一〇〇〇）、藤原行成《ゆきなり》（三蹟《さんせき》のひとり）の日記『権《ごん》記《き》』には、「今、世路《せろ》の人皆云《い》う。代《だい》（世の中）、像末《ぞうまつ》（像法の末年）に及ぶ。災これ理運《りうん》（必然）也《なり》」とあり、人々が不安に駆られていた様子がうかがえる。

12

◉**藤原道長が埋納した金銅製経筒**
現存する最古の経筒である。願文《がんもん》は藤原道長自身ではなく大江匡衡《おおえのまさひら》の作、書は三蹟のひとり藤原行成が下書きした可能性が指摘されている。

この不安を救ったのが、念仏《ねんぶつ》を唱えることで極楽に往生できると説く浄土教であり、仏法衰退ののちに出現すると信じられていた救世主弥勒菩薩である。

道長の埋経は、比較的初期の事例だが、一〇世紀後半以降、疫病が猛威をふるい、数多くの人々が亡くなった。また、これ以後も、長暦《ちょうりゃく》二年（一〇三八）の延暦寺《えんりゃくじ》僧の強訴《ごうそ》、永承六年に起きた前九年《ぜんくねん》合戦などにより、社会不安が増大し、ますます浄土信仰は盛んになった。道長自身も出家後に法成寺《ほうじょうじ》を建て、極楽往生を願っている。

平等院阿弥陀堂の建立

末法《まっぽう》第一年の翌年の天喜《てんぎ》元年（一〇五三）、藤原頼通《ふじわらのよりみち》によって建立されたのが、平等院《びょうどういん》の阿弥陀堂《あみだどう》（いまの鳳凰堂《ほうおうどう》）である。鳳凰堂という名称は、本尊が安置される堂を鳳凰の「体」、左右の建物を鳳凰の「両翼」に見立てたことに由来する。

阿弥陀堂の建築様式は、当時の貴族の邸宅に用いられた寝殿《しんでん》造《づく》りを基本とし、まわりの壁と扉には、極彩色《ごくさいしき》の大和絵《やまとえ》で阿弥

13

◉平等院鳳凰堂
鳳凰堂の翼廊は、創建当初、親水性を示すために基壇ではなく、洲浜もしくは池の上に直接建っていたことが、近年の発掘によって判明した。

陀来迎図《らいごうず》が描かれる。阿弥陀来迎図とは、阿弥陀如来《にょらい》が雲に乗って西方極楽浄土《さいほうごくらくじょうど》から菩薩《ぼさつ》たちを引き連れ、臨終を遂げようとする者を迎えにくるさまを描いた仏画のことである。さらに阿弥陀堂の周囲の壁には、雲に乗りながら、思い思いの楽器を奏でたり、歌をうたう雲中供養菩薩《うんちゅうくようぼさつ》五二体が掛けられている。

本尊の阿弥陀如来坐像《ざぞう》は、仏師定朝《じょうちょう》の作である。三メートル近い漆箔《しっぱく》（漆《うるし》の上から金箔を貼る）の体軀《たいく》と、蓮弁《れんべん》の形を模し、透《すか》し彫りによる飛天《ひてん》を配した光背《こうはい》は、丹塗《にぬ》りの堂と相まって、まさに極楽を彷彿《ほうふつ》させる。通説では、彼が穏やかな表情をもつ、日本的な仏像を完成させたと説かれている。

ちなみに、双眼鏡を持参すれば、格子に開けられた窓を通して、池越しに本尊の顔を拝することもできる。また、前面の池に映った堂の姿は、「極楽不審《いぶかし》くば宇治《うじ》の御堂《みどう》を礼《うやま》へ」（『後拾遺往生伝《ごしゅういおうじょうでん》』）との歌を実感させてくれる。

この仏像の構造は寄木造《よせぎづく》りとして知られ、それまでの彫像の制作方法を一新した。従来の一木《いちぼく》造りでは、素材となる木材の大きさに限界があった。だが、多くのパーツに分かれた寄木造りならば、部分ごとに制作することが可能で、比較的容易に巨像をつくることができる。しかも、複数の仏師が同時に作業で

14

◉**阿弥陀如来坐像**（平等院鳳凰堂）
定朝の現存する唯一の作品である。丸顔で温和な表情をし、体つきも緩やかな曲線で表わされている。以後の仏像彫刻の模範とされた。

きた。つまり、短時間で制作できるということである。鎌倉《かまくら》仏師につながる「仏師工房」が出現したのだ。この様式の仏像は、以後、定朝様《よう》と呼ばれ、鎌倉時代におよぶまで、日本各地でつくりつづけられていく。

なお、これまで定朝様は、文字どおり定朝が編み出した日本独自の和風彫刻と考えられてきた。ところが近年、中国五代十国《ごだいじっこく》時代の呉越国《ごえつ》（九〇七～九七八年）の仏像様式に基づいているのではないか、との見解がとなえられるようになった。定朝がはたして定朝様を独自に完成させたのか、それとも中国の様式を取り入れたのかは、今後の大きな課題である。もっとも、この説が成立すると、これまで考えられていた「和様」とは、はたして何なのかという根本的な問題にいきつくことになる。

民衆を救う

浄土教《じょうどきょう》に欠かすことのできない行為として念仏《ねんぶつ》がある。とくに一〇世紀以降の浄土教で重視されるが、その起源は、唐《とう》から帰国した円仁《えんにん》が、九世紀なかばに比叡山《ひえいざん》の常行三昧堂《じょうぎょうざんまいどう》で行なった念仏に求められる。しかし、初期の念仏は、密教僧により、死者の葬送に際して唱えられる場合が多かった。日本には、古来、陀羅尼《だらに》と呼ばれる仏教的な呪文《じゅもん》があったが、口承《こうしょう》という点

15

●空也
胸に金鼓《こんく》、左手に鹿の杖《つえ》、右手に撞木《しゅもく》を持ち、口から六体の阿弥陀（南無阿弥陀仏）が現われたという伝承を表現する。運慶《うんけい》の四男康勝《こうしょう》の作。

で、陀羅尼とそれほど区別がなかったようだ。

この念仏を民衆にまで広めたのが空也《くうや》である。彼は、天慶《てんぎょう》元年（九三八）の入京後、人々が多く集まる市《いち》で布教したために「市聖《いちのひじり》」、あるいは阿弥陀仏《あみだぶつ》の名号《みょうごう》をつねに唱えたことから「阿弥陀聖」とも呼ばれた。

空也は、奈良《なら》時代の名僧行基《ぎょうき》と同じように、数々の社会事業を行なった。なかでも、打ち捨てられた遺体を見つけては一か所に集めて火葬・供養《くよう》したことは、行基の活動にはみられなかった特色である。当時、東では平将門《たいらのまさかど》の乱《らん》、西では藤原純友《ふじわらのすみとも》の乱が起こり、都では地震・飢饉《ききん》・疫病《えきびょう》が頻発していた。彼は、このような社会情勢を背景とし、死者の追善に重きを置きながら、念仏を民衆に勧め、極楽往生《ごくらくおうじょう》の道を説いたのである。

彼の教えは、やがて貴族僧にも広がり、応和《おうわ》三年（九六三）八月には、左大臣藤原実頼《さねより》らの協力も得て、鴨川《かもがわ》の河原で無縁仏《むえんぼとけ》の供養が行なわれた。当時、鴨川の河原には死体が累々《るいるい》と横たわっていたからである。また、天禄《てんろく》元年（九七〇）七月、空也の檀越《だんおつ》であった大納言《だいなごん》藤原師氏《もろうじ》が亡くなった際には、冥界《めいかい》でのとりなしを依頼する牒状《ちょうじょう》を、閻魔王《えんまおう》に送ったという。

一方、浄土教の基礎を固めたのは、恵心僧都源信《えしんそうずげんしん》であった。『源氏物語《げんじものがたり》』手習《てならい》（宇治《うじ》十帖）に、
そのころ横川《よかわ》に、なにがし僧都とかいひて、いと尊き人住みけり。八十《やそじ》あまりの母、五十《いそじ》ばかりの妹《いもうと》ありけり。

とあり、横川にたいへん尊い僧都がおり、八〇歳ほどの母と五〇歳ほどの妹がいたとしている。これは源信をモデルにしていると考えられる。

彼は、天慶五年、当麻寺《たいまでら》で有名な大和国葛城下《やまとのくにかつらぎしも》郡当麻《たいま》郷に生まれた。若くして横川（比叡山《ひえいざん》の北）の良源《りょうげん》（慈恵大師《じえだいし》、比叡山の中興《ちゅうこう》の祖ともいう）に師事し、慶滋保胤《よししげのやすたね》（陰陽師《おんようじ》として著名な賀茂保憲《かものやすのり》の弟）たちが参加した勧学会《かんがくえ》の影響も受け、浄土教に関心をもった。勧学会とは、下級官人《かんじん》を中心とした浄土教の結社である。

源信の著作として著名なのが、寛和《かんな》元年（九八五）四月に完成した『往生要集《おうじょうようしゅう》』である。『往生要集』の性格をひとことで言えば、浄土へ往生するための念仏の実践的手引き書といえる。

この書が後世に大きな影響を及ぼした理由はいくつかあるが、筆者はその序文に集約されていると思う。

> 利智精進《りちしょうじん》の人は、いまだ難《かた》しと為《な》さざらんも、予《よ》が如《ごと》き頑魯《がんろ》の者、あに敢《あえ》てせんや。この故《ゆえ》に念仏の一門に依《よ》りて、いささか経論の要文《ようもん》を集《あつ》む

16

◉源信
南北朝時代の作で源信の最古の肖像画。両手で数珠《じゅず》をたぐり、半眼で口を結ぶ。平等院鳳凰堂は、源信の説く極楽浄土を再現したものである。

賢く、精進《しょうじん》を重ねた者が（極楽往生のために）修行することは難しくはないが、私のような頑固《がんこ》で愚かな者にでも修行はできる。そのために、経論のエッセンスを集めたのだ、と源信は説く。いったい、自分を「頑魯の者」と表現し、読者を高みから見下さず、一緒に修行しようではないか、と呼びかけた仏書がそれまでにあっただろうか。源信が往生への修行のハードルを下げ、その実践を説いたところに、本書の画期的な意味合いがあると思う。この書なくして、法然《ほうねん》・親鸞《しんらん》は生まれなかったといっても過言ではあるまい。

源信は、筑前《ちくぜん》国博多《はかた》での布教の際、宋《そう》の商人に『往生要集』を手渡し、中国でも布教するように願った。その後、この書が天台山国清寺《てんだいさんこくせいじ》（天台宗の本拠地）に納められると、好評を博したらしく、別に建物を建てて供養し、さらに源信の肖像を求めてきた。源信が高名な画家に像を描かせて宋に贈ったところ、かの国では廟《びょう》をつくって『往生要集』とともに安置・供養したという。源信の教えは、海を渡って広がりを見せたのだ。

源信は、寛弘《かんこう》元年（一〇〇四）に権少僧都《ごんのしょうそうず》に任じられたが、世間での名声に執着せず、辞退して横川に隠遁《いんとん》した。この様子を記したのが、先の『源氏物語』というわけである。彼が亡くなったのは、寛仁《かんにん》元年（一〇一七）のこと、七六歳であった。

コラム5

失われた仏像

昭和元年（一九二六）一二月二五日、高野山《こうやさん》金剛峯寺《こんごうぶじ》の金堂《こんどう》が焼失した。その内陣《ないじん》には、向かって右から普賢延命菩薩坐像《ふげんえんめいぼさつざぞう》、不動明王《ふどうみょうおう》坐像、金剛薩埵《こんごうさった》菩薩坐像、そして中央の厨子《ずし》内に古来秘仏とされてきた中尊の阿閦如来《あしゅくにょらい》（薬師《やくし》如来とも）坐像、金剛王菩薩坐像、降三世《ごうざんぜ》明王立像《りゅうぞう》、虚空蔵《こくうぞう》菩薩坐像の七体があり、いずれも国宝（旧国宝）に指定されていた。

これらの仏像は、寺伝や古記録をもとにして、弘仁《こうにん》一〇年（八一九）頃に完成した金堂と同時期か、若干下る時期に制作されたとみる美術史家が多い。この考え方が正しければ、空海《くうかい》自身が発願《ほつがん》し制作を命じたことになる。初期の密教彫刻としては、承和《じょうわ》年間（八三四〜八四八）ごろに制作された教王護国寺《きょうおうごこくじ》（東寺《とうじ》）講堂の諸像が著名であるが、高野山の諸像のほうが古いことになる。

これらの仏像が失われたことはまことに惜しまれるが、幸いにも、厨子内の中尊を除いて写真が残されており、そのよすがをしのぶことができる。

◉金剛王菩薩坐像
腕を交差させて印《いん》を結ぶ。像高は一〇六cm。曼荼羅《まんだら》では、阿閦如来を中尊とし、そのまわりに金剛薩埵菩薩とともに配される。

第六章

貴族の生活

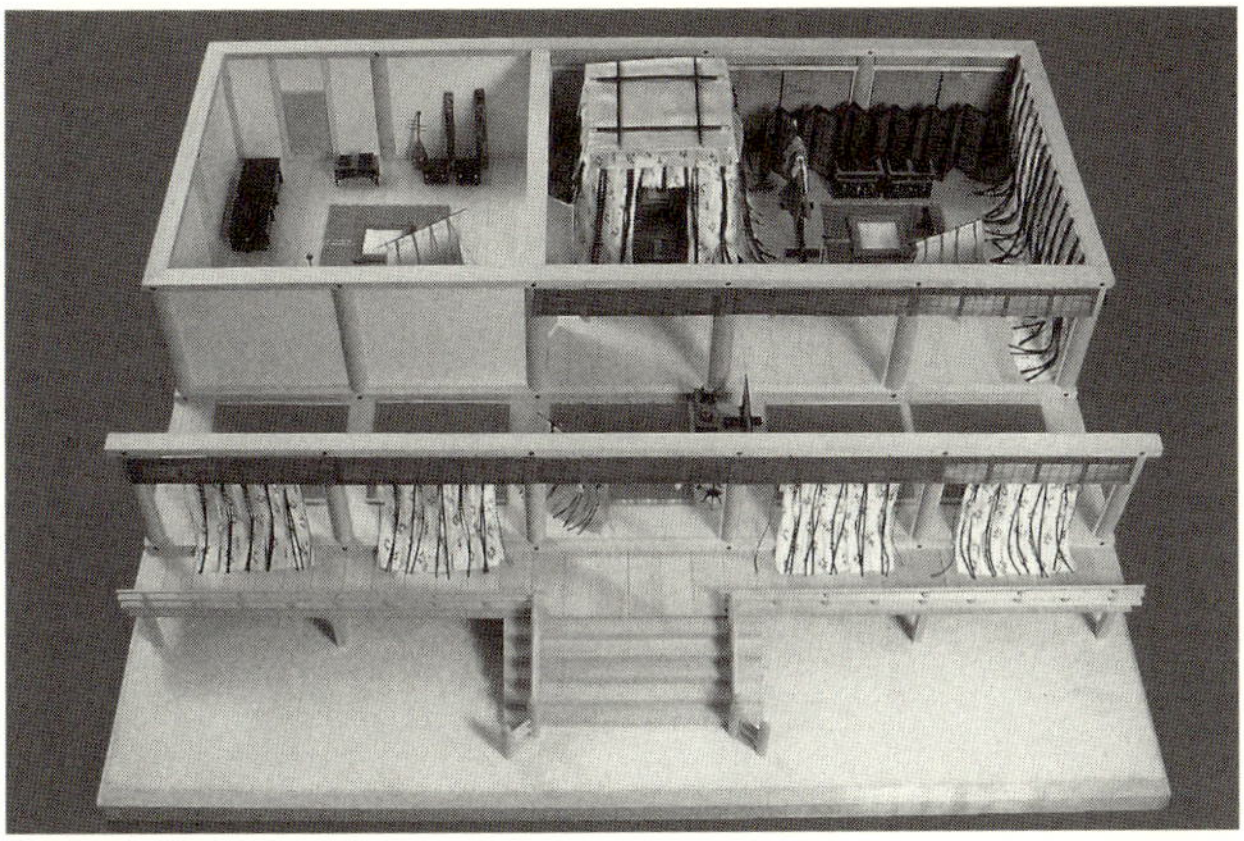
1

貴族の暮らしをかいま見る

斎王邸の発掘

その邸宅跡は、平安京《へいあんきょう》右京三条二坊十六町にあたる地にあり、西京高《さいきょうこう》校《こう》の校舎建て替えに伴う発掘調査によって発見された。発掘の内容は驚くべきものであった。なぜなら、初めて貴族の邸宅と庭園が広範囲にわたって検出できたばかりか、「斎宮《さいぐう》」と書かれた墨書《ぼくしょ》土器の出土により、邸宅の主人の見当がついたからだ。その主人とは斎王《さいおう》である。

斎王とは伊勢《いせ》神宮に奉仕する未婚の皇女のことで、卜定《ぼくじょう》（占い）により決定したのち、宮中の初斎《しょさい》院《いん》で一年間、次いで宮外の野宮《ののみや》で一年間潔斎《けっさい》した。その後、伊勢に向かい（「群行《ぐんこう》」という）、伊勢国多気《たけ》郡にある斎宮に住んで伊勢の祭祀《さいし》に奉仕し、父母や天皇が亡くなると交替することになっていた。著名な人物では、天武《てんむ》天皇の娘で、悲劇的な最期を遂げた大津皇子《おおつのみこ》の姉大来皇女《おおくのひめみこ》がいる。

発掘された邸宅は、群行前に斎王が居住した場所である。具体的には、貞観《じょうがん》元年（八五九）に卜定された恬子《かつし》皇女（文徳《もんとく》天皇の娘）、寛平《かんぴょう》九年（八九七）の柔子《にゅうし》皇女（宇多《うだ》天皇の娘）、天慶《てんぎょう》九年（九四六）の英子《えいし》皇女（醍醐天皇の娘）などが候補にあげられるが、決め手に欠ける。

この邸宅は、九世紀後半から一〇世紀前半にかけて存続し、建物は九〇〇年前後に整備されたよ

◉寝殿造《しんでんづく》りの内部
右の空間が母屋で、帳台を置いて右に茵《しとね》を配し、主人の御座にした。この部屋の左の空間を塗籠《ぬりごめ》といい、宝物の保管や寝室に用いた。（考証・製作　中部大学池浩三研究室）
前ページ写真

うだ。一町（約一二〇メートル）四方の規模で、内部は大きく南北に分けることができる。野寺小路《のでらこうじ》に面した建物Aが東門と考えられ、敷地の北側は、斎王の儀式・居住空間、南側は、斎王の生活を支えた人々の空間とみられる（口絵参照）。

北側には、中央やや西寄りに池が配されていた。近年発掘された飛鳥《あすか》京《きょう》跡から広大な園池が見つかっていることからも明らかなように、飛鳥時代以来、邸宅に池は欠かせない存在であった。斎王邸の池では、水漏れしないように、まず粘土を貼《は》り、その上にこぶし大の石を置いて、洲浜《すはま》（人工的に海岸を表現したもの）をつくっている。東岸に大きな石の抜き取り穴があることから、もともとは、大きな景石《けいせき》（庭石）が置かれ、荒磯《あらいそ》を表現していたと考えられる。つまり、西側は砂浜、東側は岩礁海岸を表わしていたのだ。

池の水は、池の北方にある泉から供給され、外部からの導水によらない清らかな水であった。泉からは全長六五センチメートルほどの女性の形代《かたしろ》が検出された。祭祀に用いられた可能性が高い。

斎王邸の空間構造

北方空間は、三つに分けることができる。その中心的空間が、池と南北棟の建物B・C、東西棟の建物D・Eに囲まれた部分である。この場所は比較的広く、池を背景として儀式が行なわれたと

斎王邸の位置

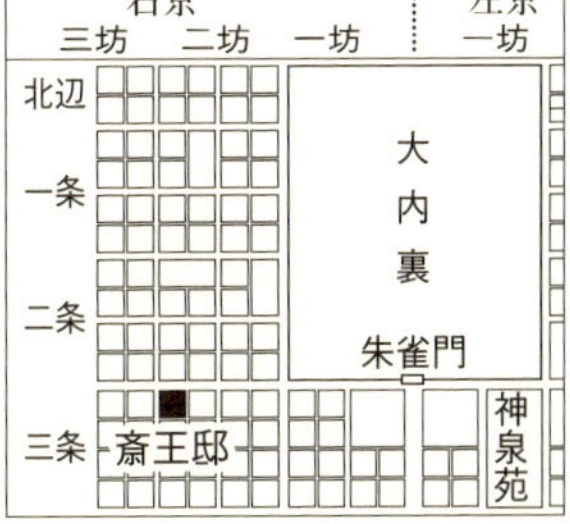

推測される。とくに、建物Cは長大な透廊《すいろう》と推定され、多くの人々が池に向かって参列した可能性がある。斎王《さいおう》は、川で身を清める禊《みそぎ》をしばしばすることになっていたから、池は潔斎《けっさい》に関係する場であったのかもしれない。この空間は建物に遮られて、まわりから見えにくい構造になっていた。それだけ神聖な空間であったといえる。

西の区域は、斎王の居所であろう。建物Fは、二間《けん》×三間で庇《ひさし》が巡り、建物の一部が池に張り出しており、床下にせせらぎを感じさせる「泉殿《いずみどの》」と考えられる。こうした情景は、『紫式部日記絵《むらさきしきぶにっきえ》巻《まき》』などにみることができる。建物Gは、一部しか検出されていないが、斎王の住居の可能性がある。この空間からは、天気さえよければ、北東方向に比叡山《ひえいざん》・東山《ひがしやま》などの山並みが見え、往時ならば平安宮大内裏《へいあんきゅうだいだいり》の壮麗な建物群を眺望することもできただろう。つまり、建物F・Gは、借景としても申し分ない立地であったということになる。

一方、東の区域には、京内で一般的にみられる四面庇付きの礎石《そせき》建物Hがあり、南方空間よりは、上層の人物が住んでいたと思われる。池から「斎舎所」と書かれた墨書《ぼくしょ》土器が出土し、南に門（建物A）があるところから、斎王の警護にかかわる人物（舎人《とねり》）の居所であったのかもしれない。

この調査での成果は、いわゆる遺物・遺構といった考古学的知見にとどまらない。花粉・種子・出土木材の分析により、植生も特定されたのだ。花粉・種子の形態は種ごとに異なり、しかも腐敗しにくいので、土に含まれるそれらを洗い出し、顕微鏡で観察すれば、その場所にどのような植物が生えていたのかがわかる。それによれば、『紫式部日記絵巻』にみられる植生がすでに人工的に管

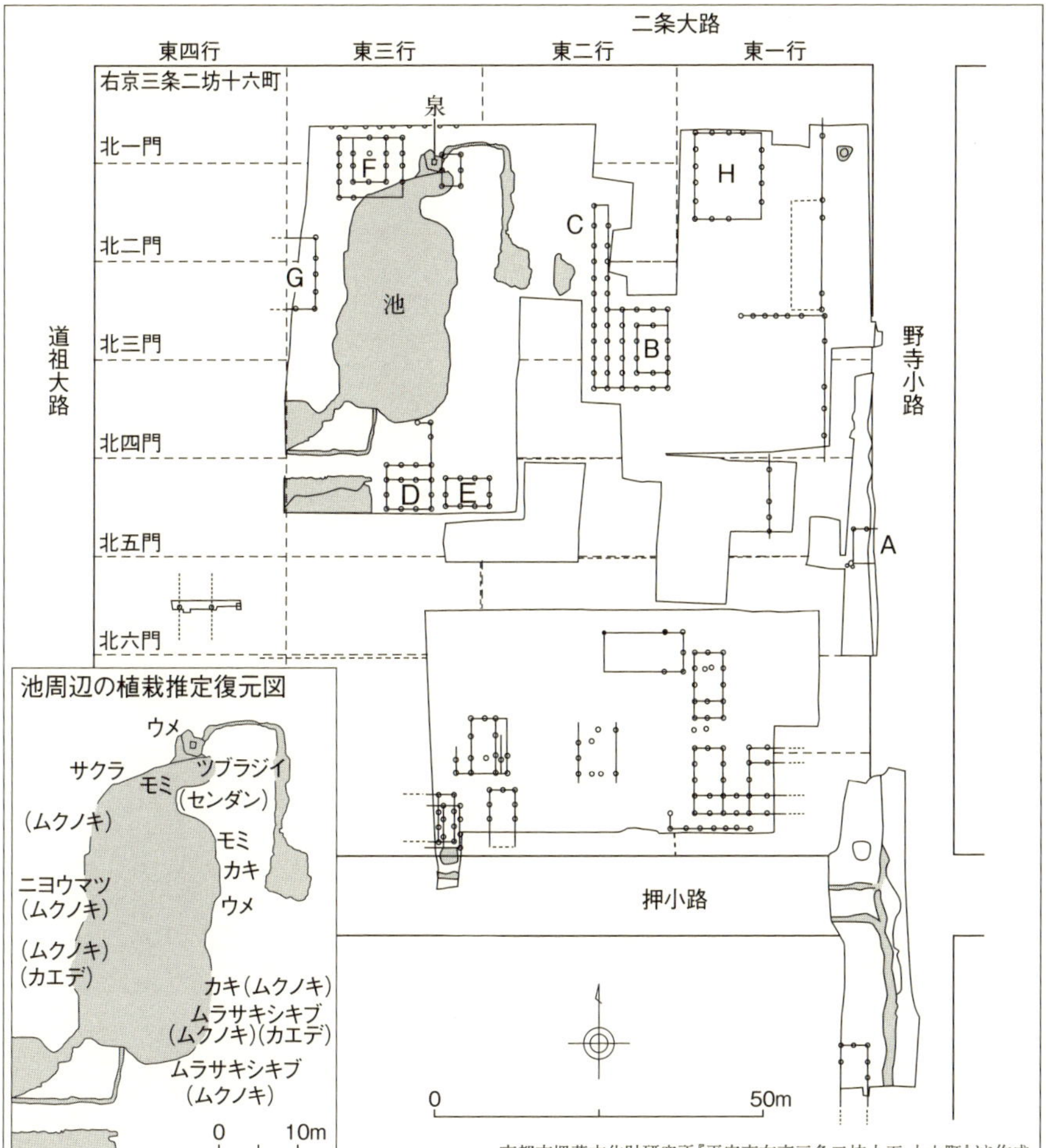

京都市埋蔵文化財研究所『平安京右京三条二坊十五・十六町』より作成

●斎王邸遺構配置図
斎王の居住空間は、遺構図を見るとかなり開放的にみえるが、実際には清浄性を保つため、塀・柴垣・前栽《せんざい》などによって、かなり閉鎖された空間だったと思われる。斎王が群行《ぐんこう》する様子は、藤原資房《ふじわらのすけふさ》の日記『春記《しゅんき》』に詳しい。

理され、四季折々の草花や紅葉が楽しめたことがわかる。

興味深いのは、ウメよりもサクラが多いことだ。『万葉集《まんようしゅう》』では中国原産のウメが多く詠み込まれたが、『古今和歌集《こきんわかしゅう》』では日本原産のサクラに変化したことが知られている。この邸宅の状況と符合する。また、池の西側にはマツが多く植えられていたようだが、松原に見立てていたのではないかという。庭への関心の強さがうかがわれる。

つぎに、南側に目を転じる。「斎雑所」と記載された墨書土器が出土している。「斎雑所」とは斎宮雑色（人）所の省略とみることができることから、斎王の食事をつくったり、舎人や雑色人《ぞうしきにん》が住む雑舎《ざつしゃ》などの家政機関があった場所ではないかと考えられる。この地区には井戸があり、建物の規模や造りは北側より劣る。建物一つひとつを比定することは困難だが、厨《くりや》（厨房）・厠《かわや》（トイレ）・湯殿など、日常生活全般に関係する施設も存在したのだろう。斎王邸の発見は、平安中期の貴族の生活空間を具体的に示してくれる。

寝殿造り

当時の上流貴族は、寝殿造《しんでんづく》りの建物に住んでいたといわれる。一般的な寝殿造りでは、中央に寝殿、北に北対屋《きたのたいのや》、東西に東対屋・西対屋があり、それぞれが渡殿《わたどの》で結ばれていた。さらに、西対屋・東対屋から南に廊《ろう》が延び、それぞれに西中門《にしちゅうもん》・東中門が取り付き、南端に釣殿《つりどの》や泉殿《いずみどの》が配された。そして、それらに面して池があり、その中央には中島《なかじま》が築かれていた。

平安初期に比定される平安京右京六条一坊五町にあった邸宅は、南半分が「ハレの空間」、北半分が「ケの空間」で、南北は柵で区切られていた。「ハレの空間」は、中央に正殿《せいでん》としての寝殿、北に北対屋、東西に東対屋・西対屋があり、先の風景と符合するが、こちらには東北対屋があり、左右対称ではない。また、池もなかった。寝殿造りの実例として、必ず藤原詮子《ふじわらのせんし》の東三条殿《ひがしさんじょうでん》が紹介されるが、規模のうえで、一般的な寝殿造りとはかなり異なっている部分がある。

一方、北側の「ケの空間」には、家司《けいし》が家の事務を切り盛りする政所《まんどころ》、厨房としての厨《くりや》、ご飯などを炊く炊屋《かしきや》、倉、井戸、使用人が住まう雑舎《ざつしゃ》、トイレ施設の樋殿《ひどの》などの存在が予想される。「ハレの空間」と「ケの空間」は斎王《さいおう》邸と共通するが、斎王邸とは位置が逆であった。寝殿造りとひとくちに言っても、東三条殿のような巨大なものから小規模なものまで、じつに多様である。

当時の寝殿は、小さな部屋に分かれておらず、本来はがらんとした空間である。それを衝立障子《ついたてしょうじ》・几帳《きちょう》・屏風《びょうぶ》などで仕切った。したがって、夏は風通しがよく涼しいだろうが（といっても京の夏は蒸し暑い）、当時の暖房道具は火鉢《ひばち》や火桶《ひおけ》程度であったから、都の冬はひとしお寒かったに違いない。また、妻戸《つまど》や

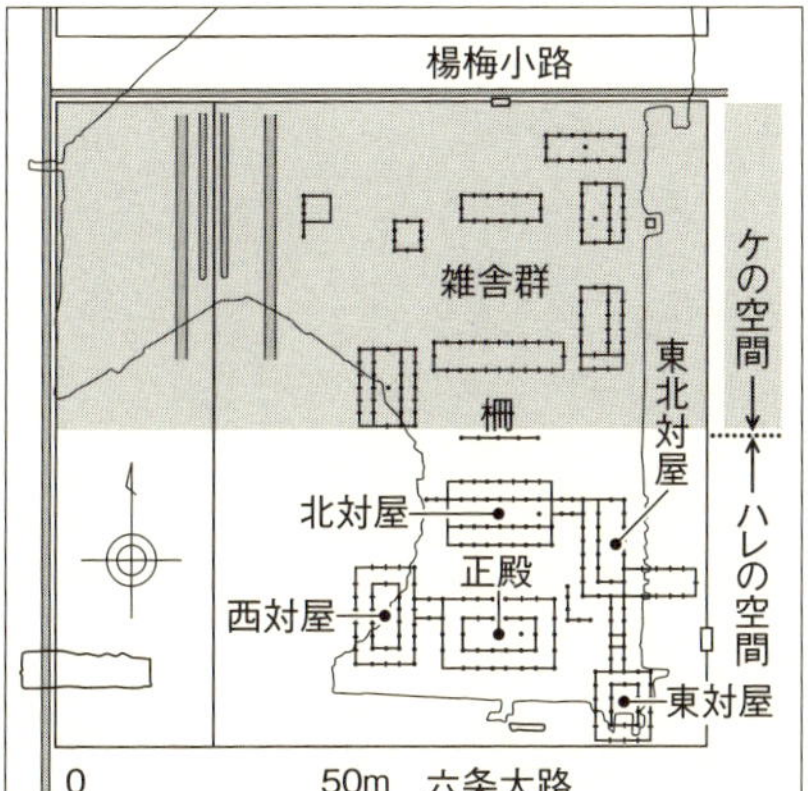

●貴族の寝殿造り（平安京右京六条一坊五町）
東四分の三が宅地に利用され、正殿と西対屋は渡殿で結ばれる。南半分と北半分は、柵で仕切られており、規模に大きな差がある。

蔀戸《しとみど》を開け閉めするから、昼でも建物の中は薄暗かったと思われる。

しかし、逆に部屋からは外がよく見えた。このことが四季の移ろいを敏感に感じさせ、『古今和歌集《こきんわかしゅう》』『源氏物語《げんじものがたり》』をはじめとする平安文学に、多大な影響を与えたことを見逃してはならない。

貴族の一日

貴族の生活については、じつのところよくわからないことが多いのだが、藤原忠平《ふじわらのただひら》の子師輔《もろすけ》が子孫に残した『九条殿遺誡《くじょうどのゆいかい》』を参考にすることができる。

まず、起きると、属星《ぞくしょう》（陰陽道《おんようどう》で自分の生まれた年にあたる星）を七回唱え、鏡で顔を見、具注暦《ぐちゅうれき》を見て、その日の吉凶《きっきょう》を判断する。具注暦とは、暦日の下に、その日の吉凶・禍福《かふく》・季節などを詳しく記した暦で、一年に春と秋の二巻が作成された。次いで楊枝《ようじ》で歯を掃除して口をすすぎ、手を洗う。仏の名を唱えて、帰依《きえ》している神社を心の中で念じ、昨日のことを日記につけた。

朝食はお粥《かゆ》であった。ついでに、貴族の食事について述べておくと、一日二回で、一回目は巳刻《みのこく》（午前一〇時頃）、二回目は申刻《さる》（午後四時頃）であった。食材は、肉・魚介類・野菜・海草など豊富そうにみえるが、肉は主として鳥肉を用い、仏教やケガレ観の影響から牛・馬などのけものは避けられた。また、魚介類も干したり塩漬けされたものであった。おそらく、新鮮な魚は、鴨川《かもがわ》でとれた鮎《あゆ》くらいではなかったか。デザートとしては季節の果実や木の実があった。

このように、彼らの食事は、それほど高カロリーではないのだが、当時の日記には、多量の水を飲む「飲水病《いんすいびょう》」という病気がしばしばみえる。運動不足も手伝って、糖尿病を患う者が多かったのではないかと推測される。数百メートル歩くだけで、疲れを訴える貴族さえいた。

お粥のあとは、髪を梳《す》き（ただし、三日に一度）、手足の爪を切る。しかも、丑《うし》の日には手、寅《とら》の日に足と決まっていた。風呂は五日にいちど入る。だが、ここにも制約があり、具注暦には、月の一日に入れば短命、八日が長命、一一日は目が見えるようになり、一八日は盗賊にあい、午《うま》の日は愛情を失い、亥《い》の日は恥をかくなどと細かい規定があり、実際に入るのは七日にいちど程度であった。当時、陰陽道がいかに貴族の生活に深く浸透していたのかがよくわかる。

このあと、服装を調《ととの》え、いよいよ出勤となる。律令《りつりょう》制では礼服《らいふく》という中国風の服装であったが、平安中期には即位式などのほかは束帯《そくたい》で、位《い》階《かい》により服の色に違いがあった。手には旧一万円札の聖徳太子《しょうとくたいし》像のように、笏《しゃく》を持つ。本来は威儀《いぎ》をただすためだが、内側（自分側）に儀式次第を書いた紙（カンニングペーパー）を貼《は》りつける場合もあった。当時の貴族にとっても、複雑な儀式を暗記するのは困難だったのだろう。

ちなみに、平服としては直衣《のうし》を着た。色は自由であったが、禁色《きんじき》だけ

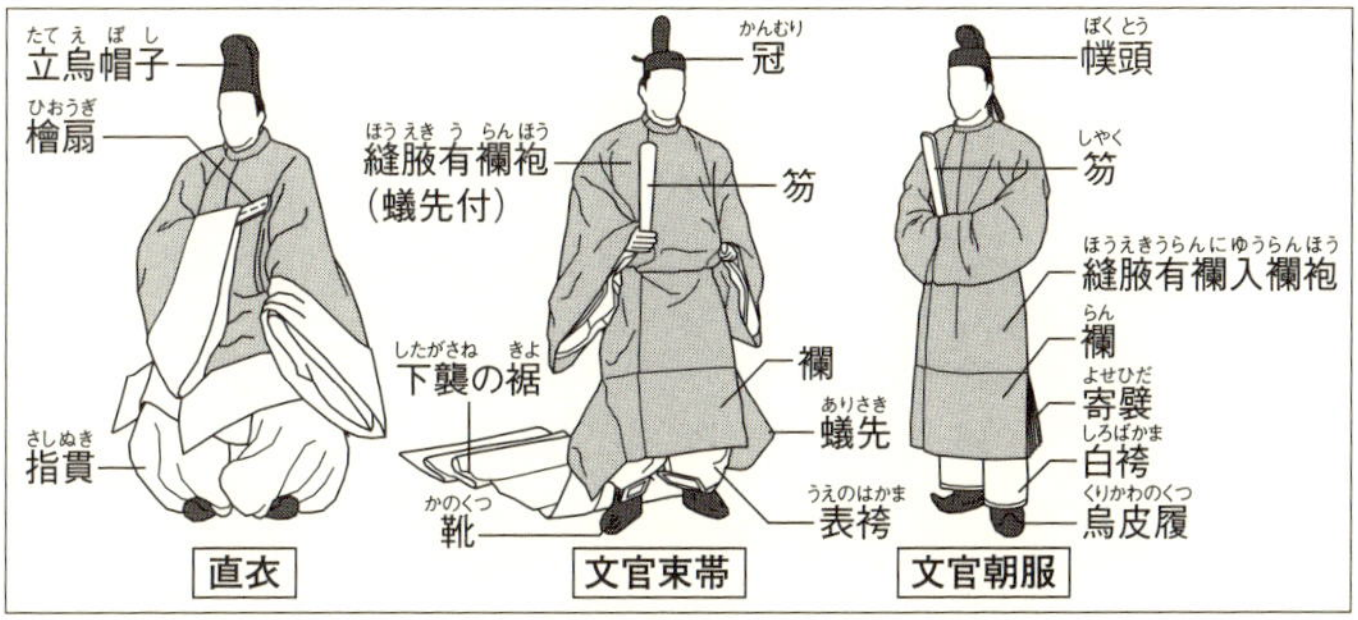

◉貴族の服装の変化
律令制下では、重要な祭儀には礼服、政務の際には朝服を着たが、平安中期ごろからは、朝服が和様化して束帯となり、礼装となった。

は、特別な人物（「禁色雑袍宣旨《ざつぽうせんじ》」を下された近臣）以外は禁止された。禁色とは、自分の位階より上位の服色のことである。特別な色としては、天皇の黄櫨染《こうろぜん》、皇太子の黄丹《おうだん》をはじめ何種類かあった。なお、火事を連想させる深紅《しんく》も不吉な色とされ、着用を禁止されていた。

古く日本では、寅《とら》刻（午前四時頃）に出仕し、午《うま》刻（正午頃）に退出することになっていた（大化《たいか》三年紀）。ところが、しだいに政務・儀式の開始時間が遅れるようになり、摂関《せっかん》期には終わりが明け方近くになる場合もめずらしくなくなった。開催が遅くなった理由は、公卿《くぎょう》たちが時間どおりに参内しなくなり、最低限の人数を確保するために時間をずらしたことが慣例化したためである。

天暦《てんりゃく》五年（九五一）から翌年にかけての一年間の上日《じょうじつ》（出勤日数）が残っているが、左大臣藤原実《さだいじんふじわらのさね》頼《より》が一一七日、右大臣藤原師輔《もろすけ》が一九七日、中納言《ちゅうなごん》藤原在衡《ありひら》が二六八日であるのに対して、大納言藤原顕忠《あきただ》は九九日、同藤原元方《もとかた》は九四日とばらつきが大きい。真面目《まじめ》な者とそうでない者の差が大きいということだろう。また、政務に関する知識が豊富な者は、行事を差配する「上卿《しょうけい》」になる場合が多いため、「できる者」にはさらに仕事が集中する仕組みであった。今も昔も同じ構造である。

一方、あまり真面目ではない、あるいは儀式が得意でない公卿は、病気・物忌《ものいみ》などの理由をつけて、しばしば欠席した。ちなみに、弁官《べんかん》や外記《げき》の場合は上日が三〇〇日を超える場合もあり、現代にたとえると、事務官僚へのしわ寄せが著しかったということになる。

藤原道長の栄光

安和の変

安和《あんな》二年（九六九）、左馬助《さめのすけ》源満仲《みなもとのみつなか》（平将門《たいらのまさかど》・藤原純友《ふじわらのすみとも》の乱《らん》で活躍した源経基《つねもと》の子）と前武蔵介《むさしのすけ》藤原善時《よしとき》が、中務少輔《なかつかさのしょうゆう》橘繁延《たちばなのしげのぶ》・左兵衛大尉《さひょうえのだいじょう》源連《つらね》を謀反の疑いで密告するという事件が起きた。世にいう「安和の変」の始まりである。その結果、繁延・前相模《さがみ》介藤原千晴《ちはる》（藤原秀郷《ひでさと》の子）らが捕らえられ、尋問の結果、左大臣《さだいじん》源高明《たかあきら》（醍醐《だいご》天皇の子）が、娘婿《むすめむこ》の為平《ためひら》親王を皇位につけようとしているとの疑いが発覚し、大宰権帥《だざいのごんのそち》に左遷された。宮中は大騒動となり、その騒ぎは将門・純友の乱のようであったと『日本紀略《にほんきりゃく》』は伝えている。

この事件には背景があった。当時、冷泉《れいぜい》天皇が精神を病んでいたため、太政大臣《だいじょうだいじん》藤原実頼《さねより》は、つぎの天皇に、冷泉の同母弟守《もり》平《ひら》親王（のちの円融《えんゆう》天皇）を立てようとした

天皇と藤原氏関係図

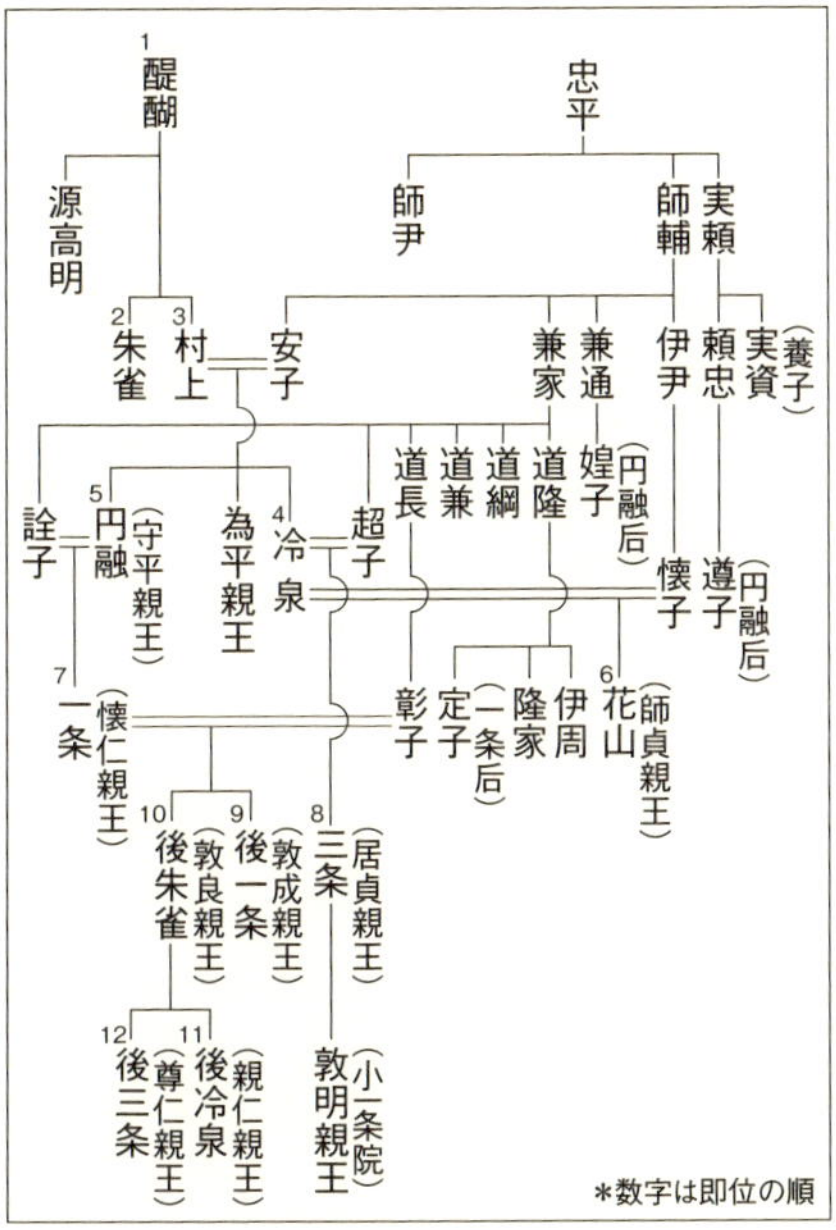

のだが、それには障害があった。もうひとりの同母弟為平親王の存在である。彼は、高明の娘と結婚し、強い後ろ盾をもっていたからだ。しかも、もし為平が即位し、男子が生まれれば、高明が外戚となる。実頼にとって、それは大きな脅威であったに違いない。

もっとも、すでに康保《こうほう》四年（九六七）に皇太子になっていたのは、為平ではなく守平であったから、この事件は念押しといえなくもない。だが、高明は村上《むらかみ》天皇の兄弟で、学識も高く人望も厚かった。もし、守平に万一のことがあればとの思いが強かったため、高明の排除を画策したのだろう。高明が謀反を企てていたというのは、実際のところ根拠はない。

それでは、誰が仕組んだのか。いろいろな説があるが、為平に即位されてはまずい人物に違いない。被疑者には、政界トップの実頼なども含まれるが、いちばん疑わしいのは、外戚となっていた藤原伊尹《これただ》ではなかろうか。なぜなら、娘の懐子《かいし》を入内させ、安和の変が起こる前年には、冷泉とのあいだに師貞《もろさだ》親王（のちの花山《かざん》天皇）が生まれていたからだ。だが、為平が即位すれば、師貞の出番がなくなる。そこに冷泉の病、伊尹と弟兼家《かねいえ》の覇権争いが加わり、高明―為平を敵視するようになった可能性がある。

藤原兼通・兼家兄弟の争い

安和《あんな》二年（九六九）、冷泉《れいぜい》天皇が退位し、守平《もりひら》親王が一一歳で即位した。円融《えんゆう》天皇である。そして、師貞《もろさだ》親王が二歳で皇太子となった。ところが、師尹《もろただ》・実頼《さねより》・伊尹《これただ》など、藤原《ふじわら》氏の近親が相次いで亡くなってしまう。円融天皇と師貞親王を残して、外戚の藤原氏が絶えてしまったのだ。

権力者の相次ぐ死と、娘の入内《じゅだい》によって始まったのが、兼通《かねみち》・兼家《かねいえ》兄弟による骨肉の権力抗争である。天禄《てんろく》三年（九七二）一〇月、摂政《せっしょう》・太政大臣《だいじょうだいじん》藤原伊尹が病気になると、両者は天皇の面前で摂政・関白職《かんぱくしょく》をめぐって激しく争った（『藤原済時記《なりときき》』）。原因は、冷泉朝において、弟兼家が兄兼通よりも官位が上になるという逆転現象が起きたからであった。こうなれば、兄をさしおいて兼家が摂関になる望みをもってもおかしくはない。

しかし、翌一一月、兼通は、妹であり天皇の母でもあった安子《あんし》の遺言によって、大納言《だいなごん》を経ずに内大臣《ないだいじん》に昇進して内覧《ないらん》を兼ね、天延《てんえん》二年（九七四）二月には、関白、さらには太政大臣となった（『親信卿記《ちかのぶきょうき》』）。内覧とは、天皇より前に、太政官へ上奏《じょうそう》される文書を内々に見る役職のことである。ふたたび官位が逆転したことになる。兼通は、天延元年に娘の媓子《こうし》を円融に入内させており、彼女はまもなく皇后となった。対する兼家は、娘の超子《ちょうし》を冷泉に娶《めあわ》せ、天延四年には居貞《いやさだ》親王（のちの三《さん》条《じょう》天皇）が生まれている。

『大鏡《おおかがみ》』によれば、貞元《じょうげん》二年（九七七）、兼家は隊列を整え、病で瀕死《ひんし》の兄兼通にかわって関白になろうと内裏《だいり》に向かった。その道すがらに家があった兼通は、自分を見舞いにくると喜んでいると、隊列は素通りしてしまった。激怒した兼通は背負われて参内し、「最後の除目《じもく》」を行なって関白を従《い》兄弟《とこ》の藤原頼忠《よりただ》に譲ったという。真偽のほどは不明だが、二人の仲の悪さはよく知られていた。

同年一一月、兼通は五三歳の生涯を閉じた。兼通が亡くなる直前に、藤原頼忠が関白となり、娘遵子《じゅんし》は円融に入内した。また、兼家の娘詮子《せんし》も円融に入り、懐仁《やすひと》親王（のちの一条《いちじょう》天皇）をもうける。しかし、円融は遵子を皇后とした。円融は、すでに亡くなっていた兼通の娘媓子を皇后としていたこともあり、兼通と敵対関係にあった兼家を押さえ込もうとした可能性がある。だが、兼家には誰よりも恵まれた点があった。娘が皇子をもうけたことだ。兼通・頼忠のいずれもが後宮に娘を入れたが、男子は生まれなかった。この点が、のちに大きな影響を及ぼすことになる。

永観《えいかん》二年（九八四）、円融天皇が位を退くと、師貞親王が即位した。花山《かざん》天皇である。花山は「内おとりの外めでた」と評される。天皇の私生活には困ったことがあったが、公のこと（政治）は、優れていたとの意味である。彼の治世は二年にすぎないが、倹約令、延喜《えんぎ》の荘園整理令以後の新立荘園の停止、武器携行の禁止、京の物価統制・悪銭の流通強制政策、任官の際の豪華な宴会の禁止などを積極的に推進したことは特筆される。治世の初めに綱紀粛正などを命じることを「新制」という。どこまで実効性があったのかは疑問であるが、花山の意気込みには並々ならぬものがあった。

一方、花山の私生活だが、女性関係は派手であった。貴族の娘たちにつぎつぎと手を出し、挙げ句の果てに捨てるということを繰り返した。これが「内おとり」の正体である。だが、花山にも愛した女性がいた。弘徽殿女御《こきでんのにょうご》といわれた藤原為光《ためみつ》の娘忯子《きし》である。当時、女性は妊娠すると、実家に下がって出産の準備をするのが通例であった。彼女もそれにしたがい実家に戻ったが、しだいに健康を害し、ついに寛和《かんな》元年（九八五）七月、身ごもったまま亡くなってしまう。天皇は悲しみにくれ、仏道への関心を深めていった。

ここに目をつけたのが藤原兼家であった。寛和二年六月、兼家は、蔵人《くろうど》で天皇に年齢も近かった息子の道兼《みちかね》と相談し、天皇を出家させる計画を実行に移す。道兼は一緒に出家しようと花山を誘い、ともにこっそりと内裏を抜け出し、山科《やましな》にある元慶《がんぎょう》寺《じ》へ向かった。もちろん、三種神器《さんしゅのじんぎ》は内裏に置いたままである。道兼は、出家する前に自分の姿をもういちど父に見せたいと嘘《うそ》をつき、元慶寺を脱出した。天皇がだまされたと気づいたときはすでに遅く、出家するほかなかったという（『大鏡』）。

この事件は、兼家が娘詮子と円融との子懐仁親王を即位させ、外戚におさまろうとするために仕組んだものだった。

2

◉花山法皇
奔放な性格をもった天皇として知られるが、出家後は和歌や仏教に力を注いだ。『拾遺和《しゅういわ》歌集《かしゅう》』を編纂《へんさん》したといわれ、熊野《くまの》にも詣《もう》でた。

兼家の覇権

花山《かざん》天皇が退位すると、わずか七歳の懐仁《やすひと》親王が即位した。一条《いちじょう》天皇である。藤原兼家《ふじわらのかねいえ》は摂政《せっしょう》となり、居貞《いやさだ》親王（のちの三条《さんじょう》天皇）が皇太子となった。兼家に子が多かったことが幸いしたのだ。

ところで、兼家は摂政の就任と同時に、右大臣《うだいじん》を辞している。当時、彼の上に太政《だいじょう》大臣藤原頼忠《よりただ》、左大臣源雅信《みなもとのまさのぶ》がおり、太政大臣になることができなかった。そのため、律令《りつりょう》制的な官職秩序から離脱し、太皇太后《たいこうたいごう》・皇太后・皇后《こうごう》に準じる准三宮《じゅさんぐう》という新しい肩書きを得ようとしたのであった。

つまり、摂政・関白《かんぱく》は、それまで太政大臣と兼任する原則であったが、ここにおいて、太政大臣・左大臣・右大臣を超える独自の存在として位置づけられるようになった（一座宣旨《いちざのせんじ》）。換言すれば、太政大臣の地位が、相対的に下落したということでもある。また、摂政・関白が、藤原氏の氏長者を兼務する体制も成立した。こうして、摂政・関白は大きな性格変化を遂げた。兼家から始まる新たな摂政制は、以後「寛和《かんな》の例《れい》」として先例化する。

さて、花山天皇の出家事件からもわかるように、兼家にはかなり強引なところがあった。その理由は、生まれつきの性格もあるのだろうが、兄兼通《かねみち》の陰で不遇な時代を送ったこと、そして摂関家の嫡流にほとんどめぼしい人物がいなくなっていたことにも、原因を求められる。

そこで兼家は、自分の子供たちを前例のない早さで出世させた。たとえば、長男道隆《みちたか》の場合、兼家が摂政となった翌月（七月）にそれまで従三位右近衛中将《じゅさんみうこのえのちゅうじょう》（非参議）にすぎなかったにもかかわらず、五日に参議を経ずに権中納言《ごんちゅうなごん》、九日に正三位、二〇日に権大納言、二二日に従二位、二六日に正二位という驚くべきスピードであった。もちろん、三男の道兼《みちかね》、四男の道長《みちなが》、道隆の子伊周《これちか》も例外ではなかった。

しかし、兼家も高齢であり、関白を道隆に譲って、永祚《えいそ》二年（九九〇）七月、六二歳で亡くなった。このままいけば、道長は摂関家の嫡流ではあっても、兄たちの陰に隠れ、表舞台に立つことはなかった。しかし、正暦《しょうりゃく》五年（九九四）の春ごろから、赤斑瘡《あかもがさ》（麻疹《はしか》）が猛威をふるいだした。奈良時代の天然痘《てんねんとう》（痘瘡《とうそう》）とともに、歴史を大きく変えた疫病である。公卿《くぎょう》の半数以上が亡くなり、そのなかには道隆・道兼も含まれていた（道隆は赤斑瘡でない可能性もある）。翌年四月に道隆が亡くなると、道兼が関白を継いだが、わずか一〇日あまりで死去。世にいう「七日関白」である。

藤原道長の栄華

いよいよ藤原道長《ふじわらのみちなが》の登場であるが、彼にはまだ解決しなければならない問題があった。兄道隆《みちたか》の子伊周《これちか》との対決である。それは、直系相続と兄弟相続の対立といいかえることもできる。そもそも、道隆が病気になると、病のあいだだけ内覧《ないらん》を息子の伊周に譲っていたが、道隆が亡くなったあとには、弟の道兼《みちかね》が関白《かんぱく》になってしまった。伊周とすれば、道兼亡きあとは、「今度こそ」と期するところもあっただろう。ところが、五月に道長に内覧宣旨《せんじ》が下され、六月には右大臣《うだいじん》となり、伊周を超えてしまう。『大鏡《おおかがみ》』によれば、姉詮子《せんし》（東三条院《ひがしさんじょういん》）の後押しが功を奏したという。

こうなれば、たとえ叔父《おじ》であっても、否《いな》、近親であればなおさら、憎悪の念が深まるというものだ。七月には、

「右大臣（道長）、内大臣（伊周）と仗座《じょうざ》（陣座《じんのざ》）において口論す。宛《さな》ら闘乱《とうらん》の如《ごと》し」（『小右記《しょうゆうき》』）

とあるように、道長と伊周はけんかのような口論をし、ついに、翌長徳《ちょうとく》二年（九九六）正月、伊周の弟隆家《たかいえ》（のちに刀伊《とい》の入寇《にゅうこう》の際、大宰権帥《だざいのごんのそち》として活躍）が、花山《かざん》法皇の輿《こし》を射るという事件が起こる。伊周が通っていた女性を花山院もねらっていると勘違いしたのだ。また、伊周が東三条院を呪《のろ》っており、邸宅の床下から呪詛《じゅそ》に用いる形代《かたしろ》（呪詛対象者の毛髪や人形を用いる）が見つかったとの噂《うわさ》

が流れた。

さらに決定的だったのは、四月、伊周が法琳寺《ほうりんじ》（京都市伏見《ふしみ》区小来栖《おぐるす》）で、私的に大元帥法《たいげんのほう》を修していることが発覚したことである。大元帥法とは、怨敵《おんてき》・逆臣の調伏《ちょうぶく》や国家安寧《あんねい》を祈る真言大法《しんごんだいほう》で、王権のみが修することができた（第八章参照）。

もはや言い逃れはできない。伊周は大宰権帥、隆家は出雲権守《いずものごんのかみ》に左遷され、道長の勝利が確定した。道隆・伊周の家系を「中関《なかの》白家」というが、あまりにも短い栄華であった。むしろ、自滅といったほうが適切かもしれない。

しかも、長保《ちょうほう》元年（九九九）に一条《いちじょう》天皇に入内した道長の長女彰子《しょうし》が、翌年に中宮《ちゅうぐう》となり、寛弘《かんこう》五年（一〇〇八）に敦成《あつひら》親王（のちの後一条《ごいちじょう》天皇）が、翌年には敦良《あつなが》親王（のちの後朱雀《ごすざく》天皇）が生まれ、道長の外戚の地位も安定した。道隆の娘定子《ていし》が一条の皇后《こうごう》となりながら、道隆の存命中に皇子ができなかったことと比べても、中関白家との明暗がはっきりした。

ところが、寛弘八年六月、一条天皇は三二歳の若さで亡くなってしまう。天皇は、道長に信頼を置きながら、みずからも政

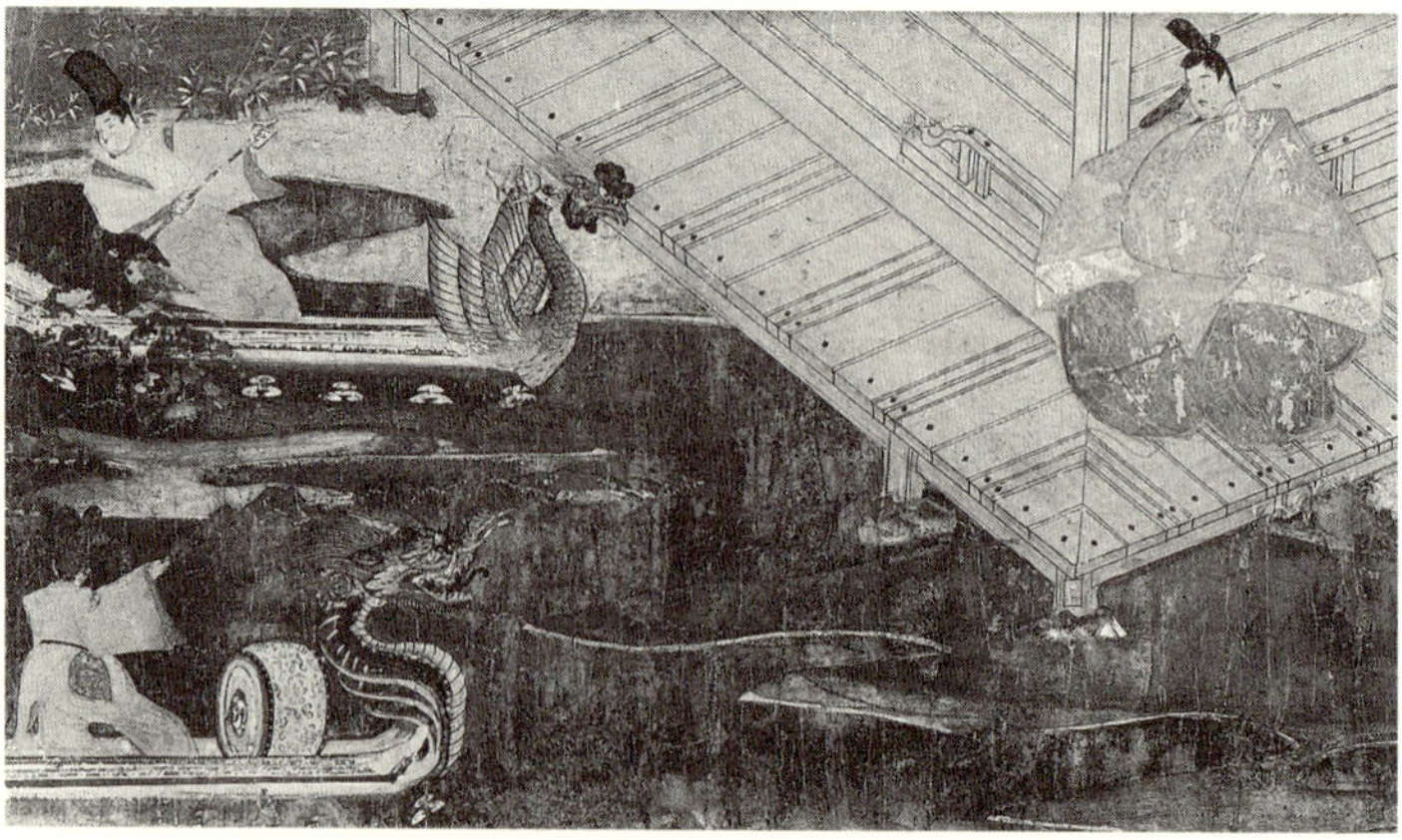
3

◉釣殿に立つ強装束《こわそうぞく》の藤原道長
道長が池に張り出した釣殿《つりどの》の一角で、龍頭鷁首《りゅうとうげきす》の舟を見ている。舟には楽人《がくじん》が乗り、池辺《いけべ》には草木が植えられている。（『紫式部日記絵巻《むらさきしきぶにっきえまき》』）

務に熱心で賢明な天皇だったようで、内裏《だいり》が焼亡した直後には、一一か条にわたる「新制」を下し、綱紀粛正、とくに倹約を旨とすべきことを命じている。後世の日記を読んでいると、一条朝、あるいは彰子の立后《りっこう》や出産に先例を求める記事にしばしば出会う。見習うべき「聖代《せいだい》」として意識されていたのだ。

次いで即位したのが、道長の甥《おい》にあたる三六歳の居貞《いやさだ》親王（三条《さんじょう》天皇）である。そして、一条天皇の譲位と同日、皇太子には敦成親王（のちの後一条天皇）が立った。三条と道長はしばしば対立したが、藤原師尹《もろただ》の孫娍子《せいし》の立后を道長が反対したことで、両者の対立は決定的となる。三条が眼を患っていたこともあり、道長は三条に譲位を迫った。三条は、皇子の敦明《あつあきら》親王の立太子《りったいし》を条件に譲位し、長和《ちょうわ》五年（一〇一六）に九歳の敦成親王が即位する。後一条天皇である。そして、道長が摂政《せっしょう》となった。

ところが、翌寛仁《かんにん》元年（一〇一七）五月、三条上皇が亡くなるとまもなく、敦明親王が突然皇太子を辞退するという事件が起こる。おそらく、敦明にしてみれば、道長と対立した父も亡くなり、孤立無援のなかで、皇太子の地位にとどまることに耐えられなくなったのだろう。その代償として、彼には小一条院《こいちじょういん》の尊号と、太上《だいじょう》天皇に準じる待遇が与えられ、道長の娘寛子《かんし》が嫁した。道長としては、最大限の礼を尽くしたことになる。

二か月前の同年三月、道長は、内大臣《ないだいじん》であった息子の頼通《よりみち》（二六歳）に摂政を譲り、みずからは太政大臣となっていた。さらに、翌寛仁二年二月には、太政大臣も辞してしまう。あたかも政治の第一線から退いたようにみえるが、実際は後一条の外祖父で摂政の父という立場であったから、隠然たる力をもっていたのである。

かわって皇太子には、彰子の子で後一条の弟にあたる敦良親王（のちの後朱雀天皇）が立った。道長はつぎの天皇の外戚の地位も確保したのである。ここに、道長は絶頂のときを迎えた。これが有名な「望月の歌」が詠《よ》まれた背景であった。

「望月の歌」の真相

寛仁《かんにん》二年（一〇一八）一〇月一六日、後一条《ごいちじょう》天皇に入内していた藤原道長《ふじわらのみちなが》の三女威子《いし》が立后《りっこう》の日を迎えた。これより前、一条《いちじょう》天皇に入内《じゅだい》し、敦成《あつひら》（のちの後一条《ごいちじょう》天皇）・敦良《あつなが》親王（のちの後朱雀《ごすざく》天皇）を産んだ長女の彰子《しょうし》は、太皇太后《たいこうたいごう》となっていた。また、三条《さんじょう》天皇に入内した次女の妍子《けんし》は、まさにこの日、皇太后となった。こうして「一家三后」が出現したのである。

ひととおりの儀式が終わったあと、くだけた宴会となった。最初は規則正しく座っていた官人《かんじん》たちも、酒が入るにしたがって座を崩し、酒を注ぎまわる道もなくなった。道長は、大納言《だいなごん》藤原実資《さねすけ》に対し、摂政《せっしょう》の頼通《よりみち》に杯を勧めるよう促した。そして、頼道は左大臣《さだいじん》藤原顕光《あきみつ》へ、顕光は道長へ、道長は右大臣藤原公季《きんすえ》へと杯をまわした。次いで、禄《ろく》（引き出物）が支給され、道長は、「親（道長）が、子（威子）から禄をもらうことがあろうか」と語った。得意の絶頂である。

さらに、道長は実資を招き寄せて、「和歌を詠もうと思うが、あなたも返歌を一首詠んでほしい」

と頼んだ。実資が「どうして詠まないことがありましょうか」と答える。道長は「ちょっと自慢げな歌なんだが、考えてきたものではないのだ」と言いつつ歌を詠んだ。

この世をば　わが世とぞ思う　望月の　欠けたる事も　無しと思えば

（いまのこの世の中は、私のためにある世の中だと思う。満月に欠けたところがないと同じように、自分も何不足のないことを思うと）

実資は、「なんて優美な歌なのでしょう。返歌をつくることもできません。皆の者と一緒にこの歌をうたいましょう。（中国の故事に）元稹《げんしん》の菊の詩があまりにすばらしかったので、白《はく》居易《きょい》は詩を返さず、深く賞嘆し、一日中繰り返しうたっていたといいます」と答え、公卿たちは実資の言葉にしたがって数回うたった。元稹と白居易は「元白《げんぱく》」と称され、当時の日本でももっとも尊崇を集めた詩人であった。道長は、実資が返歌を詠ま

4

◉貴族の宴
藤原頼通邸の様子。貴族たちが裾《きょ》を高欄《こうらん》に掛けて、きらびやかに装う。池には楽人が乗った舟が浮かび、周辺には花をつけた木々が見える。（『駒競行幸絵巻《こまくらべぎょうこうえまき》』）

なかったことをとくに責めなかった。
あまりにも有名な『小右記《しょうゆうき》』の逸話で、「道長の栄華」として高校の教科書に原文が載っているほどである。文字どおり解釈すれば、実資は道長の歌がすばらしすぎて、返歌を詠めなかったということになる。しかし、実資の性格を考慮すれば、まったく別の解釈も成り立つ。

そもそも実資は、藤原実頼《さねより》を祖とする小野宮家《おののみやけ》の嫡流で、家柄としては道長に勝るとも劣らない。ところが、官位・官職はつねに道長の後塵《こうじん》を拝し、道長に対して批判的な言動や態度をとってきた。たとえば、三条天皇の皇后に娍子《せいし》が立后する際、多くの公卿《くぎょう》は同日に行なわれた道長の次女妍子《けんし》の参内をはばかって参列しなかったが、実資は五人の公卿《くぎょう》のひとりとして、立后の儀にしぶしぶではあるが参加している。

また、現在、われわれは摂関期全盛の政治史や儀礼をかなり詳細に知ることができるが、それは、実資が一〇世紀後半から一一世紀前半にかけて、五〇年間近くも日記『小右記』をつけてくれた功績である。

こうした実資の人柄を考慮すれば、「道長の歌がすばらしすぎたので、返歌をつくることもできません」との言動は、うつろに響かないだろうか。実資は和歌があまり得意ではなかったが、「こんな下手《へた》な和歌に合

5

●東三条殿模型
藤原良房から摂関家に伝わり、藤原兼家は東三条殿、一条天皇の母藤原詮子は東三条院と名のった。

わせるような返歌をつくれるわけはない。しかし、露骨に反発もできないから、ごまかしておこう」との解釈もありえる。これだけはっきりと自慢した和歌はめずらしい。むしろ、実資は、「道長の鼻もちならない振る舞いを、中国の故事を逆手にとって、やり返したのだ」という点を強調するために、この記事を書き残した可能性も十分に考えられるのではなかろうか。

ちなみに、当の道長の日記『御堂関白記《みどうかんぱくき》』には、「此《ここ》において、余《よ》、和歌を読む。人々之《これ》を詠ず」とあるのみで、まことに素っ気ない書きぶりである。当時、左少弁《さしょうべん》であった源経頼《つねより》の日記『左経記《さけいき》』にも、この一件は記されていない。ことによると、道長もほんの座興として和歌を詠んだにすぎなかったにもかかわらず、実資がことさら手柄話として強調した可能性すら考えられる。

じつは、日記を読む醍醐味《だいごみ》と恐ろしさは、この点にこそある。会話が文章化されると、その場面のニュアンスが伝わりにくくなる。それだけに、どのような心理状態で、その会話や行動がとられたのかという点を推測することも、歴史学では重要な作業なのである。

藤原道長の結婚と出産

藤原道長《ふじわらのみちなが》が結婚したのは、永延《えいえん》元年（九八七）のことであった。相手は倫子《りんし》。左大臣源雅信《みなもとのまさのぶ》（父は宇多《うだ》天皇の子敦実《あつざね》親王）の娘である。のちの歴史を知っている者からすれば、倫子にとって願ってもない結婚と映るかもしれないが、道長は当時、二二歳で従三位《じゅさんみ》、まだ公卿《くぎょう》でもなかった。しかも、兄に道隆《みちたか》・道兼《みちかね》、道隆の子に伊周《これちか》がおり、摂関家の一員ではあっても、権力を握る可能性はほとんどなかった。だから、倫子の父は最初、道長との結婚に猛反対であった。

一方の倫子は、左大臣家の正妻の子で、天皇に輿入《こしい》れできる資格ももっていた。唯一の弱点は彼女が二四歳だったことである。当時、一条《いちじょう》天皇は八歳、のちに道長と敵対することになる皇太子居貞《いやさだ》親王（のちの三条《さんじょう》天皇）も一二歳。当時の女性は一二、三歳で結婚したから、彼女は結婚適齢期を過ぎていた。倫子の母穆子《ぼくし》は、祭り見物の折、道長の容貌《ようぼう》が人並み優れていたので、夫を説得し結婚させたと『栄花《えいが》物語』は記している。

そもそも摂関期では、天皇の母（母后）が天皇や摂関に対して大きな発言権をもっていた。たとえば、幼少の天皇が即位する際には、天皇とともに高御座《たかみくら》に登ったし、寛仁《かんにん》二年（一〇一八）七月、太皇太后彰子《たいこうたいごうしょうし》（後一条《ごいちじょう》天皇の母で、道長の娘）は、威子《いし》の立后《りっこう》を早く行なうように、道長に提案している。母后は、特別な立場から幼少の天皇や摂政を補佐していたのだ。母の力の大きさをうかがうことができる。

6

◉**結婚の成立を披露する露顕《ところあらわし》**
男性が女性のもとに通いはじめて三日目に行なう儀式。婿《むこ》を親戚などに披露し、餅を新婚夫婦に食べさせて夫婦の長久を願う（三日の餅）。（『源氏物語絵巻』宿木《やどりぎ》）

当時の恋愛は、男性が和歌を女性に届け、それをきっかけに和歌の贈答が始まるのが一般的であった。つまり、和歌がうまく詠めなければ、女性とも交際できないことを意味した。男性は、自然、和歌の道にいそしむことになる。だが、女性にその気がない場合には、やんわりと和歌で断わられる。とはいえ、女性にその気があっても、すぐには承諾の意志を表わさず、じらす場合もある。そのあたりを見極めてうまく対処するのは、今も昔も男の腕の見せどころである。道長の場合は、父兼家《かねいえ》が倫子の両親に申し込んだようだ。

婚礼の儀が終わると、道長は土御門第《つちみかどてい》で妻の両親と同居した。この邸宅は、右大臣藤原定方《さだかた》（醍醐《だいご》天皇の母の兄弟）が子の朝忠《あさただ》に譲り、朝忠の娘穆子が源雅信と結婚し伝領したことが判明している。のちには道長と倫子の子彰子《しょうし》が受け継ぐことになる。邸宅は、そのすべてが女性によって伝領されたわけではないが、そうした例も少なくなかった。

ただし、生涯にわたって、妻の両親と同居したわけではない。しばらくのあいだ同居するが、娘夫婦の生活が軌道に乗りはじめると、別居することが多かった。道長の場合も、のちに妻の両親は残りの子供たちを連れて、隣り合った一条邸に引っ越している。ただし、娘夫婦が居を移す場合もあり、どちらが引っ越すのかは場合によって異なった。いずれにせよ、二世代が同居するという居住形態は、この時期にはまだ現われていなかった。こうした状態が生まれるのは、家父長がイエのなかでさらに力をもつようになる院政期ごろからのことである。

また、当時の婚姻は、「女性が承諾すると、男性が女性のもとに通う」と説明される場合が多い。しかし、正妻の場合には、最初から同居する場合がある。男性が女性のもとに通うのは、二番目以降の妻や妾《しょう》であることが多い。

正妻と妾の地位

正妻と妾《しょう》の地位は、どのようなものだったのだろうか。藤原道長《ふじわらのみちなが》の場合、倫子《りんし》とは別に明子《めいし》という女性がいた。父は安和《あんな》の変《へん》（九六九年）で左遷された源高明《みなもとのたかあきら》である。もともとは、道長の姉で円《えん》融《ゆう》天皇の女御《にょうご》（一条《いちじょう》天皇の母）であった詮子《せんし》に仕える女房《にょうぼう》であったと思われる。しかし、倫子と明子には厳然とした待遇の差があった。たとえば『小右記《しょうゆうき》』では、倫子のことを「北方《きたのかた》」（正妻の呼び方）、明子を居住地にちなんで「高松殿《たかまつどの》」と書き分けている。あくまで、明子は妾にすぎなかった。

この待遇の差は、生まれた子供にも適用された。倫子からは頼通《よりみち》・教通《のりみち》など摂関《せっかん》を継ぐ男子、彰《しょ》子《うし》以下、天皇の中宮《ちゅうぐう》などになる女子が生まれたが、明子の子は、男女ともに倫子の子の地位には遠くおよばなかった。

たとえば長保《ちょうほう》三年（一〇〇一）一〇月、詮子の四〇歳の祝賀が行なわれることになり、頼通（一〇歳）と明子の子頼宗《よりむね》（九歳）が、一条天皇や居並ぶ公卿《くぎょう》の前で舞を披露した。両者ともにすばらしい出来だったが、とくに「納蘇利《なそり》」を舞った頼宗の評判がよく、涙を流す者さえいたという。そこで天皇は、頼宗の舞の師匠多吉茂《おおのよしもち》に、賞として位を授けた。ところが、突然、道長が宴席を立ってしまう。

藤原実資《さねすけ》によれば、頼通は中宮彰子の父（道長）の「当腹

藤原道長の婚姻関係

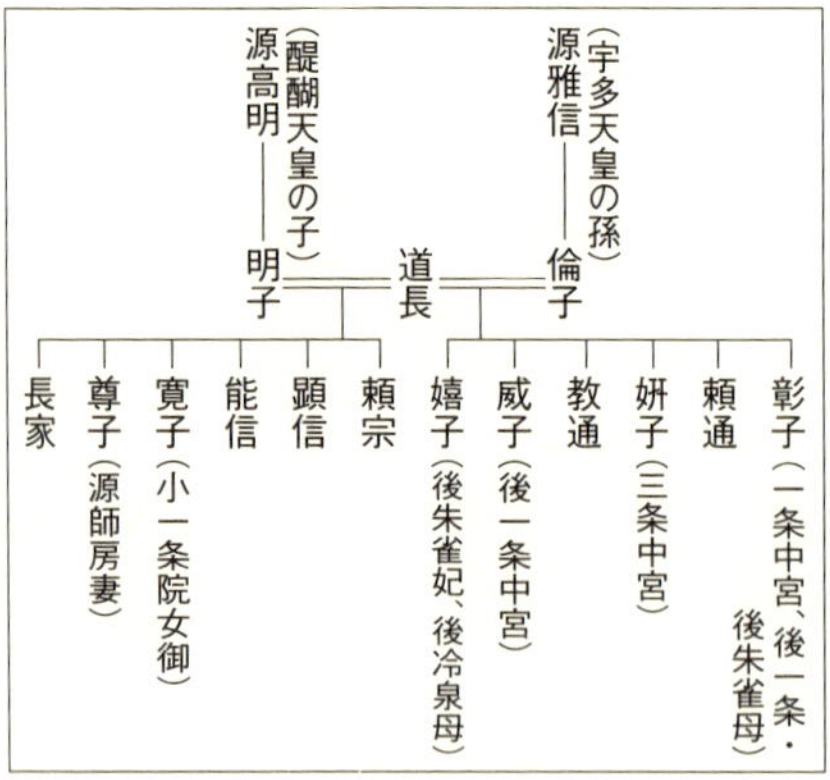

（正妻）の長子」であったのに対し、頼宗は「外腹（妾）の子」にすぎないからであった。一般的に、妻の地位によって、子供の立場も決められたといえる。のちに頼通・教通と、頼宗たち明子の子は対立するのだが、その原因は母親の「格差」にも求められる。

さて、のちに北条政子《ほうじょうまさこ》が源頼朝《よりとも》の妾の家を襲撃させたことはよく知られ、政子の嫉妬《しっと》深さと負けん気の強さとして説明される場合が多い。しかし、こうした行為は、すでに平安時代にも起こっていた。源兼業《かねなり》の未亡人の家に大中臣輔親《おおなかとみのすけちか》という者が住み着いていたが、寛弘《かんこう》七年（一〇一〇）二月、藤原教通の乳母内蔵命婦《めのとくらのみょうぶ》が、教通家の下人などを使って未亡人の家を襲わせた。輔親の本妻である内蔵命婦の、嫉妬による行動だった。

こうした行為を「うわなり打ち」という。「うわなり」とは以前からあるものに、さらに加えるという意味。つまり、先妻が後妻を打ちのめすということである。もちろん、妻と妾が同居し、表面上はつつがなく暮らしている場合も少なくないが、激しい行動に出る者もいたのだ。

死をかけた出産

結婚生活を送るうちに妊娠する。いまでこそ、妊娠・出産で亡くなる確率は低くなったが、古代、否《いな》、数十年前までは、生命をかけた一大事であった。近代小説、たとえば伊藤左千夫《いとうさちお》『野菊の墓』の民子《たみこ》のように、多くの女性が産後の肥立《ひだ》ちが悪くて落命した。

『源氏物語《げんじものがたり》』でいえば、紫《むらさき》の上《うえ》が当てはまる。それは、産科術の未熟さもあったが、結婚年齢にも原因があった。当時、一二歳から一四歳の女性が成人する儀礼として、裳《も》をつける「裳着《もぎ》」があり、この儀が終わると結婚が可能となる。結婚してまもなく出産する場合も多く、難産になる可能性が大きかった。また、立て続けに妊娠・出産（流産）を繰り返すことも多く、母体に負担をかけることが少なくなかった。

そこで出産に際しては、数々の呪術《じゅじゅつ》がなされた。当時は座産《ざさん》であり、産婆《さんば》役の女性が後ろから抱きかかえるように介助したが、その多くは巫女《みこ》であった。また、験力《げんりき》に優れた僧侶や陰陽師《おんようじ》が読経《どきょう》や祈禱《きとう》を行ない、産室の内外では鳴弦《めいげん》が行なわれた。鳴弦とは、悪鬼《あっき》が近づかないように、滝口武士《たきぐちのぶし》など名だたる武士が弓弦《ゆみづる》を鳴らす行為である。

また、『餓鬼草紙《がきぞうし》』では、女房《にょうぼう》たちが甑《こしき》（米を蒸す砲弾型の土器、現在の蒸籠《せいろう》にあたる）やかわらけ（土製の皿など）を割っている場面がみられる。これは「甑落とし」とも呼ばれ、甑を女性器（子宮と産道）に見立て、それを割ることによって、出産や後産《あとざん》が滞りなく行なわれることを祈ったと思われる。

7

●貴族の出産
奥の間では女房に後ろから抱えられ、いまにも出産しそうな様子。その前では巫女が祈りを捧げ、簀子《すのこ》の上では魔除《まよ》けの鳴弦、庭では陰陽師が机を置いて祭文《さいもん》を読み上げている。（『北野天神縁起絵巻《きたのてんじんえんぎえまき》』）

子供が生まれると、上流貴族の場合は、母親が直接養育せず、同時期に子供をもった女性が、乳母《めのと》となって養育した。乳母は奈良時代以前からみられるが、一般的になるのは一〇世紀以降である。そして、しだいに社会的地位も高まり、天皇の乳母の場合、即位とともに高い位階《いかい》・官職が与えられるようになる。したがって清少納言《せいしょうなごん》は、「うらやましいもの」として、天皇や東宮《とうぐう》の御乳母をあげている。皇室関係者や上流貴族に子供ができると、乳母のなり手が殺到したというのもよく理解できる。院政期以降、乳母の力は、じつの父母に勝るとも劣らないものになる。

御堂流の没落

藤原道長《ふじわらのみちなが》の三女威子《いし》の立后《りっこう》後も、治安《じあん》元年（一〇二一）には道長の四女嬉子《きし》が敦良《あつなが》親王（のちの後朱雀《ごすざく》天皇）に入内《じゅだい》し、親仁《ちかひと》親王（のちの後冷泉《ごれいぜい》天皇）を産むなど、道長の家系（御堂《みどう》流）はますます安定した。ところが、万寿《まんじゅ》四年（一〇二七）一二月、道長は背中に腫《は》れ物をつくり、治療のかいもなく六二歳で亡くなってしまう。阿弥陀如来《あみだにょらい》につないだ糸を握り、極楽《ごくらく》往生《おうじょう》を願ったという。死因は糖尿病《とうにょうびょう》ではなかったか

藤原氏と天皇関係図

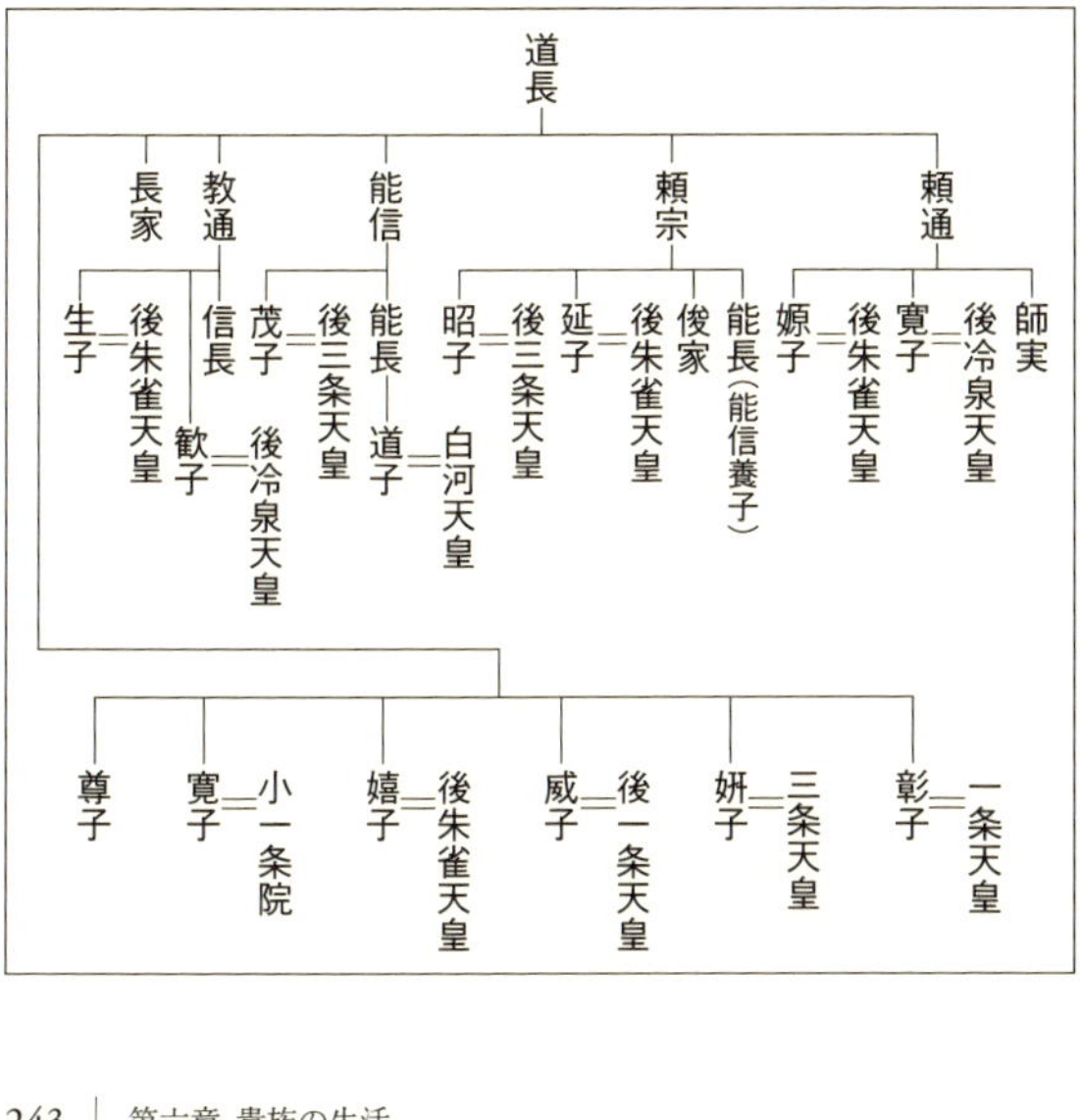

と推測される。

道長亡きあとも、嫡男頼通《よりみち》の地位は安定していた。以後、彼は治暦《じりやく》三年（一〇六七）に摂政《せっしょう》を辞するまで、半世紀近くもその地位にとどまった。しかし、彼は子供に恵まれなかった。そこで、養女を後朱雀天皇の中宮《ちゅうぐう》としたが、女子のみで男子は生まれず、中宮は長暦《ちょうりやく》三年（一〇三九）に亡くなる。また、後朱雀のもとには、頼通の弟教通《のりみち》の娘生子《せいし》、同じく頼通の弟頼宗《よりむね》の娘延子《えんし》を入内《じゅだい》させるが、男の子は生まれなかった。こうしたなか、後朱雀と禎子《ていし》内親王（道長の娘妍子《けんし》と三条《さんじょう》天皇の子）とのあいだに、長元《ちょうげん》七年（一〇三四）、尊仁《たかひと》親王（のちの後三条《ごさんじょう》天皇）が生まれた。この親王の誕生が、のちの歴史に大きな影響を与えることになる。

寛徳《かんとく》二年（一〇四五）、後朱雀天皇が退き、親仁《ちかひと》親王が即位する。後冷泉《ごれいぜい》天皇である。彼には教通の娘歓子《かんし》が入内したが、皇子を死産する。また、頼通の娘寛子《かんし》も入内したが、やはり皇子は生まれなかった。こうして藤原氏の外戚《がいせき》は途絶え、尊仁親王が立太子したのだった。

治暦《じりやく》四年（一〇六八）、後冷泉天皇が亡くなると、二〇年以上も皇太子の地位にあった尊仁親王が即位し、後三条天皇となる。摂関家の娘たちに皇子が生まれていたならば、尊仁は立太子すらできたかどうかわからず、まして即位する可能性はほとんどなかったであろう。彼は、幸運な星の下に生まれたのだ。関白《かんぱく》職は、その前年に頼通が退き、教通が関白となっていた。この時期には、たびたび荘園整理令が下され、後三条天皇による延久《えんきゅう》の荘園整理令の発布と記録荘園券契所《きろくしょうえんけいけいじょ》の設置へと引き継がれていく。

政務と儀式

天皇・貴族と政務

律令《りつりょう》制本来の政務のあり方は、天皇が大極殿《だいごくでん》に出御《しゅつぎょ》し、諸司や諸国の政務報告を聞き、決裁するというものだった。これを朝政《ちょうせい》という。毎朝、諸司の官人《かんじん》は、朝堂院《ちょうどういん》にある暉章堂《きしょうどう》という建物に赴き、決裁を受ける案件を弁官《べんかん》に報告した。弁官とは、政務処理を担当した太政官《だいじょうかん》の一員である。

弁官は、暉章堂で文書を作成したり、書き直しをさせたりして文書を調えた。彼らは、その文書を持って含章堂《がんしょうどう》に行き、大《だい》納《な》言《ごん》（令外官《りょうげのかん》の参議《さんぎ》・中納言も含む）に報告し、さらに昌福堂《しょうふくどう》に出向いて左右大臣に決裁を仰いだ。大臣は案件がそれほど重大でなければそのまま裁定したが、重要な案件の場合は、大極殿に赴いて天皇に裁可を求めた。

ところが、天皇が大極殿に出御せず、もともと天皇の私的な空間であった内裏《だいり》にとどまるようになると、議政官《ぎせいかん》（公卿《くぎょう》）たちも朝堂を離れ、日常的に内裏の中にある紫《し》宸殿《しんでん》（南《な》殿《でん》）に出

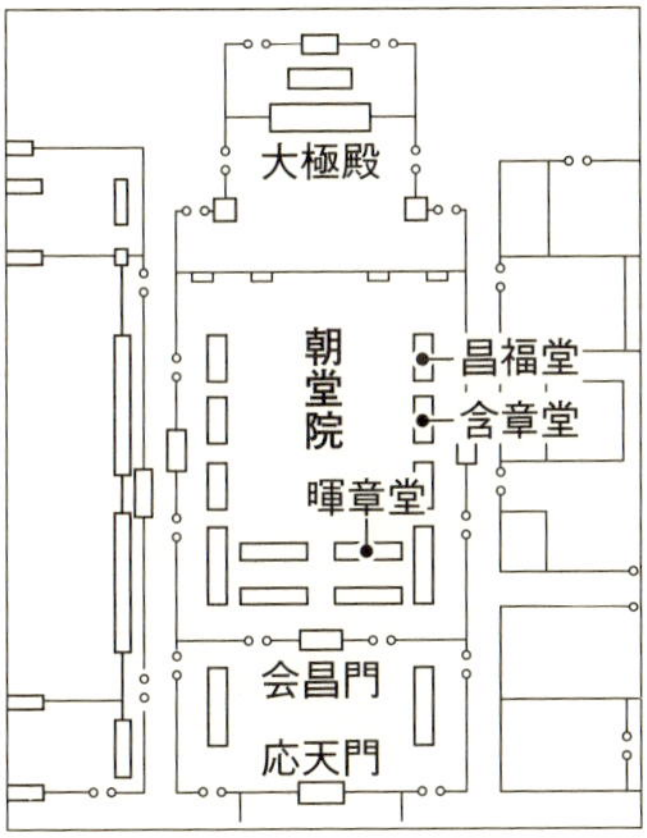

◉大極殿と朝堂院
律令制下では、官人が朝堂院で執務し、天皇が大極殿に出御したが、しだいに元日朝賀などの特定の儀式にしか使用されなくなる。

仕するようになる。この象徴的な事例が、延暦《えんりやく》一一年（七九二）に、朝堂および内裏への上日《じようじつ》（出勤日）を併せて、公卿の上日と見なすようになったことである（『類聚符宣抄《るいじゆうふせんしよう》』）。長岡京《ながおかきよう》段階において、すでに内裏が政務の場所になっていたのである。しかも、内裏での朝政さえもしだいに行なわれなくなった。承和《じようわ》年間（八三四〜八四八）、仁明《にんみよう》天皇は、毎日紫宸殿に出て政務報告を聞いたが、文徳《もんとく》天皇の治世には途絶えていたという。

朝政にかわって、毎月の一日・一一日・一六日・二一日に、天皇が紫宸殿に出御して行なわれる旬政《しゆんせい》が現われた。しかし、これもしだいに行なわれず儀式的になり、一〇世紀には、四月一日と一〇月一日の二孟朔《にもうさく》にだけ、形式的に行なわれるようになった。

一方、太政官が独自で行なう二系統の政務もあった。「政《せい》」と「定《さだめ》」である。平安宮《へいあんきゆう》には朝堂院の東側に太政官曹司庁《ぞうしちよう》（弁官曹司）という太政官の詰所《つめしよ》があり、弁官が控えていた。弁官は、諸司や諸国からの上申事項を受け付け、受理されると公卿に上申する。これを公卿聴政（官政とも）と呼ぶ。

だが、公卿が内裏に伺候《しこう》するようになると、太政官曹司庁ではなく、より内裏の近くに位置し、外記《げき》の詰所であった太政官候庁《こうちよう》（外記庁《げき》）で政務が行なわれるようになった。これを外記政という。外記政は、弘仁《こうにん》一三年（八二二）に、公卿聴政の略儀として成立したと考えられている。

さて、外記政が終わると、公卿たちは、太政官候庁の南にあった侍従所《じじゆうしよ》（南所《なんじよ》）に移り、食事をとった。その後、南所申文《もうしぶみ》と呼ばれる政務を行ない、自分たちで判断してよい案件か、天皇に奏上《そうじよう》する必要がある案件なのかをより分けた。

南所申文で扱われる申文は、あらかじめ外記庁の南舎《なんしゃ》で行なわれた結政《かたなし》を経たものが選ばれた。結政とは、諸司・諸国が上申した案件のなかで、公卿に諮《はか》るものと弁官・史《し》が独自に定めるものを峻別《しゅんべつ》する政務である。

南所申文・外記政で処理できず、天皇の裁可が必要と判断された案件は、大臣によって奏上された。これを官奏《かんそう》という。要するに、決裁区分を決めるために、いくつもの政務が開かれたというわけである。

一方、南所申文は外記政と連動していたから、九世紀後半以降、外記政がしだいに開かれなくなると、南所申文自体も回数が減ってきた。そこで、南所申文にかわって、外記政と連動せず、左《さ》近衛《このえ》府《ふ》の陣座《じんのざ》で行なわれる陣申文が開催されるようになった。

以上のように、政務の中心にはつねに天皇がおり、太政官が大きな機能をもっていたのである。平安時代になると、天皇の権威は低下し、摂関のイエが権力をもったとする見解（政所《まんどころ》政治論）もあったが、現在では否定されている。

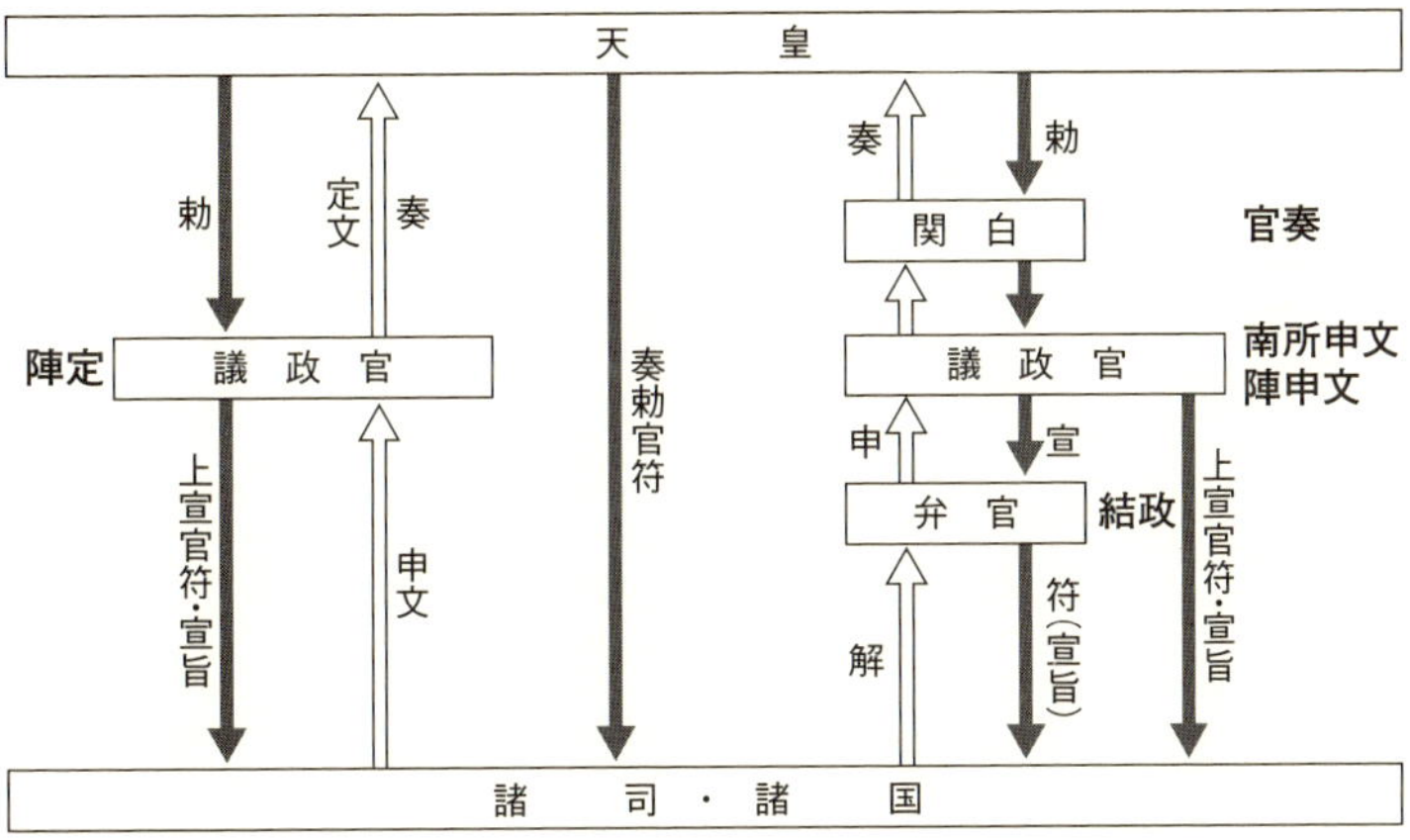

◉太政官の政務
上申された案件を誰が（諸司か公卿か天皇か）決裁するのかを明確にし、それぞれに適合した合議体に諮り、重要案件は天皇に奏上された。

陣定の意味

「政《せい》」と並ぶもうひとつの政務が「定《さだめ》」で、その代表的なものが陣定《じんのさだめ》（あるいは仗議《じょうぎ》）と呼ばれた合議である。摂関期になると、陣定は、受領《ずりょう》統制や対外関係など、国家の根幹にかかわる幅広い案件を処理するようになり、国政運営になくてはならない存在になった。

その手続きは、以下のように進む。まず、上卿《しょうけい》（儀式を取りしきる公《く》卿《ぎょう》）が、外記《げき》を通して開催を知らせる。あらかじめ案件がわかる場合には、弁官《べんかん》・外記などに先例を調べさせておく。陣定の当日、参加する公卿が着座すると、上卿が案件に関する文書を回覧させ、参議《さんぎ》で弁官を兼ねた公卿が読み上げる。それに対して、身分が低い者から意見を述べ（当初は、上位の者から）、参議兼大弁《だいべん》が書き留める（定文《さだめぶみ》という）。意見は一致させる必要はなく、蔵人《くろうど》が奏上《そうじょう》し、天皇の裁可を求めた。

具体的な例として、寛弘《かんこう》二年（一〇〇五）四月一四日の陣定をあげる。当日は、藤原道長《ふじわらのみちなが》をはじめ、九人の公卿が出席した。この日の定文は、たいへんめずらしいことに現存している（『平安遺文《へいあんいぶん》』）。その理由は、この文書を書いた人物が、藤原行成《ゆきなり》であったからだ。彼は三蹟《さんせき》のひとりとしても名高く、書風は世尊寺《せそんじ》流と呼ばれ、一世を風靡《ふうび》した。

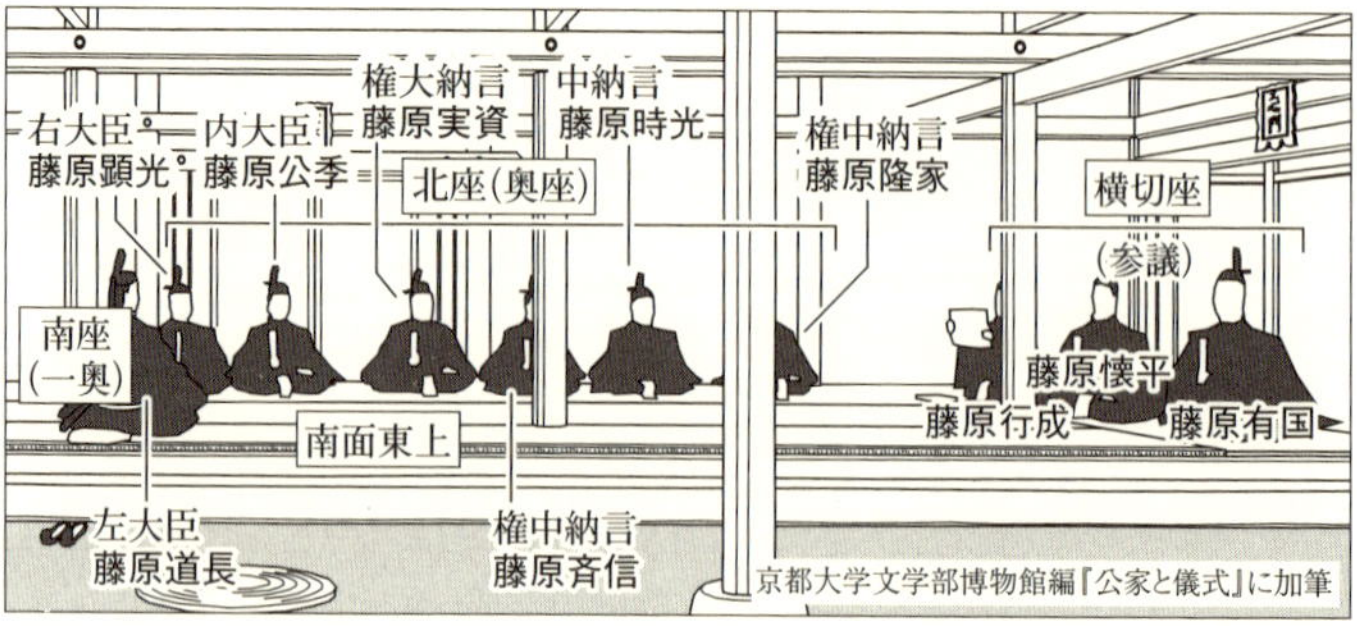

◉陣定復元図
寛弘二年四月一四日の陣定。出席した公卿は、左大臣藤原道長、権《ごん》大納《だいな》言《ごん》藤原実資《さねすけ》など九人。定文の書き手は参議兼右大弁藤原行成。

議案は、大宰大弐藤原高遠《だざいのだいにふじわらのたかとう》、上野介橘忠範《こうずけのすけたちばなのただのり》、加賀守《かがのかみ》藤原兼親《かねちか》、因幡《いなば》守橘行平《ゆきひら》らが申請した諸国申請雑事で、公卿が全員一致で賛成した案件は、「左大臣（藤原道長《みちなが》）・右大臣（藤原顕光《あきみつ》）…右大弁藤原朝臣《あそん》（藤原行成）等定め申して云《い》わく」として統一見解を示し、反対者がいる場合には、公卿ごとに意見を書き分けて奏上《そうじょう》された。諸国申請雑事とは、国司が任期の初めにあらかじめ懸案事項を申請し、許可を得ておくことである。

陣定の意義については、異なった意見がある。つまり、公卿の自立的機能を重視するのか、それとも陣定の開催以前に案件についての根まわしがあり、陣定は形式的な合議にすぎないというのか、研究者でも意見が分かれている。ここでは、天皇が出御しない陣定は、あくまで略儀であるという点を確認しておきたい。その証拠に、重大な事件、たとえば平将門《たいらのまさかど》の乱《らん》や藤原純友《すみとも》の乱が起きた際には直接天皇が出御《しゅつぎょ》し、面前で合議が行なわれたし、院政期には御前《ごぜん》会議（公卿僉議《くぎょうせんぎ》）が復活する。

一方、唐《とう》・宋《そう》代の中国では、時期的変化や皇帝の資質によって多寡《たか》はあったものの、延英殿《えんえいでん》などで数日ごとに皇帝と宰相《さいしょう》が直接会議を開いていた。それに比べれば、幼帝の問題があったにしろ、日本の場合、明らかに緊張感を欠いているといわざるをえない。天皇が直接政務をみず、しかも物《もの》忌《いみ》・病気・ケガレなどと称して政務を休む公卿も多く、流会になることも少なくなかったのだ。

日中の合議制が相違する理由をひとことで言うのは難しいが、やはり日本では、対外的危機、そして大きな内乱が少なかったことが原因であろう。その意味で、日本の政務はかなり略式化していたということができる。

儀式の重要性

儀式と聞くと、堅苦しく、無意味な行為を繰り返すというイメージがあるかもしれない。たしかに一面ではものの真実をついた考え方である。しかし、同じ行為を繰り返すということは、「刷り込み効果」がある。たとえば、毎年、正月朔日《さくじつ》に京官《きようかん》・外《げ》官《かん》（地方官）全員が天皇を拝礼する「元日朝《がんじつちよう》賀《が》」という儀式があったが、これは無意識のうちに、天皇との君臣関係や上下秩序を再確認させる意味があった。当時にあっては、「儀式は政治」であった。もともとの儀式成立には、こうした儒教《じゆきよう》的思想が大きな影響を与えたと思われる。

奈良時代の儀式については、『続日本紀《しよくにほんぎ》』が多くを語らないため、不明な部分が多い。しかし、天《てん》平《ぴよう》七年（七三五）に帰国した下道真備《しもつみちのまきび》（吉備《きび》真備）が唐礼《とうれい》一三〇巻（『顕慶礼《けんけいれい》』か）を携えてきたことがきっかけとなり、唐の儀式が大いに取り入れられることになったようだ。

嵯峨《さが》天皇は、唐風文化の影響もあり、積極的に儀式の整備を行ない、弘仁《こうにん》九年（八一八）に『内裏《だいり》儀《ぎ》式《しき》』、弘仁一二年には『内裏《だいり》式《しき》』を編纂《へんさん》する。次いで貞観《じようがん》一〇年（八六八）過ぎには、『貞観儀式』が編纂された。現存する『儀式』がそれにあたると思われるが、後世の手が加えられている。

宮中儀式のひとつの到達点が、仁和《にんな》元年（八八五）、清涼殿《せいりようでん》の「殿上《てんじよう》の間《ま》」の入り口に立てられた「年中行事御障子文《ねんじゆうぎようじみしようじぶみ》」である。現存するものは後世の手が加えられているが、儀式が政務の中心になったことをよく示している。以後、村上《むらかみ》天皇の命による『清涼記』『新儀式』などもつくられた。

しかし、これらの儀式書には、儀式での「一挙手一投足」までは規定されず、大まかな流れが記されているにすぎない。ところが一〇世紀なかばを過ぎ、貴族のイエが成立すると、それぞれのイエごとに独自の儀式作法が生まれた。「年中行事御障子文」に独自の手を加えた、藤原師輔《ふじわらのもろすけ》『九条《くじょう》年中行事』、藤原実資《さねすけ》『小《お》野宮《ののみや》年中行事』などである。

さらに、それらの流儀を集大成した私撰の儀式書が編纂されるようになった。一〇世紀末の源《みなもとの》高明《たかあきら》『西宮記《さいきゅうき》』、一一世紀初頭の藤原公任《きんとう》『北山抄《ほくざんしょう》』、一二世紀初めの大江匡房《おおえのまさふさ》『江家次第《ごうけしだい》』などである。平安中期以降の日本では、儀式に通じていない者は「愚か者」のレッテルが貼《は》られた。つい最近まで、日本では「儀式は政治」という考え方があったが、それは少なくとも平安時代にまでさかのぼるのである。

日記が書かれた理由

儀式と関連して、天皇や貴族は日記を書くようになった。京都の近衛家《このえけ》には、藤原道長《ふじわらのみちなが》の自筆の日記『御堂関白記《みどうかんぱくき》』が伝存している。諸外国と比べても、一〇〇〇年も前の、しかも自筆の日記が残っていること自体、きわめてめずらしいのではないか。それでは、なぜ、日記が書かれ、伝世されたのだろうか。

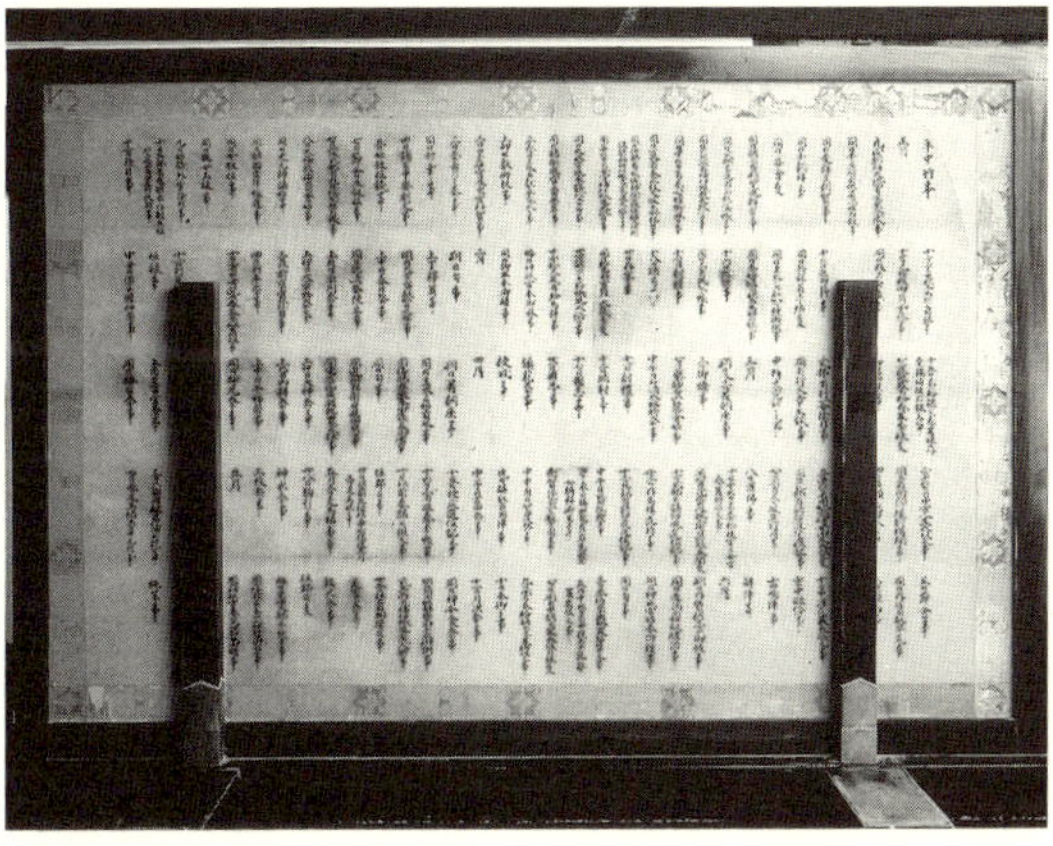
8

◉「年中行事御障子文」
両面に年中行事の名称が書かれた衝立障子《ついたてしょうじ》。現存するが、最初に立てられた仁和元年以降の行事も追記されている。

『九条殿遺誡《くじょうどのゆいかい》』には、つぎのようにある。

「朝起きたら、具注暦《ぐちゅうれき》を見て、その日の吉凶を知り、年中行事はその暦に書き付けよ。…昨日の政務や私的でも重要なことは、備忘《びぼう》のためにその暦に書き付けよ。ただし、重要な政務と天皇や父親のことなどは別に記して、将来のために備えよ」

ここには、日記の記し方や目的が的確に語られている。この史料からもわかるように、初期の日記は『御堂関白記』をはじめとして、具注暦《ぐちゅうれき》の余白や裏（紙背《しはい》）に書かれた。

また、現在の日記は、ブログなど一部例外を除けば、基本的に公開することを前提としていない。しかし、平安時代の日記は、のちに自分で見たり、他人（多くは子孫）に見せることもあった。否《いな》、見せるために書かれたのだ。したがって、火事などの理由で日記が消失すると、貴族たちは他家から日記を借り求め、必死になって書き写した。また、貴族や官人《かんじん》たちは、「文車《ふぐるま》」という移動式書庫を所有しており、必要があれば移動させて、火災から日記や文書を守ろうとした。なんとも涙ぐましい努力ではあるまいか。

当時の社会では先例が重視されたため、日々の作法を記録し、備忘録にするとともに、先例を子孫に伝えるために日記が書かれたのである。しかも、小野宮《おののみや》流、九条家流など、儀式はイエごとに異なるため、その詳細を伝えることは、イエのプライドをかけた重要な仕事でもあった。

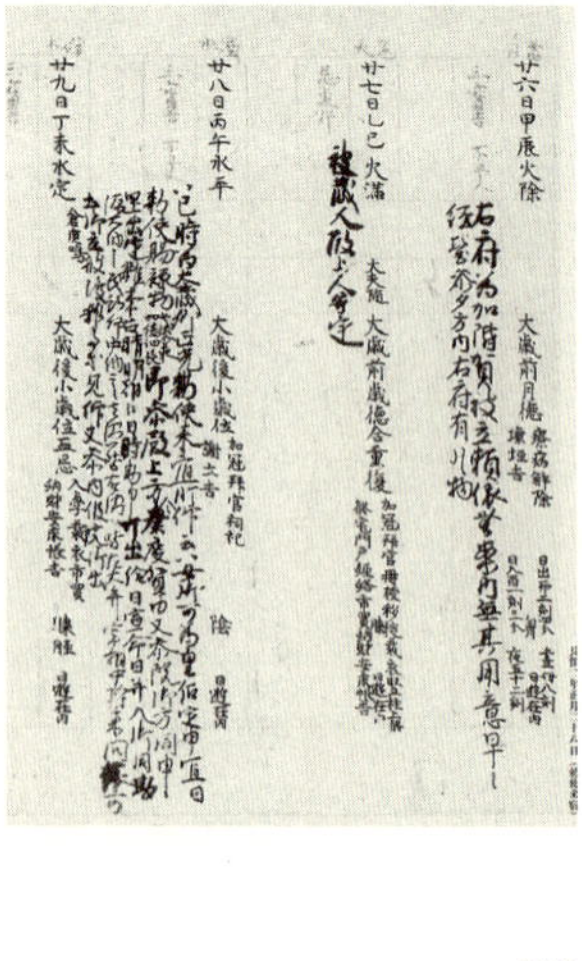
9

◉『御堂関白記』
長徳《ちょうとく》四年〜治安《じあん》元年（九九八〜一〇二一）に至る藤原道長の日記。具注暦に記された自筆の一四巻が伝存する。

現代人が当時の日記を見ても、『宇多天皇日記《うだてんのうにっき》』など一部を除けば、自分の気持ちを素直に表わした部分は少なく、日々の儀式ばかりで起伏がなく、あまりおもしろいとは感じない。その理由は、以上の点に求められるのである。

さて、先例を日記に求めようとすると、膨大な数の日記を通読して、必要部分を書き抜かねばならない。それではあまりにも手間がかかりすぎる。そこで発明されたのが、「部類記《ぶるいき》」である。これは、行事や出来事別に日記を分類したもので、たとえばお産関係の記事を各種の日記から抜き書きしたものに、鎌倉《かまくら》時代の『御産部類記《ごさんぶるいき》』がある。

藤原実頼《さねより》の日記『清慎公記《せいしんこうき》』は、小野宮流儀式の祖として珍重されたが、逸文を除き現存していない。その理由のひとつは、実頼の孫藤原公任《きんとう》が切り貼りして、部類記を作成したためである。ずいぶん手荒なことをしているようにみえるが、公任は『清慎公記』をもとにして『北山抄《ほくざんしょう》』という儀式書をつくり、現在の儀式研究に多大の貢献をしている。

当時の社会で先例がきわめて重視されたことは、これまで述べたとおりだが、「続文《つぎぶみ》」についても述べておかねばならない。これは、関係書類が提出されるごとに貼り継いで巻物にした先例集で、太政官《だいじょうかん》の文殿《ふどの》に保存してあった。続文と突き合わせれば、先例との異同が一目瞭然《いちもくりょうぜん》というわけだ。また、外記《げき》や史《し》なども膨大な文書を保有しており、先例を摘出し（勘文《かんもん》）、政務の助けとした。

筆者は二〇年近く公務員生活を送ったが、起案（稟議《りんぎ》書ともいう）が通るも通らないも、先例の有無といっても過言ではなかった。日本社会の先例主義という風潮は、平安時代に固まったのである。

コラム6　陣定の成立

陣定《じんのさだめ》とは、仗議《じょうぎ》とも呼ばれ、紫宸殿《ししんでん》と宜陽殿《ぎようでん》をつなぐ廊下にある左近衛《さこのえ》陣に公卿《くぎょう》が集まって行なう合議のことである。天皇が出御《しゅつぎょ》せずに行なわれる略儀であったが、摂関《せっかん》期になると、受領《ずりょう》統制や対外関係など、国家の根幹にかかわる幅広い案件を処理する重要な政務になった。

ところがこれまで、陣定がいつ、なぜ始まったのかは明らかにされていなかった。しかし、陣定成立の直接的契機は、元慶《がんぎょう》二年（八七八）に起きた元慶の乱（第四章参照）であった、と筆者は考えている。六月八日、公卿たちは、エミシの反乱について報告する急使を、陣座の下で尋問し、その場で対策を練って、陸奥守《むつのかみ》などを任命した。

これ以降、阿衡《あこう》事件（八八七年）の際に橘広相《たちばなのひろみ》を尋問したように、陣座は召問の場としても用いられるようになった。そして、尋問すれば、その結果や対応策を合議する必要性が生じる。こうして陣定が生まれたのではなかろうか。ひとつの儀式が成立するには、契機が必要である。

◉陣座
陣座《じんのざ》は、もともと宴会の場として使われていたが、貞観《じょうがん》三年（八六一）頃から郡司《ぐんじ》を選任する場としても使用されるようになった。

第七章

都市の暮らしとムラの生活

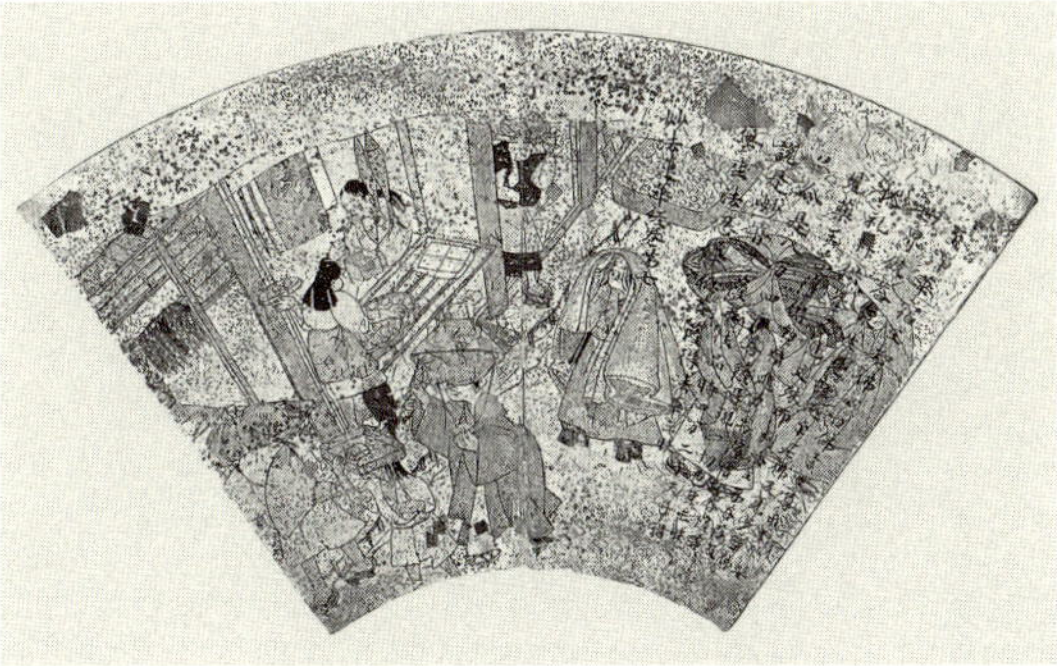

1

都市平安京の光と影

衛生上の不安を抱える都

平安京《へいあんきょう》は、南北約五・二キロメートル、東西約四・五キロメートルの規模を有し、南北に九条と北辺坊《ほくへんぼう》、東西各四坊から成り立っていた。奈良時代には京外《きょうがい》に家をもち、平城京《へいじょうきょう》へ通う官人《かんじん》が多くいたが、平安京ではさらに京内と京外の分離が進行した。たとえば、承和《じょうわ》九年（八四二）に起こった「承和の変《へん》」に際して、都への交通路が遮断されると、約一週間で平安京は飢えにさらされると指摘されている。都市としての平安京が誕生したのだ。

だが、平安京の発展は、右京《うきょう》と左京《さきょう》で同時に進行したわけではない。天元《てんげん》五年（九八二）に慶滋保胤《よししげのやすたね》が著わした『池亭記《ちていき》』によれば、右京が衰退し左京が繁栄していたという。これは、上流貴族の邸宅が左京に集中していることからもある程度類推できる。ただし、最近の発掘調査によれば、右京が著しく衰退していたというわけでもないようだ。

また、同じ京内でも、場所によって地価が異なっていた。内裏《だいり》近くに家族と間借りしていた保胤は、家屋を購入しようと考えたが、地価が高すぎるため、左京の六条付近に四分の一町（三六〇〇平方メートル）ほどの宅地を求め、まわりに垣根を巡らして築山《つきやま》や池、家・堂・書庫をつくった。左京

◉市の様子
店先には干し魚がぶら下がる。市女《いちめ》（女性商人）や販女《ひさぎめ》（女性行商人）が行き交い、市女笠や被衣《かずき》姿の女性が買い物をしている。（『扇面法華経冊子《せんめんほけきょうさっし》』）　前ページ写真

の四条以北が、当時の高級住宅地であった。

だが、平安京は、必ずしも住みやすい都市ではなかった。その原因に衛生面があげられる。まず、トイレの問題である。大きな道には側溝《そっこう》があり、水が流れていた。貴族の家では、塀の下に溝を穿《うが》ち、側溝から水を引き込んで樋殿《ひどの》（トイレ）を設けた。そこで用を足したり、汚物を流したのである。

平安中期に成立した『落窪物語《おちくぼものがたり》』には、主人公の少将《しょうしょう》の君《きみ》が落窪の君のもとに通う道すがら、衛門督《えもんのかみ》一行と出会ったので片側に寄った。すると、そこには糞《くそ》があり、服についてしまった。これでは彼女に嫌われてしまうと思い、泣く泣く通うのをやめたという一節がある。

同様のことは、院政期の成立になる『餓鬼草紙《がきぞうし》』からもうかがうことができる。老若男女が道の片側で排泄《はいせつ》し、籌木《ちゅうぎ》（糞ベラ）やちり紙が散乱している。平城京の場合、籌木には、使用済みの木簡《もっかん》を割《さ》いて

2

◉古代のトイレ
街路のどこで用を足してもよいわけではなく、特定の道の片側に決められていたようだ。トイレ遺構からは、植物の種子や寄生虫の卵が発見されることもあり、古代人の食生活や衛生状態を知る手がかりとなる。（『餓鬼草紙』）

用いていたことがわかっている。人々は下駄《げた》を履いていているが、「ハネ」を防ぐためだろう。したがって、側溝にしろ、道端にしろ、いったん大雨でも降れば、大変なことになった。

一方で、病人や死体に関する問題も深刻であった。弘仁《こうにん》四年(八一三)には、病気になった使用人を路傍《ろぼう》に打ち捨てることが禁じられた。また、寛平《かんぴょう》八年(八九六)にも、看督長《かどのおさ》(検非違使《けびいし》庁の下級役人)や近衛《このえ》に京内を巡回させ、路傍にいる病人や孤児を施薬院《せやくいん》や悲田院《ひでんいん》(病人や孤児の収容施設)へ送り、治療や養育することを命じている。飢饉《ききん》や疫病によって、多くの病人や孤児が発生したのである(第三章参照)。

また、京内の路頭には人馬の骨が散乱し、鴨川《かもがわ》の河川敷には死体が遺棄されていた。当時の葬送の地は、嵯峨野《さがの》の奥にある化野《あだしの》、都の東南にあたる鳥辺野《とりべの》などであったが、放置される死体も少なくなかった。庶民は、たえず死と隣り合わせであった。

にぎわう市

こうした環境にあっても、人々はたくましく生きていた。たとえば市《いち》である。都の東西には市が設けられ、国家が管理していた。延喜左右市司式《えんぎさゆういちのつかさしき》によれば、扱う商品の種類がわかるように、店は立て札を掲げる必要があり、価格に過度の上乗せをすれば、市司(市の役人)に罰せられた。

また、市に衛府《えふ》の舎人《とねり》が入る場合は、太刀《たち》をはずさなければならなかった。市には多くの人間が集まる。当然、悪人や不心得者も出入りするようになる。衛府の舎人は、第二章で述べたように、勤務する役所の権威を笠に着て、しばしば悪事を働いた。おそらく、けんかも多かったのだろう。刃傷《にんじょう》を防ぐために太刀をはずさせたのだ。同様に、市に「凌辱《りょうじょく》の輩《ともがら》」があれば、罰せられることになっていた。ゆすり・たかりの類であろう。

品数は東市のほうが豊富であった。すでに承和《じょうわ》二年（八三五）には、東市がにぎわい、西市はすたれはじめたことがうかがえるから、『池《ち》亭記《ていき》』の記載は少なくとも九世紀前半までさかのぼるといえる。

『大鏡《おおかがみ》』の語り手のひとり夏山繁樹《なつやまのしげき》は、義理の父が家庭をもつことができなかったために、市で買われてきたとの設定になっている。『大鏡』は歴史物語であるから、そのまま素直に受け取ることはできないが、もし、なんらかの史実を反映しているとすれば、市ではたいていのものを手に入れることができたということになる。

だが、つねによい商品ばかりが並んでいたわけではなかった。『万葉集《まんようしゅう》』巻七には、

3

●市の風景
果物などの商品が所狭しと並べられ、店内では二人の女性が店をきりもりしている。外をのぞく男性は、店の主人であろうか。（『扇面法華経《せんめんほけきょう》冊子《さっし》』模本）

西《にし》の市《いち》に　ただひとり出《い》でて　眼並《めなら》べず　買ひてし絹《きぬ》の　商《あき》じこりかも
（西の市にたったひとり出かけて、見比べもしないで買った絹は、買いそこないであることよ）

とあり、平城京《へいじょうきょう》の西市で不良品の絹をつかまされた歌があるが、平安京でも同じであった。『今昔物語集《こんじやくものがたりしゅう》』には、蛇を細かく裁断して干し魚として売る市の商人の話がある。いつの時代にも、悪徳業者はいるものだ。

しかし、市は、もうひとつ重要な機能を果たしていた。それは、刑罰を執行することであった。弘仁《こうにん》年間（八一〇〜八二四）以降、検非違使《けびいし》が京内を取り締まるようになったが、毎年五月と一二月に、徒罪《ずざい》を犯した者は市に引き出され、鈦《だ》（鉄製の足かせ）という刑具をつけて獄へ送られた。この儀式は、着鈦政《ちやくだのまつりごと》と呼ばれ、のちに年中行事となったほどである。また、第四章で述べたように、平将門《たいらのまさかど》を先例として、重大な犯罪を犯した者の首も、しばしば市で晒《さら》された。市では、犯罪抑止のために、見せしめが行なわれたのだ。

祭礼と芸能

都に住む庶民の楽しみに、祭りがあった。奈良時代初期には、すでに賀茂祭《かものまつり》に多くの人々が集まっていたが、平安時代には、天皇の名代として奉幣使《ほうべいし》が派遣され、壮麗な祭列が都大路《みやこおおじ》を練り歩いた。そのため、一一世紀頃になると桟敷《さじき》が設けられ、皇族や貴族が祭列を見物するようになった。

だが、平安時代には、別種類の祭祀《さいし》も現われた。災害を防ぐためのものである。これは、丹生《にう》川上《かわかみ》社や貴船《きぶね》社への止雨《しう》・祈雨《きう》（止雨には白馬、祈雨には黒馬を奉納）などのように、勅使《ちょくし》が派遣される場合もあったが、平安京の都市住民を中心とした、御霊《ごりょう》信仰に基づく祭礼も行なわれるようになった。人口が密集し、前述のような不衛生な環境では、しばしば疫病が流行したからである。

こうした御霊会《ごりょうえ》には、今宮《いまみや》社、稲荷《いなり》社、祇園《ぎおん》社、北野《きたの》社などがある。これらの御霊会は、現在の暦に直して、四月から一〇月までのあいだに行なわれた。これは、当時の疫病がこの時期に多発したことと深い関係にある。つまり、初夏から秋にかけて流行する天然痘《てんねんとう》（痘瘡《とうそう》）、そして赤痢《せきり》などの消化器系の疫病を防ぐために、疫神《えきじん》を慰撫《いぶ》し、同時に民衆も祭りを楽しんだのである。

長保《ちょうほう》元年（九九九）六月の祇園御霊会のことであった。法師の身なりをした「無骨《ぶこつ》」と呼ばれる者が、柱をつくって祇園社に持ち込んだため、京中から見物人が押しかけた。それは大《だい》

4

◉祇園社の祭礼
祇園御霊会の神幸の日には、馬長《うまおさ》の一行が練り歩くが、獅子舞などの芸能も催された。背景には都市民が住んだ板葺《いたぶき》の棟割長屋が描かれる。
（『年中行事絵巻《ねんじゅうぎょうじえまき》』）

嘗会《じょうえ》の柱に似ていたというから、かなりの長さがあったようだ。まさしく神が降臨する依代《よりしろ》であろう。王権はさっそく検非違使《けびいし》を繰り出し、止めさせようとした。すると、天神《てんじん》（牛頭《ごず》天王）が怒り、託宣を発したという。

その夜、偶然といえばそれまでだが、宮内《きゅうない》から失火し、内裏《だいり》が焼亡した。あるいは、天神の祟《たた》りと噂《うわさ》されたのかもしれない。もちろん、現在の祇園山鉾《やまほこ》の形態が、平安時代にまでさかのぼれるわけではないが、「無骨」が用いた柱に、その原初的姿を見いだすこともできる。

さて、こうした祭礼には、いろいろな芸能がつきものであった。残念ながら、院政期以降のようにはっきりとした形で史料に残されてはいないのだが、すでに貞観《じょうがん》五年（八六三）の御霊会には、稚《ち》児舞《ごまい》・散楽《さんがく》（中国から伝来した曲芸などの芸能）などが行なわれた。また、賀茂祭では、もともとは東国に起源をもつ東遊《あずまあそび》という舞や走馬《そうま》なども行なわれており、それらを承《う》けて、民間でも新たな芸能が生まれたのであった。

たとえば、秦《はだ》氏の氏神で、賀茂社とともに平安京の鎮守《ちんじゅ》社でもあった松尾《まつのお》社の祭礼では、長徳《ちょうとく》四年（九九八）当時、山崎津《やまさきのつ》の人々が田楽《でんがく》を行なっていた。田楽とは、もともと田植えの際に行なわれる芸能で、田の神を祀《まつ》るための呪術《じゅじゅつ》的な祭儀であった。

『栄花物語《えいがものがたり》』で藤原彰子《ふじわらのしようし》が田植えを見物した記事に、

　また田楽《でんがく》といひて、あやしきやうなる鼓《つづみ》、腰に結《ゆ》ひつけて、笛吹き、佐々良《ささら》といふもの突き、さまざまの舞して、あやしの男《おのこ》ども、歌うたひ、心地《ここち》よげに誇りて、十人ばかりゆくとあるように、男たちが鼓を腰に結びつけ、笛やささらで囃《はや》したて、いろいろな舞や歌が演奏されていた。ささらとは、竹を細く割ってこすり合わせる楽器のことである。

一方、一一世紀初めごろ、藤原明衡《あきひら》が著わした文例集『明衡往来《めいこうおうらい》(雲州消息《うんしゅうしょうそく》)』には、横笛・琵《び》琶《わ》・傀儡《くぐつ》・猿楽《さるがく》など、「猥《みだり》がわしく種々の芸」が行なわれていたことが見える。また、各種の職業を滑稽《こっけい》に書き綴《つづ》った『新猿楽記《しんさるがくき》』でも、稲荷《いなり》祭の田楽・傀儡・呪師《のろんじ》・琵琶などを猿楽と呼んでいる。この場合、田楽は猿楽の一部として、認識されていたようだ。

こうした芸能集団は、松尾社の祭礼でみたように、都の近隣住民で構成され、祭日になると集まってきたものと思われる。その意味で、『明衡往来』とほぼ同時期に成立した文例集『高山寺《こうざんじ》古往《こおう》来《らい》』に、某国分寺《こくぶんじ》で、猿楽・傑結土《てくぐつ》(手で操作する人形遣い、もしくは木製の人形遣い)・蟾舞《ひきまい》(侏儒《しゆじゆ》の舞)が行なわれ、見物人が遠くからも集まってくると指摘されていることは示唆的である。芸能民は、都と諸国を遍歴しながら、生活していたのだ。

ケガレ観の発生

現代に生きるわれわれも、ケガレに支配されることがある。たとえば葬儀に参列したあと、「キヨメ塩」を振りかけて家に入るのもケガレを払うためである。

それでは、いつごろ、ケガレという考え方が生まれたのだろうか。奈良時代以前にも、「死」など、人間にとって「負」の感情を抱かせるものに対しては、一定の忌避《きひ》がなされた。しかし、これが「穢れ《けが》（ケガレ）」として明確に意識されるようになったのは、九世紀初め以降であった。

天長《てんちょう》七年（八三〇）に施行された弘仁神祇式《こうにんじんぎしき》には、人間の死のケガレは三〇日、出産は七日、六畜（馬・牛・羊・犬・猪・鶏）の死は五日、出産は三日、食肉・弔問・病気見舞いは三日との規定が見える。また、貞観《じょうがん》一三年（八七一）に施行された『貞観式』には、月事《げつじ》（月のもの）、失火のケガレが追加され、両式を引き継いだ『延喜式《えんぎしき》』には、流産・妊娠などに対するケガレ、さらにはケガレの伝染、ケガレによる祭祀《さいし》の停廃も見える。九世紀前半にケガレという明確な概念が形成されたといえる。

興味深いのは、当時の人々が、ケガレは伝染すると考えていたことである。Aにケガレがあり、Bと接触すればBもケガレとされ、さらにBがCと接触すればCもケガレと判定されて、一定期間、謹慎しなければならなかった。この場合には、「穢札《けがれふだ》」を立ててほかの人への感染を防ぎ、逆に祭祀などを行なう場合には、「不浄人不可来札」などを立ててケガレから身を守った。

前述のように、平安京《へいあんきょう》には死人があふれ、出産や流産なども多くあった。また、犬をはじめとする動物も徘徊《はいかい》していた。とくに犬は、死体を食料にする場合が多かったため、しばしば死体の一部を貴族の家にくわえ込んだ。こうした場合も、ケガレと認識され、内裏《だいり》その他への出勤を見合わせられた。もし、知らずに出勤してあとで発覚すると、その人物と同席した人も出仕を止められた。

平安京の清掃は、検非違使《けびいし》が主として請け負っていた。平安初期には、道路の清掃や汚物の処理を行なっていたことが確認でき、院政期になると、「非人《ひにん》（賤民身分の称）」を組織して「キヨメ」を行なうようになった。

だが、こうしたケガレ観念は、国内に限ったことではなかった。新羅《しらぎ》を中心とする対外関係にも大きな影響を与えたのだ。次章で述べるように、九世紀なかばの承和から貞観年間にかけて、対新羅関係が急速に悪化すると、外に向かっては、天皇が支配する領域の外はケガレに満ちた空間であるとの排他的な意識が生まれ（王土王民思想）、内に向かっては、日本は「神国」であるとの認識が広まった。

貞観一四年から一九年頃に編纂《へんさん》された『貞観儀式』追儺儀《ついなのぎ》では、陸奥国《むつのくに》より東、五島《ごとう》列島より西、土佐《とさ》国より南、佐渡《さど》国より北は、穢れた疫鬼《えきき》の住処《すみか》であると明言している。つまり、平安初期に生まれたケガレ概念は、国内にとどまらず、ついに対外関係にまで肥大化したのであった。現代まで続くケガレ観念を生み出したのは、九世紀の社会であり、対外関係にも多大な影響を及ぼしていたのだった。

5

◉描かれた犬
平安京では犬が徘徊《はいかい》し、人間とかかわりをもった。絵は、生前に殺生を犯した者が、六道のうち畜生道に堕《お》ちることを説いた場面の一部。（『北野《きたの》天神縁起《てんじんえんぎ》絵巻《えまき》』）

都市民の信仰

御霊信仰の展開

日本では、志なかばで亡くなったり、無念の最期《さいご》を遂げた者は御霊《ごりょう》となり、人々に祟《たた》り、天災や疫病をもたらすと信じられていた。とくに人間が密集する都市では、伝染病がたびたび流行して多くの死者を出したため、人々から恐れられた。

こうした信仰は、すでに奈良時代からあった。長屋王《ながやおう》がそれである。天平《てんぴょう》九年（七三七）、不比等《ふひと》の子、藤原《ふじわら》四兄弟が天然痘《てんねんとう》（疱瘡《とうそう》）で相次いで亡くなると、聖武《しょうむ》天皇は、安宿《あすかべ》王ら男女の皇族五人に格別な叙位《じょい》を行なった。従来その理由は不明であったが、長屋王家木簡《もっかん》の発見により、この皇族たちがいずれも長屋王の子供であることが判明した。つまり、天然痘の流行を長屋王の祟りと考え、その霊を鎮《しず》めるために叙位が行なわれたのである。

しかし、こうした祟り神の信仰が、御霊信仰としてクローズアップされるようになるのは、平安時代になってからであった。貞観《じょうがん》五年（八六三）五月には、平安京の神泉苑《しんせんえん》で、国家の手によって突然、怨霊《おんりょう》を鎮めるために御霊会が催された。『日本三代実録《にほんさんだいじつろく》』は伝える。

「勅使が派遣され、御霊会が開かれた。その場では、僧侶によって経典が講説される一方、音楽が奏され、稚児舞《ちごまい》・各国の舞・散楽《さんがく》（曲芸）なども催された。その日は、神泉苑が都人にも開放され、それらを観覧することが許された。御霊とは、崇道《すどう》天皇（早良《さわら》親王）・伊予《いよ》親王・藤原吉子《きっし》・橘逸《たちばなのはや》勢《なり》・文室宮田《ふんやのみやた》麻呂《まろ》のことである。近年、疫病が頻発し、死者が多い。天下の人々は、これらの御霊のしわざではないかと考え、京畿内から遠く外国におよぶまで、夏から秋にかけて御霊会を行ない欠かすことがない。そこでは仏教が説かれ、歌舞、騎射《うまゆみ》・相撲《すまい》などの芸能が披露され、競馬《くらべうま》も行なわれる。また、役者が猥雑《わいざつ》な劇を演じる。見物人で笑わない者はなく、天下ではだんだんしきたりになってきた。今年の春、咳逆《がいぎゃく》（インフルエンザか）が流行して多くの人々が亡くなった。そこで、国家が平癒を祈願したところ、ようやくおさまったので、その返礼として御霊会を催した」

この史料にみられる五人は、いずれも謀反の疑いで捕らえられ、憤死《ふんし》を遂げた人物である。また、藤原氏による政争の犠牲者という点でも共通する。

早良親王は桓武《かんむ》天皇の弟でありながら、藤原種継《たねつぐ》の暗殺に連座し、配《はい》流《る》される途中みずから食を断って自害した（殺されたとの説もある）人物。伊予親王は桓武の子で、母は藤原吉子であったが、謀反の疑いをかけられ、大同《だいどう》二年（八〇七）に自殺した。橘逸勢は承和《じょうわ》の変《へん》の首謀者として罰せられ、文室宮田麻呂も謀反の疑いで配流され、いずれも現地で亡くなった（第二章参照）。

6

◉神泉苑
平安京の園池で広さは八町。敷地の中央に湧水があり、池を設けた。狩猟・宴会・騎射・相撲などのほか、祈雨なども催された。

民衆は、これら御霊が疫病を流行させていると感じた。次いで、彼らを陥れた権力者（藤原氏）こそが、疫病の原因であると類推したのであろう。つまり、御霊信仰は、反国家的な意識を含んでいる民衆運動でもあった。その御霊を慰める祭祀《さいし》が、京内・畿内はいうにおよばず、畿外でも広く行なわれたのである。こうなると、いつその矛先《ほこさき》が時の国家に向かわないともかぎらない。そこで、御霊および民衆の不満を解消することを目的として、平安京の要《かなめ》である神泉苑において、国家の手によって御霊会が催されたのだった。

しかも、勅使《ちょくし》には、藤原良房《よしふさ》の養子基経《もとつね》があてられた。これまでにも述べてきたように、良房は、史上初めての幼帝清和《せいわ》をぜがひでも守りたいと考えていた。御霊会の開催には、藤原氏、とくに良房の思惑《おもわく》が深く絡んでいたに違いない。御霊会は、御霊を慰撫《いぶ》するとともに、都人を慰める「公共事業」でもあったのだ。だが、民衆の宗教運動は、御霊信仰にとどまらなかった。

7

◉祇園御霊会
初夏の京で催される祭礼。最初の神輿《みこし》には牛頭《ごず》天王の垂迹《すいじゃく》とする素戔嗚尊《すさのおのみこと》を祀《まつ》り、いろいろな芸能を伴いながら都大路を練り歩く。（『年中行事絵巻《ねんじゅうぎょうじえまき》』）

新しい神の入京

天慶《てんぎょう》八年（九四五）七月、畿内は異様な雰囲気に包まれた。志多羅神《しだらじん》が上洛《じょうらく》しようとしていたのだ。二八日には摂津国《せっつのくに》から連絡が入り、数百人に担がれた神輿《みこし》三基が、川辺郡《かわべ》（兵庫県伊丹市《いたみ》）から山陽道を通って、豊島郡《てしま》（大阪府池田市《いけだ》）・嶋下郡《しまのしも》（同茨木市《いばらぎ》など）へ移動してきた。人々は、幣帛《へいはく》を捧《ささ》げ、鼓《つづみ》を打ちながら隊列を組んで行進し、ひとつの神輿の額には、「自在天神《じざいてんじん》」と書かれてあったという（『本朝世紀《ほんちょうせいき》』）。

八月二日に、ふたたび摂津国から上申《じょうしん》があった。三基の神輿が筑紫《つくし》国から上京し、それぞれに「自在天神」「宇佐《うさ》春王三子《はるおうさんし》」「住吉神《すみよし》」という額がつけられているとのことである（『李部王記《りほうおうき》』）。

さらに、八月三日、石清水八幡宮寺《いわしみずはちまんぐうじ》から報告があった。一基が宇佐八幡大菩薩御社《うさはちまんだいぼさつおんしゃ》と号し、合計六基の神輿が、数千人の人々に囲まれながら、摂津国嶋上郡（大阪府高槻市《たかつき》）から山城国《やましろ》山崎郷（京都府大山崎町《おおやまさき》）へと移動した。そして、ある女性に、「吾《われ》は早く石清水宮へ参らん」との託宣《たくせん》が下り、志多羅神は、石清水八幡宮護国寺《ごこくじ》に鎮座《ちんざ》したという（『本朝世紀』）。

驚くべきことに、この神輿は、はるばる九州から歌《か》舞音曲《ぶおんぎょく》を伴いながら、村送りによって京をめざしてきた。これは、虫送りの藁《わら》人形や神輿が、村から村へと送られた祭儀をもとにしている。つまり、もともとの起源は、村々での神事にあったのだ。

しかし、神輿に「自在天神」、すなわち菅原道真《すがわらのみちざね》の霊が祀《まつ》られていたことは看過できない。先に触れた御霊《ごりょう》信仰と同様、この集団は、一面では反国家的性格を帯びながらの行進であった。だが、神輿のなかに宇佐八幡神が含まれていたために、託宣をきっかけとして、宇佐八幡から分祀された石清水八幡宮へ鎮座することで運動は終結し、その摂社《せっしゃ》として祀られることになった。

こうした民衆による宗教運動は、江戸時代末の「ええじゃないか」まで、時として歴史上に顔を出す。著名なところでは、永長《えいちょう》年間（一〇九六～九七）に起こった大田楽《おおでんがく》、仁平《にんぺい》四年（一一五四）に今宮《いまみや》社へ集まったヤスライハナ祭などがある。

注意をひくのは、志多羅神上洛運動の際にうたわれた童謡《わざうた》（事件や異変を予兆し風刺《ふうし》する歌）である。

月は笠着る　八幡は種蒔《たねま》く　いざ我等は　荒田開かん
志多羅打てと　神は宣《のたま》う　打つ我等が命　千歳《せんざい》
志多羅米《よね》　早河《はやか》（買）わば　酒盛れば　其の酒　富める始めぞ
志多羅打てば　牛は沸き来ぬ　鞍《くら》打ち敷け　さ米負わせむ

反歌
朝《あした》より　蔭は蔭《かげ》れど　雨やは降る　さ米こそ降れ
富は揺《ゆ》すみ来ぬ　富は鎰懸《かぎか》け　揺すみ来ぬ　宅儲《いえもう》けよ　煙儲けよ

8

◉石清水八幡宮（京都府八幡《やわた》市）
貞観《じょうがん》元年（八五九）、行教《ぎょうきょう》が宇佐神宮から八幡神を勧請し成立。王権から伊勢神宮に次いで尊崇され、神仏習合の神としても知られた。

さて我らは千年栄えて

そもそも、「志多羅」とは手拍子することである。手拍手とは、本来、魂を活性化させる呪術《じゆじゆつ》的行為であった。そして、この童謡の内容が、雨を降らせたり、荒田《あらた》を開く（毎年春、田植えに先立って田を耕す作業、あるいは荒田を再開発する作業）と富が生まれることを暗示することから、豊作への祈り、そして平将門《たいらのまさかど》・藤原純友《ふじわらのすみとも》の乱《らん》などの戦乱や、旱魃《かんばつ》・疫病などで荒れ果てた田畑を復興しようとする民衆の強いエネルギーを感じさせる。

きちじょう天の御室《みむろ》より、福おう男も参りたり、たねまき男も参りたり。月かさきこそよう、種蒔くやようかり、…いんさや、我らも新（荒）田ひらかん

この歌は、佐賀県養父《やぶ》郡鳥栖庄四阿屋《とすのしようあずまや》神社で、春正月、疑似的に一年間の農作業をまねて、豊作を祈る神事「田遊び《たあそび》」の際にうたわれていたものである。吉祥天《きつしようてん》の御堂から福を背負った男や種をまく男がやってくると述べたあと、先の童謡を引用している。

一〇〇〇年以上前の童謡が、神事の歌謡に取り込まれ、現代にまで伝えられているのだ。この事実は、天慶八年に起きた志多羅神の上洛事件が、列島の地域を超えて、いかに大きな影響を民衆に与えたのかという点を、遺憾《いかん》なくわれわれに教えてくれる。

ムラの生活

発掘成果からみた開発とムラ

古代の開発やムラの様子を、文献史料から解明することは難しい。古代史料の多くは国家によって記されたものであり、民衆の生活にはほとんど興味を示さなかったからである。

そこで、考古学的見地から、比較的発掘調査が進んでいる下総国印幡郡《しもうさのくにいんばぐん》（千葉県佐倉《さくら》市・成田《なりた》市・印旛《いんば》郡）を例にあげる。印幡郡の郷《ごう》の配置は、左ページのように復元することができる。その際、地名を記した墨書《ぼくしょ》土器は、大きな手助けになる。まず、印旛沼を挟む東西で、郷の広さに違いがあることに気づく。東は狭く、西は広いのだ。

印旛沼東側には、四世紀から古墳《こふん》時代終末期まで連綿と古墳が築かれた公津原《こうづはら》古墳群、式内社麻《ま》賀多《かた》神社があり、古墳時代から続く集落も多い。ところが、西側にも古墳は存在するものの、その規模・数は東側に遠くおよばず、奈良・平安時代に成立した新しい集落が多い。印幡郡最有力の氏族は、『続日本紀《しょくにほんぎ》』天応《てんおう》元年（七八一）正月条などに見える印波郡司《ぐんじ》丈部直《はせつかべのあたい》氏であり、どうやら東側に本拠を置いていたと推測される。

一方、西側には、「丈部」の墨書土器や人面墨書土器などのほか、印幡郡船穂《ふなほ》郷の故地、印西《いんざい》市西《にし》根《ね》遺跡からは、「大生部直」「生部直」という墨書土器もみられる。大生部直《おおみぶべのあたい》氏は、隣郡の下総国埴《は》生《にゅう》郡司であり、かの地には日本屈指の規模をもつ終末期の方墳岩屋《ほうふんいわや》古墳（七世紀前半の築造）を含む竜角寺《りゅうかくじ》古墳群がある。また、東日本最古級の龍角寺（七世紀後半でも早い段階に創建）も存在し、印波国造《くにのみやつこ》職をめぐって、大生部直氏は、丈部直氏と競合関係にあったと推測されている。

こうしてみると、印旛郡の西側、とくに村神《むらかみ》郷や船穂郷は、奈良・平安時代に丈部・大生部直が入植したことを契機として、開発が進められたと推定される。大局的にみると、印旛郡は、東から西へ向かって開発されたと考えられるだろう。

ちなみに、平安中期以降、印旛郡は東西に分裂して、印東・印西が成立する。一般的には中世になって初めて現われた現象として説明されるが、むしろ律令《りつりょう》制下では隠れていた東西の地域差が、律令制の変質とともにふたたび現われた（先祖返りした）可能性も考えねばならない。

今後、発掘調査が進めば、ほかの地域でも印旛郡と同様に、具体的な開発のあり方がわかるようになるだろう。

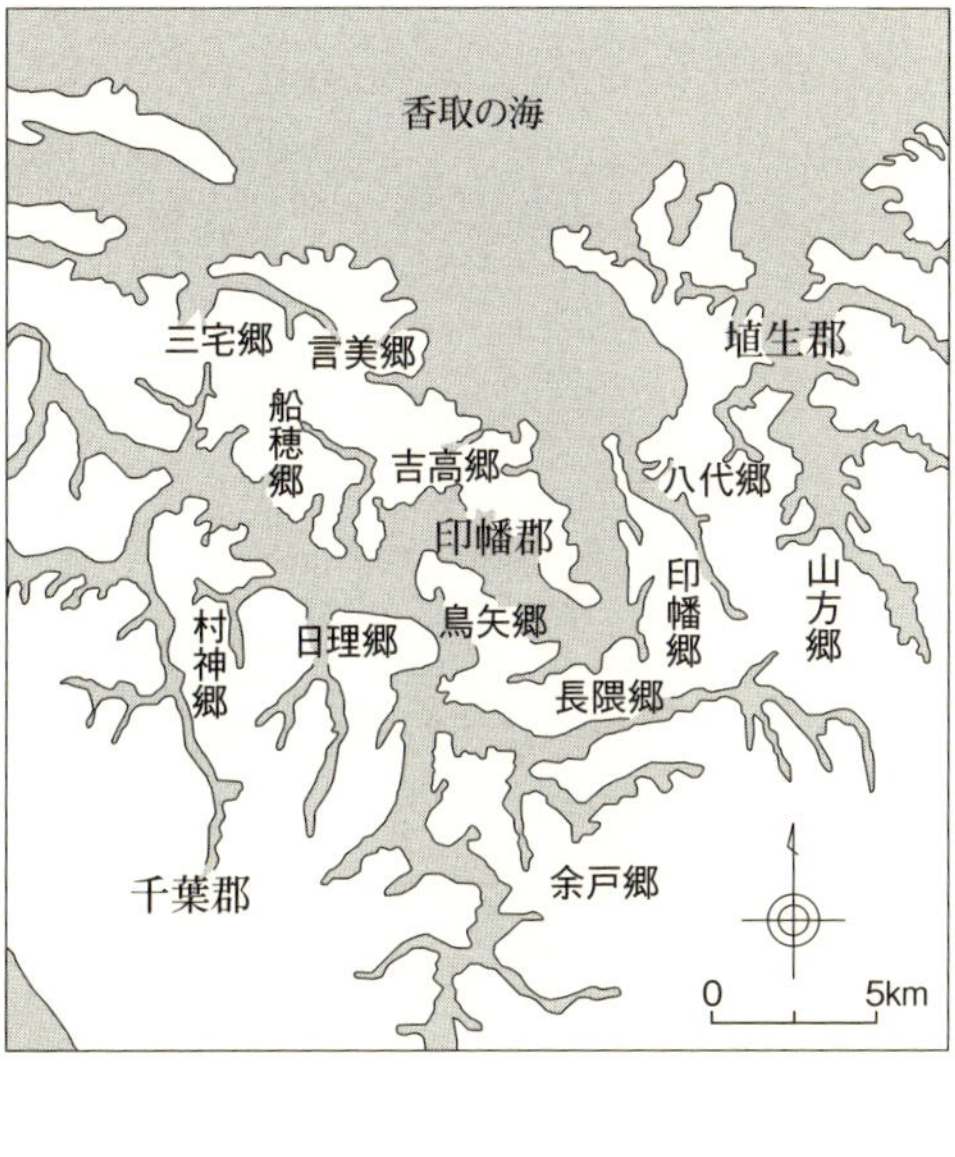

●印旛郡の郷の配置
印波国造はもともと丈部直であったが、六世紀初頭、大生部直がのちの埴生郡の地で急速に勢力を伸ばし、国造職を奪取したようだ。とくに村神郷は発掘が進み、古代の郷の姿がかなり復元できる。在地研究のケーススタディとして貴重。

集落の構造

当時の集落は台地上に営まれ、竪穴《たてあな》住居と掘立柱《ほったてばしら》建物から構成されていた。遺構図では、両者が密集しているようにみえる場合があるが、時間差がある遺構を同時に眺めているためであって、一時期には多くとも五〇軒程度の竪穴住居と一〇軒ほどの掘立柱建物が存在していたにすぎない。掘立柱建物は、倉庫などの収納庫のほか、住居に使用される場合もあった。

また、古代の行政区分に、国・郡・郷《ごう》（里）があることは知られているが、こうした集落が、文献史学でいう「郷」とどのような関係にあるのかは、よくわかっていない。

住居跡を発掘すると、砥石《といし》や鎌・刀子《とうす》などの金属製品が出土する。人々は、谷津《やつ》に広がる田（谷津田）で稲作、台地上では陸稲《りくとう》・麦・粟《あわ》・稗《ひえ》などを栽培していたことが、花粉分析で判明している。東国では、雑穀栽培の比率が高かったようだ。

9

◉小さな村（千葉県佐倉《さくら》市六拾部《ろくじゅうぶ》遺跡）
八世紀に成立し、九世紀中ごろまで存続した小規模なムラ。近くに古墳時代から続く大規模な高岡《たかおか》遺跡群（集落遺跡）があり、土地開発のために分村した集落と推定される。

墨書《ぼくしょ》土器の出土状況にも違いがある。印旛《いんば》郡では、村神《むらかみ》・船穂《ふなほ》郷を中心として、数多くの墨書土器が検出されるが、どの集落からも等しく出土するわけではない。奈良・平安時代に新しく成立した集落に比べて、古墳《こふん》時代以来続く伝統的な集落には、墨書土器が少ないのだ。二つのタイプの集落で、祭祀《さいし》のあり方が異なっていたと思われる。

東国の集落は、奈良時代よりもむしろ、平安初期に増加する。具体的にいえば、九世紀の前半から中ごろがピークとなり、九世紀後半以降一〇世紀前半にかけて減少し、それ以降、激減するのである。ただし、鉄器を生産する遺跡については、一一世紀以降も存続する場合がある。

だが、人間がいなくなったはずはない。その理由については、現在、二つの可能性が指摘されている。ひとつは、人々が台地上に集落を営まなくなり、沖積地《ちゆうせきち》（低地）に移住したのではないか、との考え方である。これまで沖積地に対しては、十分に発掘調査が行なわれなかった。くわえて、台地上の集落の場合、東国では表土を剝《は》いで赤土（関東ローム層）を出せば、すぐに痕跡《こんせき》を見つけることができる。赤土を掘り込んだ遺構に黒色土が堆積《たいせき》しているからである。しかし、沖積地で遺構を見つけるとなると、黒色土のなかから黒色土が堆積した遺構を検出しなければならず、その作業は困難を伴う。

もうひとつの見解は、住居の様式が変わり、現在の技術では発掘できないとするものである。たとえば、竪穴住居から土を深く掘り込まない平地式住居に変化したとすると、たとえ台地上に住居が存在したとしても、現在の発掘技術で検出することはなかなか困難である。平地式住居は、「日本のポンペイ」とも呼ばれている群馬県旧子持《こもち》村（渋川市）の黒井峯《くろいみね》遺跡（古墳時代後期）からも発掘されており、奈良・平安時代にも存在した可能性は否定できない。いずれにしても、一〇世紀以降、台地上から集落が消える理由の解明は、今後に残された大きな課題である。

それでは、東国以外の集落は、どのような変化を見せたのだろうか。ところが、これらの地域に関しては、東国ほどよくわかっていないのだ。畿内の場合、場所や時期によってばらつきがあるが、概して竪穴住居の占める割合は高くなく、掘立柱建物が多い。存続時期については、①首長《しゅちょう》級の居宅を含み、七世紀から九世紀までを中心とする二〇〇年にわたって営まれる場合、②首長の居宅を含まず、一〇〇年程度のあいだ存在する場合、③首長級の居宅を含み、五〇年程度しか連続しないもの、の三つのタイプに分かれるが、いずれも九世紀前半に消滅する傾向が高いという。

一方、九州についても三つに分類することができる。①六世紀なかばごろ（古墳時代後期）に始まり九世紀まで続くもの、②奈良時代にのみ存続するもの、③奈良時代に始まってそのあとまで存続するもの、である。このうち多くは、九世紀の初めになると激減するという。

場所によって早晩の違いがあるが、九世紀から一〇世紀にかけて、全国規模で集落の様子が大きく変化したことは間違いない。その理由は、いまのところ不明である。

古代の農民生活

これまで、古代の農民生活の具体相は、ほとんど明らかではなかった。せいぜい、『万葉集《まんようしゅう》』から推測する程度であった。ところが近年、石川県津幡《つばた》町にある加茂《かも》遺跡から、嘉祥《かしょう》二年（八四九）二月一二日の日付を記した牓示《ぼうじ》札《さつ》（触れ書）が出土した。牓示札とは近世でいう高札にあたり、禁制や決まりを書いて、農民にその遵守を命じたものである。

牓示札は、深見《ふかみ》村や駅長《えきちょう》・刀禰《とね》らに対して、郡司《ぐんじ》が下した郡符の形式をとり、全八か条で構成されている。第一条では、農民は寅《とら》刻（午前四時頃）に田に下り、戌《いぬ》刻（午後八時）には家に帰ることを命じている。食事や休憩を含むのだろうが、延べ一六時間にわたる長時間労働である。現代なら間違いなく労働基準法違反である。

第二条では、農民が好き勝手に酒・肴《さかな》を食べることを禁止する。農民のぜいたくを禁じているようにみえるが、そうではない。じつは、田植えの方法と深い関係があるのだ。

つい二、三〇年前まで、日本では農家が共同で田植えを行なっていた。たとえば、きょうはA家の田、明日はB家の田というように、労働力を集約して持ちまわりで田植えを行なっていたのだ。ちなみに、筆者は高校までを水郷地帯で過ごしたが、毎年、春に田植え休みがある小学校もあり、それは一家総出、否《いな》、近所・親類総出の作業であった。このような農作業のあり

◉牓示札
現在、墨はまったく残っていないが、長期間風雨にさらされていたために、文字が浮き上がり、判読できる。（石川県加茂遺跡出土）

方は、基本的に古代までさかのぼる。その理由は、個別に行なったのでは田植えが長引いてしまい、稲の生長にばらつきが出て、うまく管理できないからだ。

こうなると、いかに多くの人手を一時に集められるかが勝負になる。富豪ならば、農夫を招き寄せるために財力にものをいわせて酒肴《しゅこう》を用意し、田植えを順調に行なうことができた。ところが、貧しい農民は人手を集められないために田植えの時期を逸してしまい、不作を招いてしまう。そこで、田植えに際して酒肴を設けることを禁止したのである。同様の命令は、文献上、大化《たいか》二年（六四六）以降しばしば下されたことが知られていたが、初めて「実物資料」から確認された。さらに、第二条は、第四条とも関連する。第四条は、五月三〇日以前に田植えの終了を報告するように命じており、ここにも田植えの管理がみられる。

さて、加茂遺跡の牓示札だが、当時の民衆は字を読めたのであろうか。否である。それならば、なぜ牓示札が必要とされたのだろうか。

その点については、「郡宜《ぐんよろ》しく承知し、並《なら》びに符《ふ》の事を口示《くじ》し、早く勤作《きんさく》せしむべし」、あるいは「符の旨を田領《でんりよう》等に仰せ下して、宜しく各村毎《ごと》に屡廻《しばしばめぐ》らし愉（諭《さと》）すべし」などとあることから推察できる。農業を監督する郡の下級役人である田領たちに、口頭で触れ書の内容を農民に告知するよう命じているのだ。おそらく、文字の読めない人にとって、文字は権力の象徴であり、マジカルな力があると考えたのだろう。さもなければ、古墳時代に銘文が刻まれた鉄剣・鉄刀・鏡が製作され、後述のような墨書《ぼくしょ》土器による祭祀《さいし》が行なわれたはずがない。

したがって、牓示札は、多くの人々の目に触れる場所に立てられる必要があった。この札が見つかったのは、河北潟《かほくがた》へ通じる大溝《おおみぞ》と古代北陸道の接点にあたる場所であった。

また、所在地はつかめていないが、この付近には『万葉集』にうたわれ、この牓示札にも記される深見駅もあったようだ。出土した場所は、まさに陸上交通と水上交通の接点にあたる交通の要衝であった。あえて想像すれば、農民たちはこの札の近くに集められ、田領たちが文字を指さしながら、声に出して触れ書を読み聞かせたのではあるまいか。

ムラのお堂

現代社会で寺というと、七堂伽《しちどうが》藍《らん》を備え、屋根には瓦が葺《ふ》かれているというイメージがあるが、現存最古の仏教説話集『日《に》本霊異記《ほんりょういき》』や『出雲国風《いずものくにふ》土記《どき》』には、一堂宇程度の小規模な寺もみられる。こうした小規模な寺院の実態はほとんど知られておらず、文献だけの知識にとどまっていた。ところが、高度経済成長による土地開発で発掘調査が数多く実施されると、千葉県の北半（上総国《かずさのくに》・下総国《しもうさ》）を中心にして、宗教施設の存在が明らかになってきた。このような遺構を村落内寺院もしくは村落寺院と呼ぶ。

11

◉高札を見る人々
牓示札は人々が多く集まる場所に掲示する必要があり、この場合、鳥居の前に立てられている。古代では役人が民衆に読み聞かせたのだろう。（『春日権現験記《かすがごんげんき》絵《え》巻《まき》』）

一般に、奈良・平安時代の集落は、竪穴《たてあな》住居と掘立柱《ほったてばしら》建物で構成されるが、八世紀末以降、とくに九世紀前半から中ごろを中心にして、集落のなかに四面もしくは三面に庇《ひさし》をもつ特異な掘立柱建物が出現する。文献としては、飯高《いいだか》氏の氏寺近長谷寺《きんちょうこくじ》（伊勢《いせ》国）の本堂には三面にわたって庇が取り付けられており、こうした構造が寺院に特有であったことがわかる。

しかも、付近からは「長谷寺《はせでら》」「白井寺《しらいでら》」などの寺院名、「観音寺《かんのんじ》」「千手寺《せんじゅじ》」「阿弥寺《あみじ》」など仏の名（本尊の名を寺名に用いたもの）、「大般若《だいはんにゃ》」などの経典《きょうてん》名、僧侶の名などを記した墨書《ぼくしょ》土器、また、僧侶が托鉢《たくはつ》に用いる鉢を模した土器などが出土する。さらに、数はそれほど多くはないが、集落内から土製の塔や堂（瓦塔《がとう》・瓦堂《がどう》）のミニチュアが出土する場合もある。これらは、本物の堂塔をつくることができなかった人々が、そのかわりに土で製作したのだった。

その後、村落内寺院は、千葉県ほど顕著ではないが、関東地方や東北・中部地方でも発見されるようになり、近年では、神像を出土したことでも知られる島根県出雲《いずも》市青木《あおき》遺跡でも、神社遺構とともに検出された。今後はさらに広い地域で、数多く発見されることだろう。

ところで、村落内寺院には、一堂宇のものがある半面、複数

12

◉ミニチュアの瓦塔・瓦堂
東国での出土が多く、屋根や壁などの部材を組み立ててつくる。瓦堂よりも瓦塔が多く出土する。（千葉市谷津《やつ》遺跡出土）

の堂が組み合わさっている場合もある。このなかには二つの堂が近接して建てられた双堂《そうどう》形式があり、庇付きの建物は仏像を安置した正堂《しょうどう》、その前面の建物は人々が礼拝する礼堂《らいどう》と推測されている。規模は異なるが、こうした構造は、奈良時代の建立になる東大寺《とうだいじ》法華堂《ほっけどう》（三月堂《さんがつどう》）にみることができる。三月堂は現在、連結された一堂であるが、鎌倉《かまくら》時代以前は、正堂と礼堂の二つに分かれていた。

また、近くに長細い建物（長殿《ながどの》）がある場合は、法隆寺《ほうりゅうじ》などの例からみて、僧侶の居住する僧坊と推測され、食事を準備する厨《くりや》（竈屋《かまどや》）、寺の資財を収納しておく倉、幢幡《どうばん》（のぼり）を立てた穴などが伴う場合もある。

千手観音などの変化仏《へんげぶつ》、双堂などの存在から、村落内寺院では、密教的法会が行なわれていたのではないかと想定される。集落の有力者は、私出挙《しすいこ》などによって寺院を経営する一方、五《ご》穀豊穣《こくほうじょう》や村落での生活の安定を祈念し、人々の精神的な支えにしたのである。

先にも指摘したように、村落内寺院は、古墳《こふん》時代から連綿と続く集落よりも、奈良・平安時代以降、新たに開発された集落から見つかる場合が多い。このような集落からは、墨書《ぼくしょ》土器が出土することも多く、仏教のみならず、神祇《じんぎ》祭祀《さいし》や道教《どうきょう》的祭祀

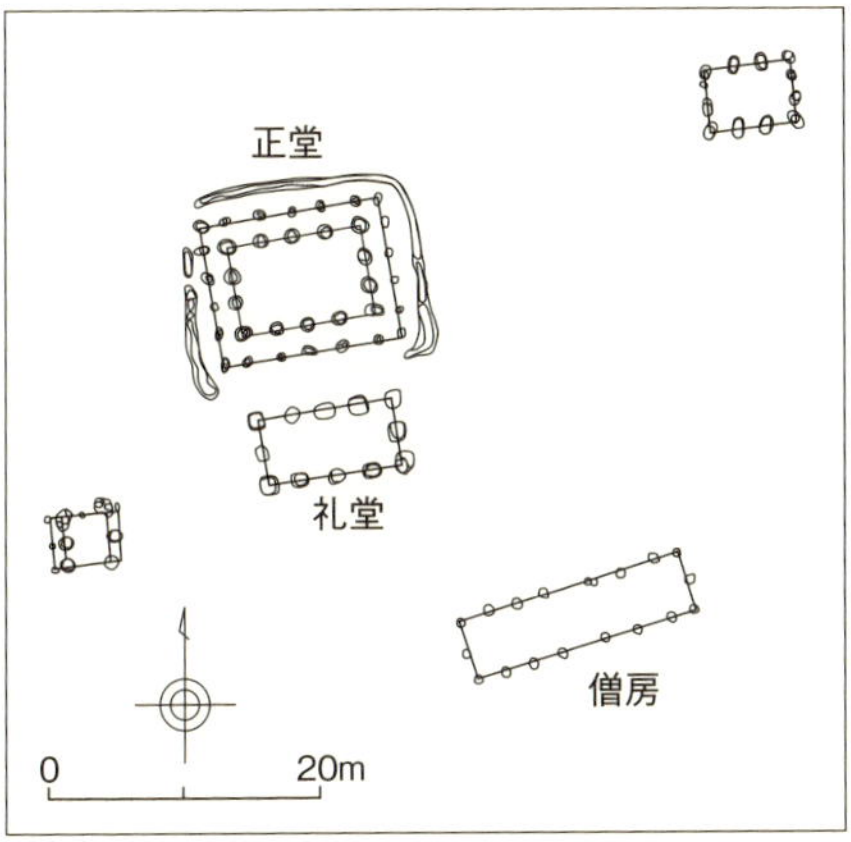

●村落内寺院（千葉県大網山田台《おおあみやまだだい》遺跡）
寺の檀越《だんおつ》であった有力者の後ろ盾を得て、沙弥《しゃみ》（在俗僧）が因果応報や招福除災などを説き、村人の心の支えとなったのだろう。

も行なわれていたことがわかる。おそらく、新たに開かれた集落では、古くから続く集落とは異なり、ウジを中心とする神祇祭祀のみならず、入植してきたさまざまな人々の心をつなぎとめるために、仏教を中心とした各種の信仰が必要とされたのだろう。

しかし、これらの村落内寺院も単独で存在していたのではなく、官大寺や国分寺《こくぶんじ》・定額寺《じょうがくじ》とのあいだを往復する僧侶によって、運営されていたと考えられる。列島規模であるが、僧満願《まんがん》が多度神宮寺《たどじんぐうじ》をはじめとして、鹿島神宮寺《かしまじんぐうじ》や箱根神宮寺《はこねじんぐうじ》を建立したことも想起される。

土器に書かれた文字

『日本霊異記《にほんりょういき》』巻中には、つぎのような説話が収められている。

「布敷衣女《ぬのしきのきぬめ》という女性が病気になったので、ご馳走《ちそう》を用意して門の左右に置き、閻魔王《えんまおう》からの使者の疫神《えきじん》をもてなした。疫神は、その女を冥界《めいかい》へ連れに（命を奪いに）来たのだが、その恩義に感じて、『もし、同じ姓名の人がいたならば、お前の身代わりにしよう』と言った。衣女が同姓同名の女が隣の郡にいると伝えると、鬼はその女の家を訪れて、命を取って冥界へ帰り、衣女は難を逃れた」

この話は、疫神にご馳走を備えることによって命を長らえたというものだが、千葉県八千代《やちよ》市権現後遺跡《ごんげんうしろ》（印旛《いんば》郡村神《むらかみ》郷の故地）などの住居跡からは、人面を描いた土器（人面墨書《ぼくしょ》土器）と「村神郷丈部国依甘魚《はせつかべのくにによりのあまうお》」と書かれた、九世紀前半代の墨書土器が出土した。「甘魚」とは「旨《うま》い肴《さかな》」のこと。つまり、下総国《しもうさのくに》印幡郡村神郷の丈部国依という人物が、旨い肴を用意したという意味なのだ。おそらく、国依は器にご馳走を盛り付けて、疫神を饗応《きょうおう》しようとしたのだろう。

さらに、「下総国印播《いんば》郡村神郷／丈部□刀自咩召代《めししろ》進上／延暦《えんりゃく》十二年十月廿二日」（八千代市上谷《かみや》遺跡）とあるように、「召代を進上す」と記す場合がある。これはまさに、「自分が冥界に召されるかわりにご馳走を進上する」という意味になる。東国の村落のなかには、『日本霊異記』の説話に類した信仰が広がっていたことになる。

もっとも、千葉県山武《さんぶ》郡芝山《しばやま》町庄作《しょうじやく》遺跡などからは、「国玉神奉《くにたましんぽう》」「神奉」などの墨書土器が見つかっているから、疫神ばかりでなく「国玉神」も祈願の対象であったようだ。「国玉神」とは、現在でも、国魂《くにたま》（玉）神社が各地に祀《まつ》られていることからもわかるように、その土地の地主神のことである。在来の神信仰と冥界信仰が習合したのだろう。

だが、なぜ、当時の人々は、わざわざ地名や年月日を記したのだろうか。それは、冥界にも戸籍があり、人間の氏名・住所・性別・寿命が書かれていると考えられていたからである。つまり、異界からの使者が、冥界の戸籍を頼りに間違いなく自分を訪ねてきて、用意したご馳走を食べて（寿命を延ばして）ほしいとの願望から、氏名のほか、郷名や郡名、場合によっては国名までも記したのだろう。彼らは現実の社会でも戸籍

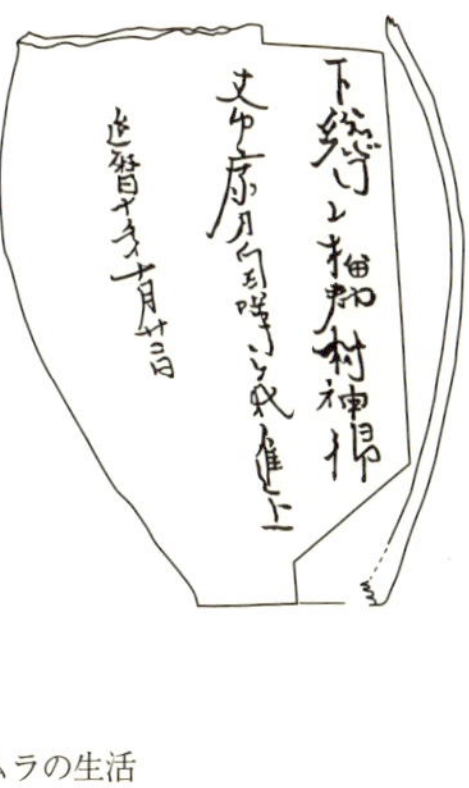

●氏名などが書かれた墨書土器
墨書土器に国郡郷名を書くのは、冥界の使者が迷わず自分を識別できるようにするためだろう。現実に戸籍・計帳に登録されていたため、このように考えたのだろうか。（千葉県八千代市上谷遺跡出土）

や計帳に登録され、在地社会深くまで文書主義が入り込んでいたことの裏返しといえる。

「竈神」と魔除けの護符

出土した墨書《ぼくしょ》土器から判明した祭祀《さいし》は、ほかにもある。「竈《かまど》神《がみ》」もそのひとつである。カマド神信仰とは、カマドに神が宿るという中国伝来の道教《どうきょう》的信仰で、毎月晦日《みそか》になると、カマド神が天に昇って、天帝《てんてい》にその家に住む人物の罪状を告げ、人間の寿命が縮められるというものである（『抱朴子《ほうぼくし》』）。庚申《こうしん》信仰とよく似ている。現在でも、旧家に行けばカマド（ヘッツイ）神の信仰をみることができる。

千葉県香取《かとり》市の馬場《ばば》遺跡では、灯明皿《とうみょうざら》として使用した四枚の坏《つき》を逆さに重ね、一番上の坏に「上」と墨書し、解体したカマドの煙道《えんどう》部に置いていた。カマドは人間の生活に欠かせないものでありながら、神が宿る恐ろしいものと考えられていたから、竪穴《たてあな》住居を廃棄する際には、故意にカマドを壊し、その上に坏などの土器でふたをし、神を封じ込める祭祀《さいし》を行なったと

13

◉地獄での裁判の様子
冥界に召された人間は、閻魔王《えんまおう》の前で戸籍や名前をチェックされ、生前の罪状を詰問される。また冥官が罪状を木札（簡）に書き、裁かれる。（『春日権現験記絵巻《かすがごんげんけんきえまき》』）

推測される（カマド神を新居に遷《うつ》したのちに破棄したとみる説もある）。

もうひとつ、護符《ごふ》があげられる。千葉県柏《かしわ》市花前《はなまえ》遺跡などからは「☆」、同じく千葉県の複数の遺跡からは「井」「卌」を記した墨書土器が出土した。前者は五芒星《ごぼうせい》あるいはセーマン、後者は九字《くじ》（臨兵闘者皆陣列在前《りんぴょうとうしゃかいじんれつざいぜん》の九文字からなる呪文《じゅもん》）と呼ばれた魔除《まよ》けの護符である。博覧強記《はくらんきょうき》で知られる南方熊楠《みなかたくまぐす》が、古今東西の実例をあげて明らかにしたように、悪霊や魔物ににらまれる（見入られる）と、人間は病気になったり死ぬと考えられていた。これを邪眼《じゃがん》・邪視《じゃし》と呼ぶ。眼光には特別な魔力があると恐れられたのだ。それを防ぐためには、邪視を引きつける護符が必要とされ、五芒星や九字が生まれたようだ。

日本へは道教的信仰とともに入り、陰陽道《おんようどう》で積極的に用いられた。現在でも魔除けとして、海女《あま》が用いるアワビなどを岩から引き剝《は》がす磯ノミに五芒星が刻まれており、修験者《しゅげんじゃ》も山入りの際に九字を切っている。

筆者が実際に目にしたのは、千葉県船橋《ふなばし》市へ民俗調査に行った際のことであった。藁《わら》でつくられた「辻切《つじぎ》り」の龍に小さな木札がぶら下げられており、その表に五芒星と「急々如律令《きゅうきゅうにょりつりょう》」（護符の一種）、裏には九字が書かれていた。「辻切り」とは、悪霊が入ってこないよう村境に置くお守りのことである。カマド神といい、五芒星・九字といい、民間信仰の息の長さを思わずにはいられなかった。

◉竈神
民俗例では、イエの主婦が竈神を祀る場合が多い。しかし、現在では実際に眼にする機会は減った。（千葉県芝山町庄作遺跡出土）

コラム7

「遊女」の源流を探る

「遊女」の初見は『競狩記《きそいがりき》』(九世紀末)にある。平好風《たいらのよしかぜ》は色好みであったらしく、鷹狩《たかが》り後、いずこからか現われた遊女に対して「その懐《ふところ》を探りその口を吮《す》った」と書かれている。すでに当時、遊女は性愛の対象であったのだ。もっとも、千葉県市川《いちかわ》市須和田《すわだ》遺跡から出土した九世紀中ごろの皿には、戯画《ぎが》や習書《しゅうしょ》とともに、「遊女」の墨書《ぼくしょ》もみられる。交通の要衝に遊女が多かったことは後世の史料から知られるが、須和田遺跡の近くには下総国府《しもうさこくふ》があった。

さて、宝亀《ほうき》一一年(七八〇)一二月の勅《ちょく》では、財福を求めたり除病のために、人々が男巫女《みこ》や巫女と「搆合」することが「淫祀《いんし》」として禁止されている(『類聚三代格《るいじゅうさんだいきゃく》』)。「搆合」とは媾合《こうごう》、つまり性交渉を意味する。人々は、マジカルな力を得るために彼ら・彼女らと関係をもち、財福の取得や病気平癒《へいゆ》を願ったのだ。こうした習俗は、民俗学や文化人類学でいう「感染呪術《じゅじゅつ》」にあたる。

中世の巫女が遊女と共通する性格をもっていたことは知られているが、その源流は古代に求められるだろう。

◉播磨国室津《はりまのくにむろつ》の遊女
平安中期以降、淀川《よどがわ》下流の江口《えぐち》・神崎《かんざき》など交通の要衝には、「長者」に率いられた多くの遊女がおり、今様《いまよう》などを詠《えい》じ、接客した。(『法然上人絵伝《ほうねんしょうにんえでん》』)

第八章

東アジアとの外交と列島

1

外交の転換

小中華思想をもつ日本

古代の史料を見ると、日本が新羅《しらぎ》・百済《くだら》・高句麗《こうくり》などの朝鮮諸国を「蕃国《ばんこく》」と位置づけ、それらの国々に「調《ちょう》」という服属のしるしを貢上させていたことに気づく。それは、倭国《わこく》（日本）が中国王朝のもっていた中華思想を独自にアレンジして取り込んだことと深い関係がある。

そもそも中華思想とは、歴代の中国王朝が、みずからをもっとも優れた国で世界の中心に位置すると考え、周辺諸国を東夷《とうい》、西戎《せいじゅう》、南蛮《なんばん》、北狄《ほくてき》と名付けて蔑視《べっし》する思想である。中国諸王朝は、その実現に向けて、一定年限ごとに周辺諸国から朝貢《ちょうこう》のための使者を派遣させて服属を確認し、そのかわりに称号を授けて国王に任命した。こうしたあり方を冊封《さくほう》体制と呼んでいる。

邪馬台国《やまたいこく》の女王卑弥呼《ひみこ》が魏《ぎ》に使者を送り、「親魏倭王《しんぎわおう》」の印を得たのも、倭五王の最後の武《ぶ》（雄略《ゆうりゃく》天皇）が南宋《なんそう》に使いを派遣し、「安東大将軍《あんとうだいしょうぐん》」の称号を得たのも、倭国が冊封されていたからである。しかし、少なくとも推古《すいこ》朝以降、倭国が冊封体制に組み込まれた形跡はない。中国と対等かどうかは問題があるにしても、朝鮮半島諸国が継続的に冊封されていたのとは大きな相違である。

倭国が冊封体制に組み入れられなかった理由は、中国と朝鮮半島諸国とが離合集散を繰り返した

◉王建
高麗国初代の王（太祖）。開城市の顕陵（王建《おうけん》の墓）のすぐ近くから発掘された金銅像で、冠の形式から、王建本人と推定される。

前ページ写真

複雑な関係にあったこと、そして、日本列島が朝鮮半島の背後に位置する孤島であったためである。こうした倭国の、東アジアとしては特異な環境が、独自の対外意識を芽生えさせたのだ。

倭王権、そして律令《りつりょう》制国家は、中国の冊封体制に組み込まれなかった結果、中華思想を模して、周辺の諸国を「諸蕃《しょばん》」と位置づける小中華思想をもつようになった。これが平安時代でいえば、新羅や渤海《ぼっかい》に朝貢を求めた思想の源泉である。また、差別されたのは、新羅・渤海ばかりではない。太平洋側のエミシを「夷《い》」、日本海側のエミシを「狄《てき》」と呼んで蔑視したのも、隼人《はやと》や南島の人々を「蛮」として服属させたのもこの思想の影響である。

だが、こうした考え方をとれば、大きな問題を抱えることになる。その第一が、唐《とう》の位置づけである。

凡《およ》そ公使《くし》を以《もっ》て外蕃《げばん》より還《かえ》らば、一年の課役《かやく》を免《ゆる》せ。其《そ》れ唐国は、三年の課役を免せ。（賦役令《ぶやくりょう》）

「蕃国（新羅など）」への使節は、帰国したならば一年間、唐の場合は三年間免税にすることを規定した。前半部分は唐令《とうれい》からの引き写しで、「其れ」以下は日本令で新たに付け加えた部分である。

では、なぜ、後半部分を付け加えたのだろうか。それは、唐令では近

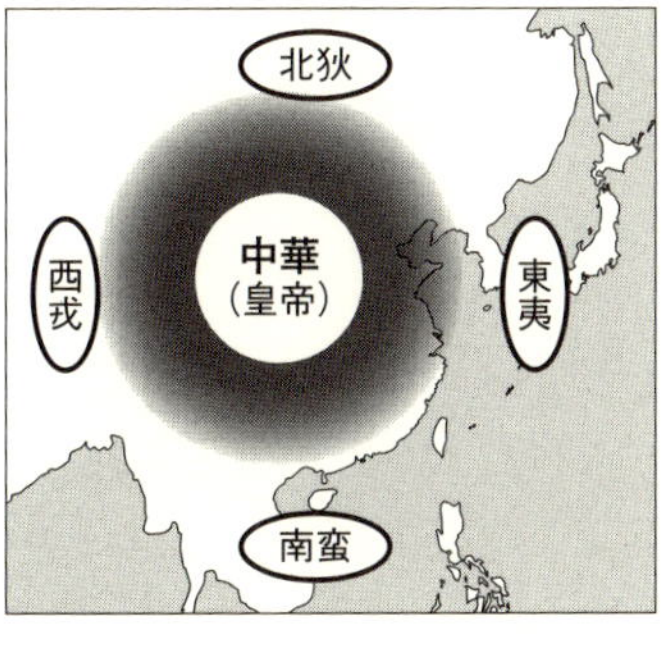

◉中華思想
華夷《かい》思想とも呼ばれ、日本には儒教とともに伝来したようだ。近世の攘夷《じょうい》思想にも影響を及ぼした。

隣諸国をすべて「蕃国」と位置づけたのに対し、日本令では、唐を「蕃国」に位置づけることがはばかられたからである。しかし、中華思想の立て前からすると、唐を例外扱いするのはおかしい。そこで、天平《てんぴょう》一〇年（七三八）頃に成立した大宝令《だいほう》の注釈書の古記《こき》が、「隣国は大唐。蕃国は新羅也《なり》」などといった苦しい解釈を行なうはめになった。

宝亀《ほうき》一〇年（七七九）、唐の使者が来朝した際、「天子南面す《てんしなんめん》」のことわざどおり、南面することを常としていた天皇が、その場を唐からの使者に譲る、つまり屈辱的な態度をとるかどうかをめぐって、朝廷内で激論が交わされた。その結果、天皇が座を降りたことは、以後長く記憶された（『壬生《みぶ》家文書《けもんじょ》』）。

新羅との関係悪化

第二の問題は、新羅《しらぎ》との関係である。基本的に新羅は、自国の国情が不安定なときは日本に対して柔軟な態度をとり、国情が安定すると強硬な態度に出た。現在でも同じであるが、内政はすぐさま外交に反映するものだ。したがって、新羅が六六〇年に唐《とう》と連合して百済《くだら》を滅ぼし、百済の救援に向かった倭国《わこく》を六六三年に白村江《はくそんこう》で破って、六六八年に高句麗《こうくり》をも滅ぼしたときには、日本と新羅の関係は険悪であった。

しかし、その直後、新羅が唐の勢力を朝鮮半島から一掃する戦いを始めると、両国の関係は一気に改善した。だが、七世紀末に新羅が朝鮮半島を統一し（統一新羅時代）、唐とのあいだで冊封《さくほう》関係が復活して政情が安定すると、七五三年、長安《ちょうあん》の大明宮《だいめいきゅう》で日本の使者と席次争いを演じたことからもわかるように、ふたたび険悪な関係になった。安史《あんし》の乱《らん》（七五五〜七六三年）を契機として、藤原《ふじわらの》仲麻呂《なかまろ》が新羅遠征を計画したほどであるが、彼の敗死で計画は頓挫《とんざ》した。

だが、八世紀の終わりに新羅国内が混乱すると、ふたたび日本に対して慇懃《いんぎん》な態度をとるようになり、宝亀《ほうき》一〇年（七七九）には、「御調《みつき》」を携えて使者を派遣してきた。「調」とは、服属の象徴として、日本が新羅に要求しつづけてきた念願の品であった。「御調」は、日本の小中華思想を満足させるに十分だったが、これ以降、新羅からの正式な使者は途絶えてしまう。

しかも、この新羅の内紛は、思わぬ事態を招くことになった。多くの難民が日本に逃れ、「帰化」する事態が生じたのだ。「蕃国《ばんこく》」の人民が天皇の「徳」を慕って「帰化」するという構図は、中華思想にかなっていたため、当初、日本は「帰化」の意思がある者に限って許可した。

ところが、承和《じょうわ》三年（八三六）、遣唐使《けんとうし》を久しぶりに派遣することが決まり、それに先立って、遣唐使船が難破した場合の保護を求める使者を新羅に派遣したところ、その回答は日本を

◉九世紀の東アジア
唐の東に新羅・渤海、北にウイグル、西に吐蕃《とばん》、南に南詔《なんしょう》・林邑《りんゆう》・真臘《しんろう》・驃《ひょう》などがあった。張宝高は、これらの国々と海上交易を行なった。

大いに憤慨させた。新羅が使者の紀三津《きのみつ》を問い詰め、「小人（紀三津のこと）の荒迫《こうはく》の罪を恕《ゆる》し、大国（新羅のこと）の寛弘《かんこう》の理を申す」との執事省の牒《ちょう》を送ってきたからだ。使者の脅迫を許し、新羅の寛容な態度を日本に示すとの意味である。ここには、かつて日本が「蕃国」と位置づけた姿はなく、新羅が日本を同等とみていることが示されている。

現実の東アジア世界のなかで、小中華思想が完膚《かんぷ》なきまでに打ち砕かれたことに、日本はようやく気づいたのだ。この事件が日本に与えた衝撃は大きく、『続日本後紀《しょくにほんこうき》』は、このことを詳しく後世に伝えなかったならば、後人はその得失を判断できない、だから全文を載せるのだと述べ、執事省の牒の全文を載せた理由を説明している。

こうした事情を承《う》けて、日本は、承和九年に外交方針を大きく転換した。大宰大弐《だざいのだいに》藤原衛《まもる》が新羅人の越境禁止を求めると、以後は「帰化」を求める者であっても、漂着民に準じて食糧・衣服を与えて追い返せ、と命じた。この法令は『貞観格《じょうがんきゃく》』に収められ、以後の外交の基本方針になった。

新羅との民間交易

日本と新羅《しらぎ》とのあいだにまったく関係がなくなったのかといえば、そうではない。新羅の商人がしばしば往来していたのだ。その代表的な人物として、張宝高《ちょうほうこう》があげられる。彼は新羅人であったが唐《とう》の軍人となり、青海鎮《せいかいちん》（韓国全羅南道《チョンラナムド》）を本拠地として、東アジアを股にかけた貿易を行なって勢力を拡大し、ついには新羅の王位継承にも口を出すようになった。彼は、庇護《ひご》を求めた新羅の王族金祐徴《きんゆうちょう》を助け、神武王《しんぶおう》として即位させたが、反乱によって八四一年に暗殺されるという数奇な運命にもてあそばれた人物である。また、彼は円仁《えんにん》とも関係があるが、それはのちに改めて述べる。

じつは、新羅人の「帰化」の禁止を求めた藤原衛《ふじわらのまもる》の奏状《そうじょう》には、新羅人が交易のためにしばしば大宰府《だざいふ》に来航していることも指摘されており、当然、張宝高の船団も念頭に置かれていたと考えられる。いや、衛の上奏は、宝高の暗殺による新羅の政情不安をふまえてのことであったに違いない。

こうした新羅との交易が、積極的に行なわれたのには理由がある。当時から、船来品は「唐物《からもの》」と呼ばれて珍重され、莫大《ばくだい》な富をもたらしたためである。筑前守文室宮田麻呂《ちくぜんのかみふんやのみやたまろ》は、のちに御霊《ごりょう》（祟《たた》り神）として祀《まつ》られる人物でもあるが、筑前守という立場を利用して、独自に新羅と交易していた。

張宝高の死を知らせた彼の部下によれば、宝高が存命のころ、宮田麻呂はあらかじめ布を宝高に渡して交易を約束していた。ところが宝高が亡くなり、損害をこうむりそうになったの

2

◉新羅船
準構造船（丸木船に側板をつけた船）として描かれているが、新羅船の具体的構造はよくわかっていない。絵巻は鎌倉初期の成立。（『華厳《けごん》縁起《えんぎ》絵巻《えまき》』）

で、宝高の部下が運んできた唐物を差し押さえたとのことであった。宮田麻呂が、具体的にどのような罪を犯したのかはわからないが、彼は翌年一二月に謀反の疑いをかけられ、伊豆国《いずのくに》に流された。

また、彼の私宅が平安京《へいあんきょう》だけでなく、摂津国《せっつ》の難波《なにわ》にもあった点は注目される。彼は入手した唐物を瀬戸内海交通を用いて難波に送り、そこから京宅に運んだのだろう。このことは、唐物を国内で流通させるシステムができあがっていたことを意味する。当然、その唐物は、貴族に売られたり、賄賂《わいろ》に用いられたりしたであろう。宮田麻呂はのちに冤罪《えんざい》とされたようだが、新羅との交易に手を染めすぎたために、政界から排除されたのかもしれない。

「神国日本」の成立

貞観《じょうがん》期になると、新羅《しらぎ》との関係はいっそう険悪になった。貞観一一年（八六九）五月には、新羅の海賊船が博多津《はかたのつ》に現われ、豊前国《ぶぜんのくに》から調《ちょう》の綿（木綿ではなく絹でつくった真綿）を運んできた船を襲撃するという事件が起こる。これに対して翌年、国家は在地から徴発した軍隊が役に立たないために、俘囚《ふしゅう》（律令《りつりょう》制国家に服従したエミシ）を配備し、警戒を強めることを命じた。この法令は、『延《えん》喜格《ぎきゃく》』に収められ、以後の先例となったことが知られる。すでに防人《さきもり》制は廃止され、防備にあたる兵士が弱体化していたのだった。

さらに、国家はもうひとつの手を打った。伊勢《いせ》神宮や石清水八幡宮《いわしみずはちまんぐう》、そして九州の主要な神社に幣帛《へいはく》を奉《たてまつ》り、王権の安寧《あんねい》を祈ったのだ。貞観一二年の宣命《せんみょう》には、「わが日本の朝《ちょう》は所謂《いわゆる》神明の国也《なり》。神明の護《まも》り賜わば、何の兵寇《へいこう》が近く来るべきや」（日本は神国である。神が守護してくれるならば、外国が攻め寄せてくることはない）と述べられている。そして、新羅を敵視する態度は、以後の日本の思想にも大きな変化をもたらした。王権が、日本を「神国」とする思想をもったからである。

「神国」思想に関連して、八幡神《はちまんしん》の性格にも変化が起きた。元来、八幡神の本宮は豊後《ぶんご》国宇佐《うさ》八幡であったが、貞観二年に平安京《へいあんきょう》近くに勧請《かんじょう》され、石清水八幡宮が成立した。奈良時代以来、八幡神は特別な地位を与えられてきたが、新羅との関係悪化に伴い、神功《じんぐう》皇后が朝鮮に出兵して新羅を討ち、百済《くだら》・高句麗《こうくり》を帰服させたあと、九州でのちの応神《おうじん》天皇を産み落としたという『日本書紀《にほんしょき》』の説話がクローズアップされるようになり、ついに神功皇后・応神天皇と八幡神を同体と見なすようになった。そして、新羅への敵対視が高じるにつれて、八幡神はいっそう王権の信仰を集めるようになり、ついに皇祖神としての地位を不動のものにしたのである。

この時期に成立した「神国」観は、紆余曲折《うよきょくせつ》があるものの、戦前までの「神国日本」という言説の基礎になったし、神功皇后のいわゆる「三《さん》韓征伐《かんせいばつ》」の説話も、近代日本の朝鮮半島侵略の「正当性」を裏付ける言説として深く浸透した。その意味で、九世紀における対外意識の変化は、現在の日本とけっして無縁ではない。

3

◉宇佐神宮（大分県宇佐市）
八幡神の性格については諸説ある。道鏡《どうきょう》が神託によって即位しようとし、和気清麻呂《わけのきよまろ》が阻んだ事件は有名である。

渤海との交易

新羅《しらぎ》にかわって、日本の小中華思想を満足させるようになったのが渤海《ぼっかい》であった。渤海は神亀《じんき》四年（七二七）以来、しばしば使者を派遣してくるようになった。そもそも渤海は、七世紀末に営州《えいしゅう》（遼寧《りょうねい》省朝陽《ちょうよう》市）で起きた李尽忠《りじんちゅう》の乱《らん》に乗じて、現在の中国吉林《きつりん》省敦化《とんか》市付近で、高句麗《こうくり》人や靺鞨《まっかつ》人によって建国された。初代の王を大祚《だいそ》栄《えい》という。

光仁《こうにん》天皇即位の際、第三代王の大欽茂《だいきんも》が「天孫《てんそん》」と称し、臣下の礼をとらない書状を送ってきたため、宝亀《ほうき》三年（七七二）に書き換えを渤海使に求めたこともあった。しかし、新羅が日本の小中華思想から離脱しつつあったなかで、総体的には好意的に受け取られ、「蕃国《ばんこく》」に位置づけられた。

渤海が日本に使節を派遣したのには、理由がある。建国当時、渤海の北にあった黒水《こくすい》靺鞨が、渤海に無断で唐《とう》に官職を求めるという事件が起きた。この対応をめぐって、渤海第二代王大武芸《だいぶげい》とその弟大門芸《だいもんげい》が対立し、大門芸は唐に逃げ込んだ。また、新羅が渤海の南部を攻めるという事件も起き、渤海は新羅・唐など周辺の国々と対立した。その孤立状態を打開するため、とくに新羅を牽制《けんせい》するために、日本に使者を送ってきたのだ。ここでも、東アジア世界の動向が大きく影響している。

ところが、唐との関係が安定すると、日本への朝貢《ちょうこう》は別の意味をもちはじめた。交易である。そこで、延暦《えんりゃく》一五年（七九六）、渤海使は来日の間隔を改定するように要求し、延暦一七年には六年に一度と定めさせ、翌一八年には訪日間隔を撤廃させることに成功した。しかし、それでは回数が多すぎるということになり、天長《てんちょう》元年（八二四）には来日の間隔を一二年に改定し、以後、定例化した。

渤海使がもたらした「貢納品《こうのうひん》」には、薬用人参《にんじん》・蜂蜜《はちみつ》などがあったが、なかでも各種の獣皮《じゅうひ》は珍重された。大江匡房《おおえのまさふさ》『江家次第《ごうけしだい》』によれば、重明親王《しげあきら》（醍醐《だいご》天皇の子）は、黒貂《くろてん》の毛皮を八重《やえ》にまとって外国使節の入京を見物していた。使節は持参した一枚の黒貂の毛皮を大事な宝だと称して持ってきたが、親王のいでたちを見て大いに恥じたという。いかに黒貂の毛皮が貴重であったのかがよくわかる。神亀四年の最初の使者が、貂皮三〇〇張、さらに貞観《じょうがん》一三年（八七一）にも虎皮《とら》・羆皮《ひぐま》とともに持ち込んでいる。今も昔も毛皮に対する愛着には、並々ならぬものがある。

当時、貂皮の着用は、参議《さんぎ》以上にのみ許されていたが、外国使節が訪れる場合には、国家の威信を示すために、例外的にそれ以下の者たちにも着用が許可された。渤海使を入京させるのは、一〇世紀では四、五月（現在の六、七月）頃が多いが、貂の毛皮はとくに防寒に優れていたから、夏の我《が》慢《まん》大会よろしく、重明親王は汗だくだったろう。

これはひとつのエピソードにすぎないが、そのほか、渤海使がもたらした虎皮ならびに羆皮も五位以上にのみ着用が許された贅沢品《ぜいたく》であった。ちなみに、第一章で紹介した『競狩記《きそいがりき》』でも、貴族たちの服飾に取り入れられている。

また、近年では、唐三彩《とうさんさい》などの高級陶器も渤海経由で輸入されていたのではないか、との見解がある。当初、渤海使は、政治目的が主であったが、使者の数がしだいに膨れ上がり、ついには数百人にも達することもあった。その変化の原因も、日本との貿易に比重が移ってきたからではないか、と推測されている。

平安時代の遣唐使

承和の遣唐使

承和《じょうわ》元年（八三四）、延暦《えんりゃく》の派遣から三〇年ぶりに、遣唐使《けんとうし》が派遣されることになった。実質、これが最後の遣唐使となる。大使は藤原常嗣《ふじわらのつねつぐ》、副使は小野《おのの》篁《たかむら》。この旅も困難なものだった。承和三年に博多津《はかたのつ》を出港したが、渡海に失敗。翌年もまた失敗し、承和五年に三度目の渡航をめざしたが、篁が乗船を拒否して離脱。彼は罰として隠岐《おき》に配流《はいる》となった。

ようやく到着した際には、総勢六〇〇人余のうち、四分の一ほどの人命が失われ、残りの者も四〇数名しか長安《ちょうあん》行きの許可が下りなかった。やっとのことで大使常嗣が、朝賀《ちょうが》の式典に参列して文宗《ぶんそう》皇帝に拝《はい》謁《えつ》したのは、八三九年正月のことである。

それでは、なぜ、三〇年間も遣唐使は派遣されな

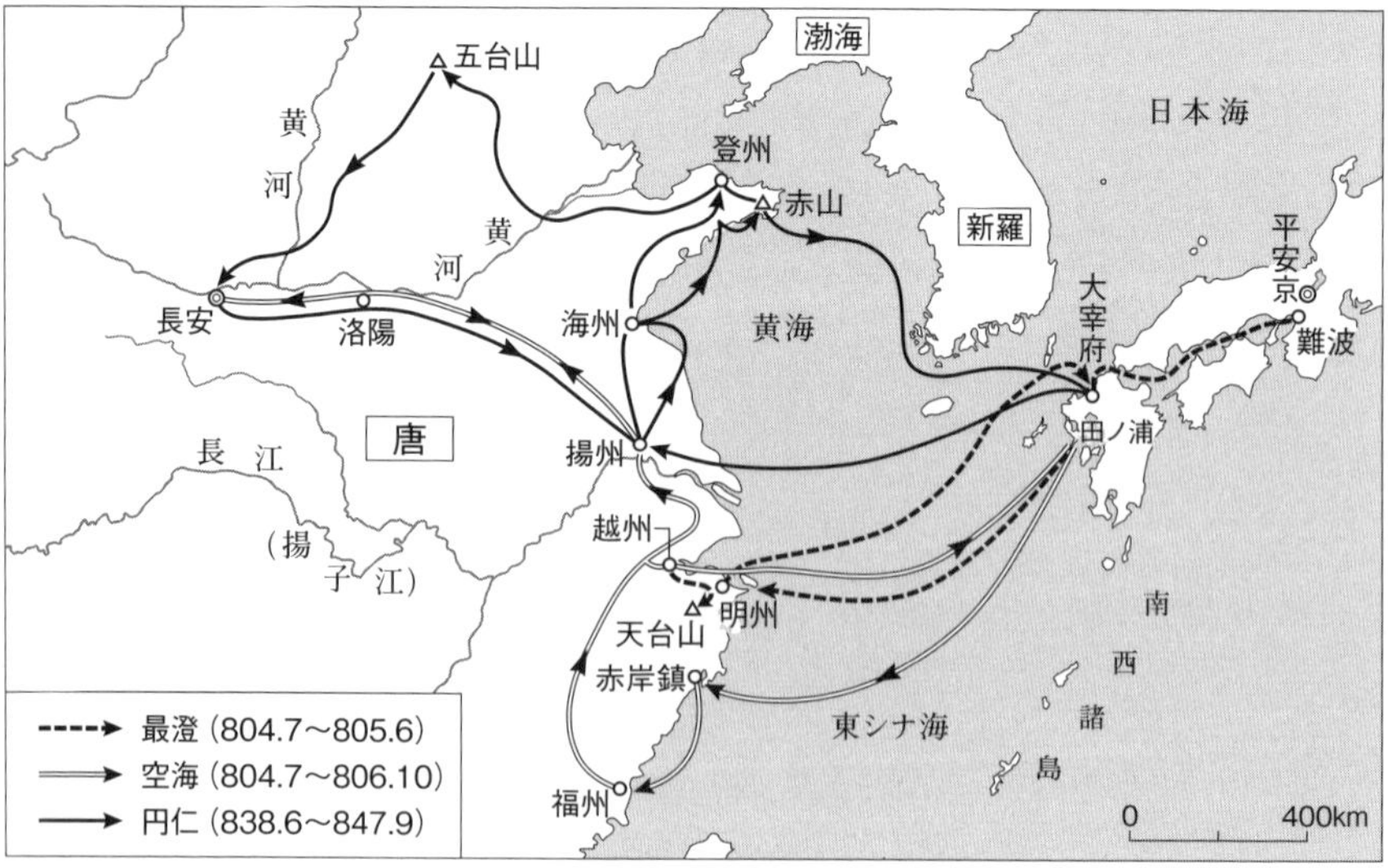

かったのであろうか。それは、唐の衰退と大きく関係している。唐王朝は、安史《あんし》の乱《らん》（七五五〜七六三年）をひとつの契機として衰え、中にあっては宦官《かんがん》が皇帝の信頼を集め、外にあっては軍閥《ぐんばつ》が台頭した。

また、租調庸《そちょうよう》制・均田《きんでん》制・府兵《ふへい》制などによる律令《りつりょう》制が変質し、塩の専売《せんばい》制や両税《りょうぜい》法をもとにした国家運営が行なわれるようになった結果、塩の闇《やみ》商人が登場し、農村も疲弊《ひへい》した。両税法とは、農民の土地所有を認めるかわりに、面積と生産力に応じて春・秋に金銭で税を納めさせる制度である。

当時の日本は、唐や新羅《しらぎ》の商人が博多津などに来航して、私的な貿易がさかんに行なわれ、また、渤海使《ぼっかいし》も来朝した。したがって、大陸の知識や文物（唐物《からもの》）は、八世紀に比べるとはるかに多く流入するようになっていた。わざわざ危険を冒してまで、遣唐使を派遣する必要性がなくなってきたのだ。そのため、遣唐使を派遣すること自体に、八世紀以前のような熱意を失っていたともいえる。

こうしたなかにあって、承和の遣唐使の特徴は、文化の輸入にある。たとえば、琵琶《びわ》の名手として著名であった藤原貞敏《さだとし》、囲碁の名人伴須賀雄《とものすがお》、琴に優れた良峯長松《よしみねのながまつ》などが、それぞれの技術を持ち帰った。

藤原貞敏の場合であるが、『日本三代実録《にほんさんだいじつろく》』貞観《じょうがん》九年（八六七）十月条によれば、遣唐使准判官《じゅんはんがん》として渡唐した彼は、長安で劉二郎《りゅうじろう》という琵琶師と出会い、砂金二〇〇両を支払って弟子入りした。

●空海、最澄、円仁の旅
最澄・空海は延暦二三年（八〇四）に入唐し、最澄は翌年、空海は大同元年（八〇六）に帰国した。承和五年、最後の遣唐使のひとりとして入唐した円仁は、承和一四年に帰国した。

彼の才能を見込んだ二郎は妙曲を伝え、琴の名手であった娘も嫁がせた。貞敏は、帰国に際して琵琶を贈られ、のちに三代の天皇に琵琶を教えたという。

もっとも、せっかく中国で体得した知識をまったく忘れてしまった人物もいたようである。

承和ノ遣唐使舞生《まいしょう》、件、帰朝ノ間、此楽《このがく》悉《ことごと》ク忘タリケレバ、又ツカハシテ、此ノ朝ニハ習トドメタリ。

（『教訓抄《きょうくんしょう》』）

承和の遣唐使の舞生は、唐での舞をまったく忘れてしまったという。大宝《たいほう》の遣唐《けんとう》大使粟田真人《あわたのまひと》のように、あらんかぎりの財物をはたいて書籍を買いあさり、また唐の知識を必死になって身につけて帰朝した人物より、筆者などはよほど親近感を覚える。このあたりにも、遣唐使に選ばれた人たちの質的変化が見てとれる。

一方で、仏教の摂取にも積極的であった。延暦の遣唐使で最澄《さいちょう》と空海《くうかい》が渡航し、密教をもたらしたことは先述したが、今回も真言《しんごん》僧の円行《えんぎょう》、三論《さんろん》宗の常暁《じょうぎょう》、天台《てんだい》宗の円仁《えんにん》・円載《えんさい》、法相《ほっそう》宗の戒明《かいみょう》などが乗船した。円仁については次項で述べるので、ここでは常暁についてのみ触れておこう。

常暁はのちに空海の弟子となり、唐から大元帥法《たいげんのほう》を伝えた。この法を行なえば、天候がよくなるばかりか、外敵・盗賊・逆臣・悪鬼《あっき》が王権に仇《あだ》なすことはないと喧伝《けんでん》され、貞観一一年に新羅《しらぎ》の海賊船が豊前国《ぶぜんのくに》の貢調船を襲撃した事件や、平将門《たいらのまさかど》・藤原純友《すみとも》の乱《らん》などでも修された。のちには王権のみが行なえる秘法となり、藤原伊周《これちか》・隆家《たかいえ》兄弟は、この修法を私的に行なったため、藤原道長《みちなが》に排斥《はいせき》されたほどである。

承和の遣唐使については、その価値をあまり認めない場合が多い。しかし、文化史的にみると、以後の日本文化に与えた影響は大きい。平安《へいあん》貴族のたしなみとしての琴・琵琶など、そして仏教は欠かせないものであった。その意味で、この遣唐使がもたらした「文化ソフト」は、以後の貴族社会に深く浸透していったのだった。

世界的に名を知られる円仁

円仁《えんにん》は、延暦《えんりやく》一三年（七九四）、下野国都賀郡《しもつけのくにつが》（栃木県壬生《みぶ》町付近）の壬生氏に生まれた。その後、下野国大慈寺《だいじじ》（栃木県岩《いわ》舟《ふね》町）の広智《こうち》（道忠《どうちゅう》の弟子）の弟子となり、のちに延暦寺で本格的に勉学にいそしんだ。円仁が遠く離れた比叡山《ひえいざん》で修行できた理由は、広智が最澄《さいちょう》の東国伝道を助けた機縁による。

円仁は最澄に高く評価され、後継者のひとりとして、承和《じょうわ》の遣唐使《けんとうし》に乗船することになった。彼の渡唐の目的は、天台教《てんだいきょう》学《がく》の疑問を解決することにあった。最澄がしきりに空海《くうかい》に経典《きょうてん》類の借用を依頼したように、日本の天台宗はまだ発展途上にあ

4

◉円仁頭部像
山形県立石寺《りっしゃくじ》境内の絶壁に入定窟《にゅうじょうくつ》があり、その中の金棺《きんかん》に入っていた木造頭部。寺伝では、円仁の遺骨を移す際に一緒に納めたという。

ったからである。
ところで、現在、彼は世界的に著名な人物である。その理由は彼の日記『入唐求法巡礼行記《にっとうぐほうじゅんれいこうき》』にある。アメリカの駐日大使でもあったライシャワーが全文を英訳し、さらに『世界史上の円仁　唐代中国への旅』を著わして、日本語をはじめ数か国語に翻訳されているからだ。さしずめ「世界の円仁」ということができる。

じつのところ、中国本土に残されている唐代の歴史史料は、たび重なる王朝交替の影響もあり、それほど多くはない。まして、異邦人の眼からみた実態を示す史料として、彼の日記はかけがえのない価値をもっている。マルコ・ポーロが『東方見聞録《とうほうけんぶんろく》』を著わす四〇〇年以上も前のことである。

だが、彼はなぜ日記を残したのだろうか。それは、彼の唐での体験をあとに続く求法僧《ぐほうそう》に伝え、道標とするためであった。同様の日記としては、遣唐使として派遣され、『日本書紀《にほんしょき》』に引用されている「伊吉博徳書《いきのはかとこのしょ》」がある。したがって、同じく日記と称しても、九世紀末以降に書かれるようになった天皇や貴族の日記とは、区別する必要がある。

波濤を超えた求法の旅

円仁《えんにん》一行は、最初揚州《ようしゅう》に着岸し、師最澄《さいちょう》が訪れた天台山《てんだいさん》への巡礼を申請した。ところが、揚州大《だい》都《と》督府《とくふ》の都督であった李《り》徳裕《とくゆう》は、言を左右にして巡礼を認めない。李徳裕とは、のちに武宗《ぶそう》皇帝の側近として宰相《さいしょう》となり、専権を握った人物である。結局、円仁は正式な許可を得られなかった。

そもそも円仁は、天台請益《しょうやく》僧（天台宗の学問を修める正式な随員）という身分で参加していたから、遣唐使《けんとうし》と行動をともにしなければならなかった。藤原常嗣《ふじわらのつねつぐ》が皇帝に拝謁《はいえつ》すれば、まもなく帰路につかねばならない。彼は迷ったに違いない。まだ、なんの成果もあげていなかったからだ。ついに、彼は不法滞在を決意する。

彼がとった行動は、山東《さんとう》半島に定住している新羅《しらぎ》人のなかに潜《もぐ》り込むというものだった。これとていちどは新羅僧への変装を見破られ、危うい目にあった。しかし、彼はあきらめなかった。ようやく半島の突端にある赤山法華《せきざんほっけ》院《いん》で生活できることになった。赤山法華院とは、日本との貿易にも活躍した新羅人の張宝高《ちょうほうこう》が建立したもので、当時、宝高は新羅でクーデターを起こして神武《しんぶ》王《おう》を即位させていた。

円仁は、この地の有力者張詠《ちょうえい》と昵懇《じっこん》の間柄となり、助力を得ることに成功する。また、はるか遠くの天台山ではなく、五台《ごだい》山《さん》を目的地に定め、数度の申請を繰り返した末、ようやく武宗の許可を得ることができた。五台山は文殊菩《もんじゅぼ》薩《さつ》の霊地とされ、日本僧霊仙《りょうせん》が訪れた地であった。霊仙とは、最澄《さいちょう》・空海《くうかい》らとともに渡唐し、長安《ちょうあん》・五台山で修行を重ねたが、毒殺された高僧

◉五台山の風景（中国山西省）
仏教の霊山で文殊菩薩の聖地。最盛期の唐代には三〇〇以上の寺院があった。日本はもとより、インド・朝鮮諸国からも多くの巡礼者が訪れた。

である。

円仁は五台山の巡礼をすませると、長安に向かった。そして、大興善寺《だいこうぜんじ》の元政《げんせい》（不空三蔵《ふくうさんぞう》の三代目の弟子）から金剛界《こんごうかい》大法、青龍寺《せいりゅうじ》の義真《ぎしん》（不空三蔵の弟子）と玄法寺《げんぽうじ》の法全《はっせん》（善無畏《ぜんむい》の四代目の弟子）から胎蔵界《たいぞうかい》大法、また、義真から蘇《そ》悉地《しつじ》大法を授けられた。これらの法は天台密教の三部大法として、日本で伝習されることになる。さらに、青龍寺にたまたま居合わせたインド僧宝月《ほうげつ》からサンスクリット語（悉曇《しったん》）、天台第八祖宗穎《しゅうえい》からは止観《しかん》も修得する。

ところが、八四二年三月、仏教徒にとって大事件が起こった。世にいう「会昌《かいしょう》の法難《ほうなん》」である。そもそも中国では、仏教と道教《どうきょう》が反目し、それに王権がよりどころとする儒教《じゅきょう》が加わって、三つどもえの抗争を続けていた。『西遊記《さいゆうき》』には、孫悟空《そんごくう》・三蔵法師《さんぞうほうし》が道士《どうし》と術比べをする場面がしばしば描かれているが、これは仏教と道教の対立を風刺したものでもある。

武宗は、道教を信仰して道士を取り立て、仏教を疎《うと》んじた。その理由は、不老不死の仙薬《せんやく》を手にしたいがためであった。もっとも、仙薬と称するものは、水銀などの有毒物質を含む場合が多かったから、命を縮めこそすれ、不老不死などでっちあげにすぎなかったのだが。

しかし、道教を信じてやまない武宗は、私度僧《しどそう》を寺から追放する勅命《ちょくめい》を下し、翌年には長安で三〇〇〇人以上の僧尼が還俗《げんぞく》させられた。さらに八四五年には、すべての僧尼の還俗が命じられた。この命により、円仁も還俗・帰国を余儀なくされ、長安を離れる決意をする。

円仁は洛陽《らくよう》・鄭州《ていしゅう》を経て、ようやく楚州《そしゅう》に至った。彼はこの地で日本への船便を待とうとしたが、役人に咎《とが》められ、やむなく登州《とうしゅう》をめざす。その地で懐かしの張詠に会えたのは八月末のことだった。円仁がこの地を出帆したのは八四七年九月二日。順調に船旅を続け、同月一七日、大宰府《だざいふ》の鴻臚《こうろ》館《かん》に着くことができたのである。

嘉祥《かしょう》元年（八四八）、都に入った円仁は、比叡山《ひえいざん》に常行三昧堂《じょうぎょうざんまいどう》を建て、さらに天皇の本命星《ほんみょうしょう》である北極星《ほっきょくせい》に祈りを捧《ささ》げる熾盛光法《しじょうこうほう》を許された。以後、この法は朝廷で重く用いられ、円仁の弟子たち（山門派《さんもんは》）が王権と結びつく要因となった。貞観《じょうがん》四年（八六二）に円仁は天台座主《ざす》となり、その二年後、七一歳で亡くなった。

円仁のあとも、円珍が仁寿《にんじゅ》三年（八五三）に中国の商船に便乗して求《ぐ》法《ほう》に旅立ち、福州上陸後、天台山に詣《もう》で、さらに長安の青龍寺で法全《はっせん》から法を授けられた。彼も、その様子を日記に記していたらしいのだが、現在は、その省略本が残されているにすぎない。

しかし、円珍自筆の文書や経論とともに、唐での過所《かしょ》（通行証）や行政文書などの原本が、彼が再興した近江《おうみ》国の園城寺《おんじょうじ》にいまも伝存していることは特筆される。彼もまた、後進のために日記や文書を残そうとしたのである。

6

◉鴻臚館跡（福岡市旧平和台球場）国家が交易を管理するために置いた役所。堀を挟んで南北に建物群が確認されており、膨大な越州窯系青磁の破片が発掘された。

遣唐使停止の真相

近年の研究により、八世紀前半の遣唐使《けんとうし》は二〇年に一度、遣わされることになっていたことが明らかになってきた。ところが、平安時代になると、その間隔は徐々に開き、しだいに派遣されなくなる。九世紀には、わずかに延暦《えんりやく》二三年（八〇四）と承和《じようわ》五年（八三八）の二回しかない。その理由は、先に述べたとおりである。こうして、約六〇年間にわたって遣唐使は派遣されずにいた。ところが、宇多《うだ》天皇は、寛平《かんぴよう》六年（八九四）、突然遣唐使の派遣を計画し、遣唐大使に菅原道真《すがわらのみちざね》、副使に紀長谷雄《きのはせお》を任命した。

それでは、なぜ九世紀の終わりに、六〇年ぶりに遣唐使を派遣しようとしたのだろうか。この点について、宇多天皇のたんなるパフォーマンスにすぎないなど、いろいろな説がある。しかし、第一章で示したように、宇多は文章博士《もんじようはかせ》に翰林学士《かんりんがくし》を重ね合わせ、中国的な年中行事も取り入れた。彼は親政をめざすために、唐風化政策を推進したのであった。こうした宇多の個性を考慮すれば、この時点での遣唐使派遣に意味があったかどうかはおくとしても、宇多が実際に中国文化の摂取を図るために、派遣を指示したのではないかと筆者は考えている。

ところで、『日本紀略《にほんきりやく》』寛平六年九月条の末尾にはつぎのようにあり、従来、このときをもって遣唐使は停止されたと考えられてきた。

三十日、己丑《きちゆう》、…其の日、遣唐使を停《とど》む。

文字どおり解釈すれば、九月三〇日に遣唐使を停止するということになる。ところが、『日本紀略』の「其日」という表記は、書体がよく似ている「某日」の誤りで（ある日という意味）、「その日」という意味で解釈してはならないことが、近年明らかにされた。したがって、「寛平六年九月三〇日に遣唐使が停止された」と解釈できないことになる。

おそらくこの記事は、菅原道真の漢詩文集『菅家文草《かんけぶんそう》』の「諸公卿《くぎょう》をして遣唐使の進止を議定せしむを請う状」という、公卿に遣唐使派遣の是非《ぜひ》を問うことを求めた奏状《そうじょう》からとられたもので、その日付も九月三〇日にかけるべきではないと推測されたのである。「其」と「某」は、写本を書き写す段階で誤写されたようだ。

道真が遣唐使の停止を建議した理由については、古来、遣唐大使に任命された道真が危険な旅に赴くことを望まなかったから、あるいは莫大《ばくだい》な費用がかかるから、戦乱により唐が衰亡し遣使の必要がなくなったからなど、さまざまな説が立てられてきた。その理由をひとつで説明することは困難だが、『菅家文草』を見ると、道真は唐に居住していた日本の僧中瓘《ちゅうかん》から詳細な情報を得ており、唐の治安や現状をかなり正確に把握していたことがわかる。道真の遣唐使派遣停止の建議は、こうした情報に基づく総合的な判断によるものであった。

なお、遣唐使の停止について、「遣唐使の廃止」と表記する文章を眼にすることがある。しかし、停止後も道真・長谷雄は、それぞれ遣唐大使・遣唐副使を名のっているから、あくまで「停止」であって「廃止」ではないといえる。

宋・朝鮮半島との交流

孤立化する日本

唐《とう》は、八七五年、塩の闇《やみ》商人黄巣《こうそう》が起こした戦乱により疲弊《ひへい》し、黄巣の配下朱全忠《しゆぜんちゆう》によって滅亡させられた。九〇七年のことである。その後、中国は、小国が分立する五代十国《ごだいじつこく》時代に突入した。この混乱を経て、九六〇年に統一国家を打ち立てたのが宋《そう》である。

また、中国東北部では、モンゴル系の遊牧民族であった契丹《きつたん》が、耶律阿保機《やりつあぼき》によって統一され、九二六年に渤海《ぼつかい》を滅亡させて、一〇世紀なかばには遼《りよう》と称した。

一方、朝鮮半島でも内乱が起きていた。九〇〇年、半島西南部に後百済《ごくだら》が、翌年、中北部に後高句麗《ごうくり》が建国されたが反乱が起こり、九一八年には王建《おうけん》が高麗《こうらい》を建てた。その後も、新羅《しらぎ》・後百済を含む三国が離合集散を繰り返したのち、九三六年に高麗が半島を統一した。

こうした東アジア世界の動乱は、直接ではないが、日本にも影響を及ぼした。延喜《えんぎ》二二年（九二二）六月および延長《えんちよう》七年（九二九）五月には、新羅（じつは後百済）の使者が対馬《つしま》に来貢《らいこう》して通交を求めたが、日本は後百済を認めず、朝貢《ちようこう》を断わった。

また同年、渤海国の使者を自称する者が丹後国《たんごのくに》に来航している。渤海はすでに滅亡していたが、その使者は、「自分は渤海人であったが、敗れて東丹国（契丹）の臣下となった」と言いながら、契丹王の悪口を述べ立てた。それに対して、日本は使者の節度のなさを責めた。さらに高麗も、九三七年以来、三回にわたって使者を派遣してきたが、日本は、国家として認知し、交易については許可したが、外交に関しては拒否しつづけた。

日本人が私的に国外に渡航することは禁じられ、諸外国の漂流民が漂着した場合も、水・食糧・衣服などを与えたうえで祖国に送り返す、という方針を日本がとったことは、これらの政策と軌を一にしている。

さて、銭鏐《せんりゅう》が建国した呉越《ごえつ》国は南中国にあり、杭州《こうしゅう》・明州《めいしゅう》などの貿易港、そして天台山《てんだいさん》を擁する国であった。承平《じょうへい》六年（九三六）七月、商人が、朱雀《すざく》天皇・左大臣藤原忠平《さだいじんふじわらのただひら》・右大臣藤原仲平《なかひら》に、呉越国王の贈り物を持参した。この対処の仕方が独特である。天皇の分は返却しながら、左右大臣の分は受納して、忠平が使者に返牒《へんちょう》を与えたのだ。

このことは、呉越国を正式な国家とは認めず、外交は行なわないが、臣下による通交は認めたことを示している。つまり、交易については認める（唐物《からもの》は欲しい）との意思表示であった。

以後、呉越国とは「臣下」による交渉が行なわれた。

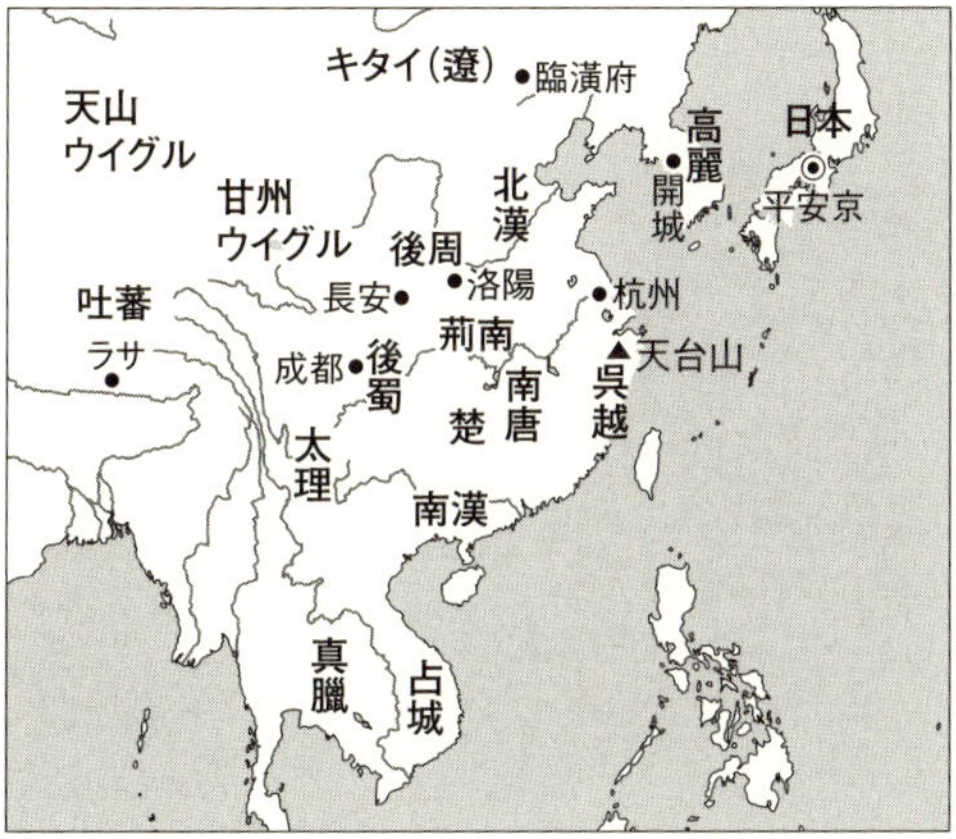

●一〇世紀の東アジア
一〇世紀初め、九世紀まであった国家が解体・分裂し、小規模な国々が乱立した。これを統一したのが中国では宋、朝鮮半島では高麗である。

日本と宋との関係

日本は、唯一の朝貢国《ちようこう》渤海《ぼつかい》を失ったのち、宋《そう》以外とは外交関係をもたなくなった。それでは、宋との関係はどのようなものであったのだろうか。この時期、宋からは多くの人々が来航した。そのなかには、難破などによる漂流民もいたが、多くは商人であった。

海商が到着すると、大宰府《だざいふ》から国家に報告が届く。公卿《くぎよう》は陣定《じんのさだめ》を催して対応を審議したのち、天皇に奏上《そうじよう》して、最終的な判断を仰いだ。その結果は、大宰府に太政官符《だいじようかんぷ》（宣旨《せんじ》の場合もある）として下され、許可となれば、彼らは鴻臚館《こうろかん》に案内された。その際、海商からは、乗組員の名、船載品《はくさい》の種類・数量などを記した文書、渡海許可証などが奏上されたほか、天皇に対して唐物《からもの》が贈られた。こうした儀礼を「唐物御覧《ぎよらん》」という。少し変わったところでは、万寿《まんじゆ》四年（一〇二七）に、乗組員全員の姿形・服装を描いた色絵を奏上させたこともあった（『小右記《しようゆうき》』）。

それではなぜ、これらの品々を天皇に見せなければならなかったのだろうか。それは、外交の可否を決定できるのは天皇の専権事項であり、臣下が決定できなかったからである。これを天皇の「外交大権」と呼ぶ。先に、古代国家が小中華思想を独自に形成したことを指摘したが、海商の来航は、天皇の「徳」が海外にもおよんでいる証明と考えられていた。

貴族の関心は、海商たちがもたらす船載品であった。これを唐物（中国のみならず渤海・高麗《こうらい》などの物も含む）と呼ぶことはすでに述べた。そして、この買い付けには一定のルールがあった。「蔵人所《くろうどどころ》にも、すべて唐土《とうど》の人の来るごとに、唐物の交易し給ひ」（『うつほ物語』）とあるように、まず、蔵人所から唐物使・交易唐物使という使者が派遣されて、必要な物品を買い上げる。次いで、大宰府官人《かんじん》が買い付け、残りを民間で売買した。価格は「和市《わし》」と呼ばれ、双方の折り合う価格で取り引きされた。もっとも、この場合も唐物使が到着する前に、院宮王臣家《いんぐうおうしんけ》が私的に買い付けることが横行した。

それでは、唐物の対価として、何をあてたのだろうか。従来は、砂金（一部は水銀）と考えられてきた。たしかに留学僧の学資に金が使われたり、毎年陸奥《むつ》・下野国《しもつけのくに》から送られる金が対価として用いられてはいた。しかし、近年では、金のみならず、米や硫黄《いおう》の存在も注目されている。とくに、鬼界島《きかいがしま》（鹿児島県硫黄島）は、鹿ケ谷《ししがたに》の陰謀事件で流された俊寛《しゅんかん》の話からもわかるように、硫黄の産地として知られており、応徳《おうとく》元年（一〇八四）には、宋が五〇万斤《きん》もの硫黄を日本から調達しようとしている（『続資治通鑑長編《ぞくしじつがんちょうへん》』）。

当時、宋では火薬が発明され、西夏《せいか》との戦いに用いられていた。硫黄は、炭・硝石《しょうせき》とともに黒色火薬に不可欠のものであったから、大きな需要があったと考えられる。日本は、宋の銃後を支えていたといえる。

7

◉輸入陶磁器
輸入中国製陶磁器は、一〇世紀は越州窯系青磁が主流であったが、一一世紀には急速に白磁に変わったことが判明した。（鴻臚館跡出土）

僧侶による外交

いままで、日本に来航する商人について述べてきたが、日本から宋《そう》をめざした者にはどのような特徴があるのだろうか。それは僧侶である。遣唐使《けんとうし》が派遣されなくなると、多くの僧侶が海商の船に乗って中国に渡り、そして帰国した。

東大寺《とうだいじ》の僧奝然《ちょうねん》は、永観《えいかん》元年（九八三）、宋に渡って天台山《てんだいさん》に参詣《さんけい》し、その後、汴京《べんけい》（開封《かいほう》）で宋の太宗《たいそう》に拝謁《はいえつ》した。その席上、「職員令《しきいんりょう》（官職を定めた令の編目）」「王年代記《おうねんだいき》（天皇の系譜）」など、日本の国情を詳しく奏上《そうじょう》し、皇帝の質問に答えた。翌年には五台山《ごだいさん》を巡礼し、ふたたび太宗に拝謁《はいえつ》、宋版の大蔵経《だいぞうきょう》を下賜《かし》されて帰国した。彼の様子は、宋の正史である『宋書』に記載されている。

彼の入宋《にっそう》の目的については、個人的な求道心だけではなく、成立したばかりの宋に、公的な日本の使者として赴いたのではないかとの考えもある。わざわざ太宗に拝謁し、天皇の詳しい系譜、日本の地理・人口など詳細な情報を奏上したのは、宋に日本の存在を認めさせようとしたからではないかとの想定である。もし、この見解が正しいならば、日本は表面上、宋との公式な外交を行なわなかったものの、けっして無関心ではなかったことになる。

彼が持ち帰った仏像は、京都嵯峨野《さがの》にある清涼寺《せいりょうじ》に現存する。昭和二八年（一九五三）、その仏像の解体修理が行なわれた。すると、胎内《たいない》から五臓六腑《ごぞうろっぷ》の模型や奝然自筆の文書などが出現した。「胎内の正倉院《しょうそういん》」と呼ばれるゆえんである。その後、波状の衣文《えもん》が全身を包むその特異な仏像形態は、清涼寺式釈迦《しゃか》像として列島各地で模刻され、現在でもしばしば眼にすることができる。

チャイナタウン博多

『散木奇歌集《さんぼくきかしゅう》』巻六には、つぎのような歌が収められている。

　　はかたにはべりける唐人《からびと》どものあまたもうできてとぶらいける

たらちねにわかれぬる身はから人の　ことゝうさえぞ此世《このよ》にも似ぬ

（親に死に別れたこの身は、唐人が弔問《ちょうもん》することさえこの世のことではないような錯覚を起こさせる）

これは、永長《えいちょう》二年（一〇九七）閏《うるう》正月、大宰権帥源経信《だざいのごんのそちみなもとのつねのぶ》が、現地で亡くなった際に詠まれた和歌である。当時、博多《はかた》に住んでいた多くの中国人が、弔問に訪れたことをうかがわせる。それでは、

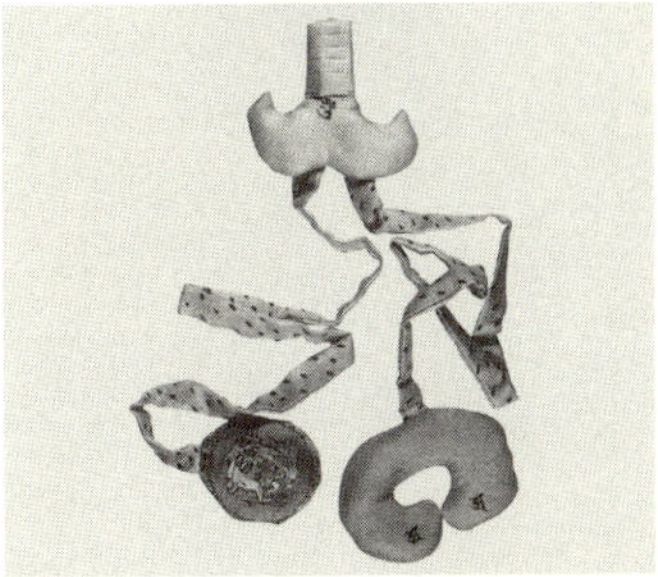

8

◉清涼寺阿弥陀如来像
別名「三国伝来（インド・中国を経て日本に伝わった）の仏像」。奝然は九八五年、台州の開元寺で釈迦像を模刻した。その像は、優《う》填王《でんのう》のために牛頭梅檀《ごずせんだん》（最高級の白檀《びゃくだん》）で制作され（現存せず）、インド僧の鳩摩羅什《くまらじゅう》らによって四〇一年に長安に持ち込まれたという。下は如来像の胎内に納められていた絹製五臓六腑の模型。

「唐人」たちは、どのように博多で暮らしていたのだろうか。

「抑《そもそも》、大宰ノ帥経信ノ卿ノ申サレ侍《はべり》ケルハ、ハナカタノ唐防ニテ引（弾）シヲ聞シカバ、アブト云虫《いうむし》ノ、アカリ障子ニアタルオトニニタリトゾ、物語ニ侍ケル」（『教訓抄《きょうくんしょう》』）

経信は、「ハナカタノ唐防」で琵琶《びわ》の練習をしたと伝えられていた。それでは「ハナカタノ唐防」とは何か。それは、「博多の唐房《とうぼう》」の誤りと考えられる。当時、唐房と呼ばれるチャイナタウンが博多に存在したのである。

この点は、考古学的にも裏付けることができる。JR博多駅のすぐ北に「博多遺跡群」と呼ばれる遺跡が広がっている。そこからは、主として一一世紀後半から一二世紀後半にかけての多量の中国製陶磁器、中国系瓦《かわら》、中国商人の生活用具など、同時代の国内遺跡ではほとんどみることのできない遺物が出土している。したがって、この一角に中国商人たちが多く住む「唐房」と呼ばれる地区が形成されていたと考えられる。

対外関係の中心であった鴻臚館《こうろかん》は、一一世紀なかばごろ、その機能を停止した。鴻臚館跡は、昭和六二年（一九八七）、旧平和台《へいわだい》球場の下から発掘されている（305ページ参照）。それにかわって成立したのが、鴻臚館の東に位置する博多遺跡群なのであった。だが、中国人の居住が、

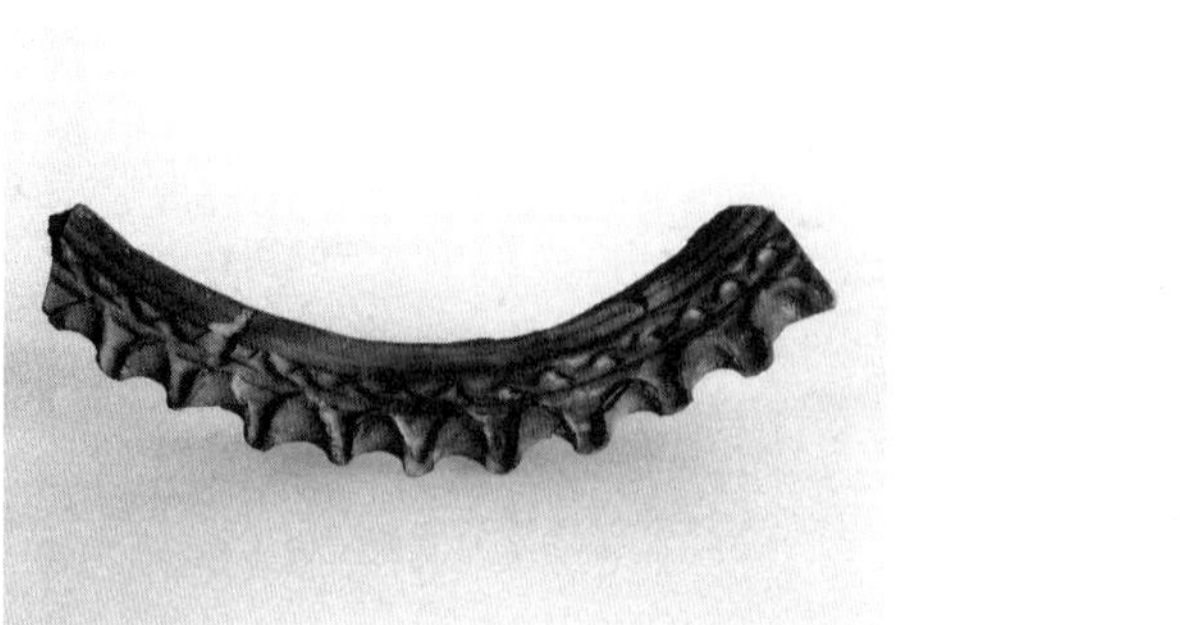

9

◉中国式の瓦
博多遺跡群からは中国中南部に起源がある特殊な瓦や、中国製の鏡・硯《すずり》・燭台《しょくだい》などが出土する。元祖「チャイナタウン」といえる。

唐房から始まったと考える必要はあるまい。鴻臚館時代からの延長としてみる必要がある。

万寿《まんじゅ》三年（一〇二六）六月、宋《そう》の商人周良史《しゅうりょうし》という人物が五位に叙されることを申請した。その母は日本人であったという。また、翌万寿四年八月、章仁昶《しょうじんしょう》が、日本に滞在する宋人の父と、日本人の母の安否を尋ねるために来朝した。おそらく、すでにこの当時、鴻臚館近辺には、唐人が居住するようになっていたのではないか、と考えられる。

こうした宋人の居住については、上流貴族にも知られていた。藤原道長《ふじわらのみちなが》との政争に敗れた藤原隆《たか》家《いえ》が眼病を患った。熊野詣《くまのもう》でなどもしたが治らない。そこで、長和《ちょうわ》三年（一〇一四）一一月、空いていた大宰権帥《だざいのごんのそち》のポストを懇願《こんがん》してなんとか手に入れ、下っていった。その目的は、来日していた宋の医僧恵清《えしょう》の治療を受けるためであった。この後、彼は刀伊《とい》の入寇《にゅうこう》を撃退することになるが、大宰《だざい》府《ふ》に宋人が住んでいることを知っていなければ、このような行動をとることはなかったと思われる。

それでは、日本人は海外にも進出したのであろうか。一三世紀なかばの寧波《ニンポー》には、日本人が集団で居住していたことがわかっているが、一一世紀についてはあまり明らかではない。ただ、一〇九三年七月、高麗《こうらい》で宋人・倭人《わじん》が乗り込んだ海船が拿捕《だほ》された（『高麗史《こうらいし》』）。積み荷に、水銀・硫黄《いおう》が含まれていたことからみて、この倭人とは日本人を指すとみてよいだろう。史料は少ないながら、日本人が禁制を顧みず、中国、そして朝鮮半島沿岸で、貿易に従事していたことをうかがわせる。

国内を行き交う人々

東国の海を行く

従来、東国の海上交通は、西国に比べてあまり盛んではなかったと考えられてきた。その理由は、瀬戸内海など内海に比べて太平洋は波が荒く、海上交通に適さないとされてきたことにある。しかし、奈良時代、坂東《ばんどう》諸国の郡司《ぐんじ》所有の船が、遠く陸奥国《むつのくに》まで航行していたことが明らかになるなど、しだいにその実態が解明されてきた。

大江時棟《おおえのときむね》は、寛仁《かんにん》四年（一〇二〇）の春除目《はるじもく》に先立って、中文《もうしぶみ》（自薦状）を提出した。そのなかで、彼は自分の功績を切々と訴え、自分を国守に任じるよう望んだ。着目すべきは、つぎの部分である。「況《いわ》んや亦《また》安房国《あわのくに》の体たるや、山重なり江複にして、路遠く境はるかなり。…渡口《とこう》の嶮浪《けんろう》に畳《じょう》たるや、水道《すいどう》に棹《さお》さして呂梁《りょりょう》の危うきを過ぐ」（『本朝続文粋《ほんちょうぞくもんずい》』）

安房国の様相は、山が重なり入り江も複雑で、路は遠く場所もはるか遠くにある。（中略）渡口（渡し場、津）には荒い浪《なみ》が幾重《いくえ》にも打ち寄せ、水道（陸地に挟まれて海が狭くなった場所）に棹《さお》さして（船に乗って）、難所を通過した、という意味である。安房守《かみ》であった時棟は、船を用いて、三浦《みうら》半島から走水《はしりみず》（浦賀《うらが》水道）を通って安房国へ渡ったと推測される。

また、鎌倉《かまくら》時代に成立した古辞書『二中歴《にちゅうれき》』には、一二世紀初めごろに書かれた日本図が引用されている。そこでは、相模《さがみ》・武蔵《むさし》・下総《しもうさ》・上総《かずさ》・安房・伊豆国《いずのくに》が同心円状の朱線でつながっている。この線は、「道」と考えられるから、当時、伊豆国から安房国への海上交通が存在したことが確かめられる。さらに、具体的な太平洋沿岸の海上交通についての史料を示す。

あわのくにより、かみのみちからまかりのぼりしに、するがにいりえのうらというところにて、かぜふきて、八日までふねをいださず、あやしみなげくほどに、人の夢に、住吉のひとのする事もなくて、おりのぼりするがやすからねば、おきながふかするかぜなり、となむみえるとかたれば、おどろきてたずぬれば、なきさに神のやしろあり、みおの明神と申、にわかにみてぐらはさみて、しでにかきつけ侍し、

みおのかみすむときゝてぞいりえなる　なぞふねするゑて日かずへぬらん

（入江浦に住んでいると聞いた澪《みお》の守護神である御穂《みほ》の神よ、どうして私が乗ろうとしている船をとどめたまま日数が過ぎていくのですか）

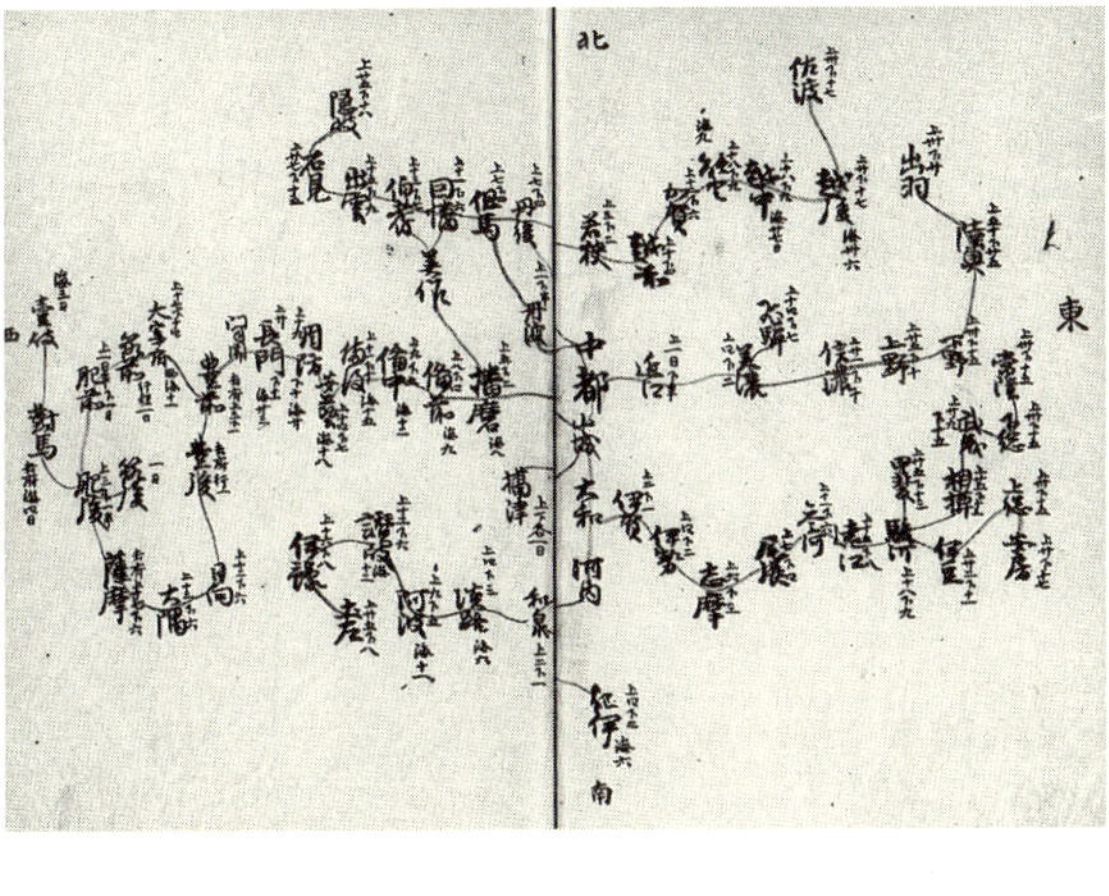

10

◉『二中歴』に掲載された日本図

地図は、一二世紀初めに編纂《へんさん》された古辞書『懐《かい》中歴《ちゅうれき》』からの引用である。東国の海上交通については、当時の人々によく知られていた。

かくてぞほどなく、かぜやはらぎ、なみしずかにてふねいだし侍し
（『津守国基集』）

津守国基《つもりのくにもと》が安房国を訪れた理由は、子の宣基《のぶもと》が応徳《おうとく》二年（一〇八五）二月に安房守となったためである。時に国基は、六〇歳過ぎであった。意味は、大略つぎのようになる。

国基が安房国から上京しようとしたところ、駿河国《するがのくに》の入江浦というところで、風が吹いて八日間も船を出せず嘆いていた。すると、ある人が「祟《たた》りによって風が吹いているのだ」との夢を見たと話したので、驚いてそこを訪ねると、海辺に「みをの明神」があった。急いで幣帛《へいはく》に歌を書きつけて奉納した。すると、ほどなく風もおさまり、波も静かになって出航できた、という内容である。

それでは、駿河国入江浦とはどこなのだろうか。現在、静岡市清水区《しみず》街を流れる巴川《ともえ》の右岸に入《いり》江《え》町、左岸に江尻《えじり》町の地名がある。入江浦とは、中世の『吾妻鏡《あずまかがみ》』『海道記《かいどうき》』などに記された、著名な江尻津のことであった。したがって「みおのかみ」とは、天《あま》の羽衣《はごろも》伝説で有名な美保《みほ》の松原にある御穂神社（延喜式内社《えんぎしきないしゃ》）を指すことになる。一方、「みを」は「澪（船の通り道）」に通じる。つまり、航海の守護神を意味する「澪の神」の意味ももたせた掛詞《かけことば》ということになる。

上総国から上京した菅原孝標女《すがわらのたかすえのむすめ》が著わした『更級日記《さらしなにっき》』のように、従来、都と東国はもっぱら陸路によって結ばれていたと考えられてきた。しかし、海上交通も積極的に用いられていたのだ。とくに、古辞書に海路図が収められていることは、東国の海上交通が都でも広く知れ渡っていたことを示唆する。

和歌からみた瀬戸内海交通

大宰府《だざいふ》と都を結ぶ山陽道は、ほかの道より大きな大路《たいろ》に指定され（厩牧令《くもくりょう》）、駅舎は瓦葺《かわらぶき》で、白壁に覆われた壮麗な造りであった（『日本後紀《にほんこうき》』大同《だいどう》元年〈八〇六〉五月条）。実際、兵庫県龍野《たつの》市小犬丸《こいぬまる》遺跡（推定布勢《ふせ》駅家《うまや》）、同県上郡《かみごおり》町落地《おろち》遺跡（推定野磨《やま》駅家）などでは、文献を裏付ける発見がある。瓦を葺いた土塀に囲まれた空間には、駅家が整然と配置され、しかも建築部材が寺院と同じく朱塗りであったこともわかった。その理由は、外交使節の送迎に用いられたためである。現在でも迎《げい》賓館《ひんかん》が贅《ぜい》を凝《こ》らしているのと、同じ発想である。

ちなみに、下野国《しもつけのくに》那須《なす》郡家《ぐうけ》（梅曽《うめそ》遺跡）など下野国の郡家遺跡でも、瓦葺・朱塗りの建物が存在したことが、近年明らかにされた。下野国の場合は、エミシへの視覚的威圧をねらったものであるが、国家の威信を高めるという点で、山陽道と一脈通じるものがある。

一方、西国には穏やかな瀬戸内海が広がっていたため、海上交通も発達していた。外交使節や官《かん》人《じん》の往来のほかに、調《ちょう》・庸《よう》・米などの輸送にも多く用いられた。延喜《えんぎ》兵部式《ひょうぶしき》から駅家の設置場所はわかるが、瀬戸内海交通の具体的旅程は、あまり明らかではない。そこで、源《みなもとの》俊頼《としより》の自撰家集『散《さん》木《ぼく》奇《き》歌集《かしゅう》』から推察してみる。

俊頼は、前節で触れた大宰権帥《だざいのごんのそち》源経信《つねのぶ》の子。父経信が永長《えいちょう》二年（一〇九七）閏《うるう》正月に任地で亡くなったあと、晩春に都をめざして博多《はかた》から旅立ち、地名を和歌に詠み込みながら、五月五日過ぎに京都に到着した。一か月半程度の日数であった。

『散木奇歌集』には、いままで断片でしかわからなかった停泊地が具体的に示されている。しかも、瀬戸内海交通は、かなり安全であると考えられているが、そうとばかりはいえないこともわかる。当時の航海は、昼間航行し夜は泊《とまり》（湊）に停泊する地乗り航法で、強風や逆風が吹いたり、高波が立つと、いく日も泊に停泊し、天候が回復するのを待っていた。

たとえば児島《こじま》では、東風《こち》が吹いたために停泊し、「きにわの泊」を出たところでは、追い風で船は走ったが、風が強すぎ帆柱が折れて大騒ぎになった。室の泊では、いったん出航したが、波が高いとの理由で引き返した。また、御前《おまえ》では、風が吹くと波が立つというので、その地の神に御幣《ごへい》を捧《ささ》げている。

さらに、都に近づいてからの描写も興味深い。賀《か》島《しま》を過ぎ、江口《えぐち》にさしかかると遊女が歌いながら集まってきた。江口は、大江匡房《おおえのまさふさ》『遊女記《ゆうじょき》』にも記されたように、遊女が多いことで知られた場所である。

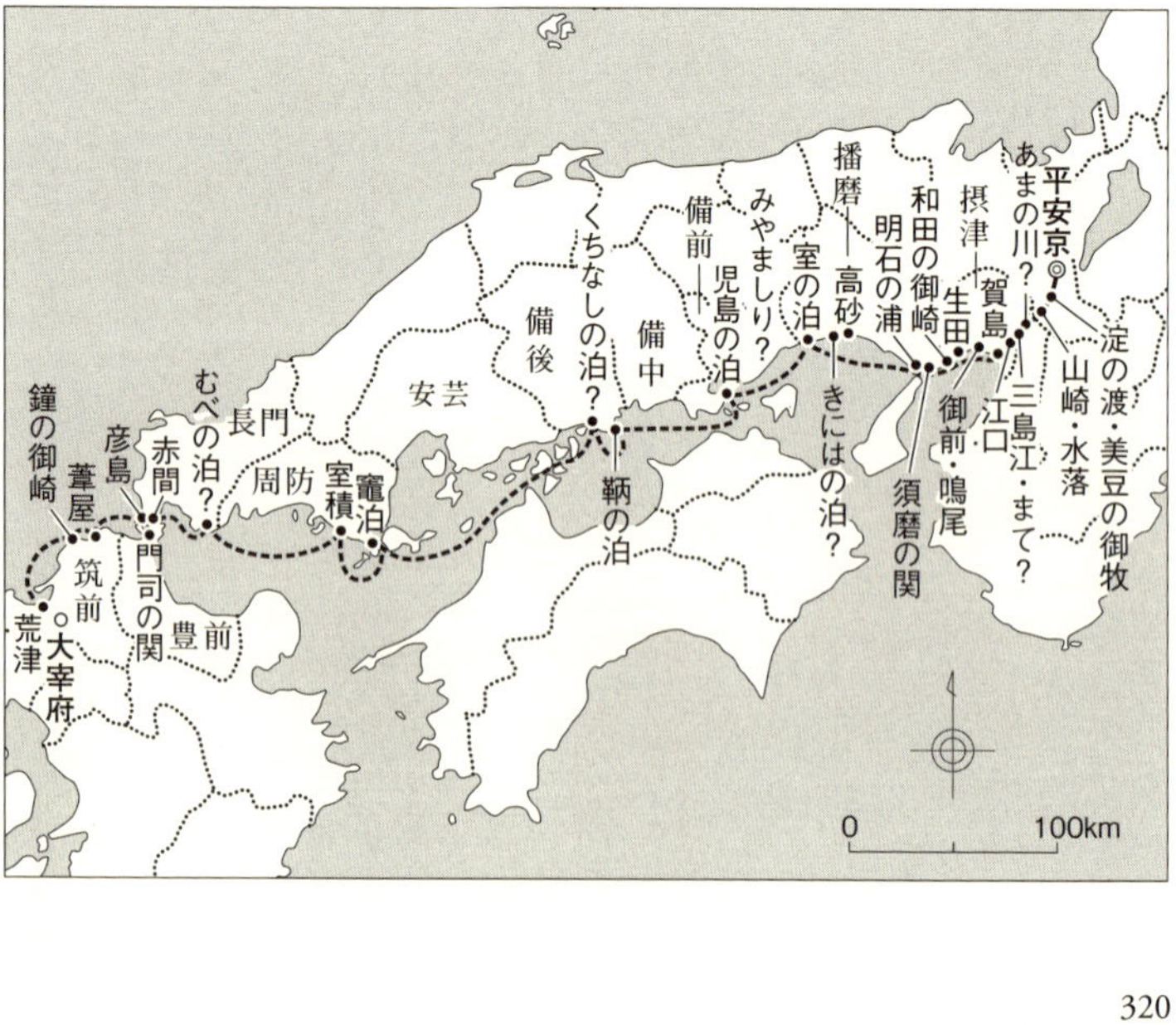

●源俊頼の旅
博多から平安京までの旅程は明らかではなかった。しかし、源俊頼は、道すがら地名を詠み込んだ和歌を残したので、瀬戸内海を船で上京するルートが明らかになった。

また、「まて」というところでは、つぎのような詞書《ことばがき》が見える。

まてといふ所にてしばしとどまりて、つなでの物どもに物くわせけ
るに、きしの家どもより人〳〵あまたきてみればよめる

「つなでの物（綱手の者）」とは、曳舟《ひきふね》を行なう労働者のことである。川の流れが速いと帆船ではさかのぼることができないので、船の両側もしくは片側に綱を結びつけ、それを引っ張って遡航《そこう》させた。これを曳舟といった。現在も各地に曳舟という地名が残っており、関東では京成線《けいせいせん》の駅名にもなっている。「まて」は「待て」を連想させ、淀川《よどがわ》の河口に位置したから、海上交通から河川交通への切り換え地点だった。そこで、曳舟を始める前に、川岸に住む労働者に食事を与えたのだ。

それでは、どこまで舟でさかのぼることができたのだろうか。

淀のわたりにつきて、車にのりうつりて、日来《ひごろ》の舟にさえわかれぬ
るかなしさによめる

11

◉播磨《はりま》国明石《あかし》での曳舟の様子
船の先頭が一遍。曳舟に関する史料は少なく、この絵は貴重である。（『一遍聖絵《いっぺんひじりえ》』）

とあるように、淀の渡しで牛車《ぎっしゃ》に乗り換えている。淀津は、山崎津《やまさきのつ》などとともに河湊《かわみなと》として繁栄した場所であったが、水上交通と陸上交通の接点として重視されていたことがよくわかる。

和歌からみた受領の下向

受領《ずりょう》に任命されると、一二〇日以内に支度をして任国に下らなければならない。その様子を『橘為仲集《たちばなのためなかしゅう》』という歌集（私家集）から明らかにしてみたい。

橘為仲は、承保《じょうほう》三年（一〇七六）九月一五日頃、都を出発して陸奥守《むつのかみ》として任国に下った。為仲は、陸奥国が東山道に属するにもかかわらず、東山道の近江国から東海道の尾張《おわり》国へ南下し、東海道を東進した。そして、東海道の武蔵《むさし》国から北上して東山道の下野《しもつけ》国へ達し、陸奥国に至っている。

当時、東国へ下向《げこう》する国司《こくし》の多くが、為仲のような経路を用いていたことは、ほかの史料からも確かめられる。その理由は、東山道では信濃《しなの》国の神坂《みさか》峠が難所であったこと、東海道では尾張国から伊勢《いせ》湾へ流れ込む木曽《きそ》・長良《ながら》・揖斐《いび》川の河口を渡河することが、「馬津《うまづ》の渡《わたり》は、是《これ》海道（東海道のこと）第一の難所」（『尾張国郡司百姓等解文《おわりのくにぐんじひゃくしょうらげぶみ》』）とあるように困難であり、上流の川幅の狭いところを渡ったためである。

また、為仲は、下向途中で国司とも連絡をとりあった。

　同二日、たかしまといふ所に、みかわのかみ季綱《すえつな》、たびのしようぞくつかわしたるにそえる

さしてゆくころものせきのはるけきは　たちかえるべきほどぞしられぬ
（あなたがめざしていく衣川《ころもがわ》の関の遠さは、あなたがふたたび帰ってくる日さえわからなくしてしまいます）

為仲が三河《みかわ》国高島《たかしま》にさしかかると、三河守藤原《ふじわら》季綱から旅の装束《しょうぞく》が贈られた。このことは、為仲があらかじめ三河守に、通過する日時・場所を知らせておいたことを意味する。国司が任国に下向するに際しての必要事項や心構えを詳細に記した「国務《こくむ》条々《じょうじょう》」には、下向に先んじて使者や手紙を遣わすことが見えるが（『朝野群載《ちょうやぐんさい》』）、為仲も同様の手段をとったのであろう。

歌枕の成立

橘為仲《たちばなのためなか》は、陸奥国《むつのくに》に入る際に、興味深い行動をとっている。

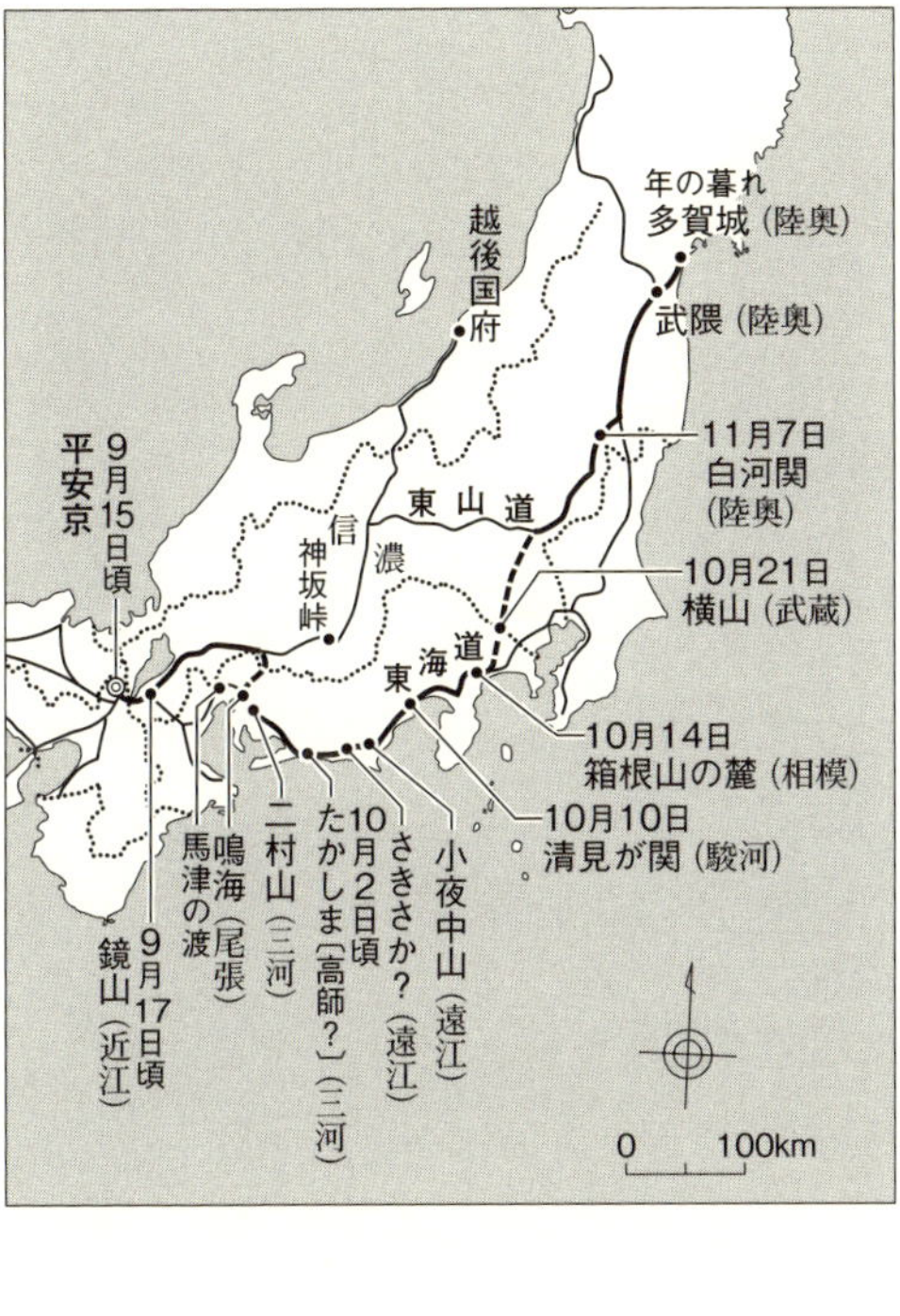

◉橘為仲の旅
都から陸奥国への旅程を示す史料は知られていなかったが、橘為仲が途中で地名を詠みながら下向したために、道順を知ることができる。東山道と東海道を併用していたことがわかる。

たけくまにて、国の人いできたりていわく、いにしえは松はべりけり、うせてひさしうなりたれども、くにのつかさいらせ給とき、かならずまつのえだをもとめて、かくたてはべる也、さき〳〵もの、こゝろしらせたまえる人は、こゝにてうたをなんよませ給、といえば、

たけくまのあとをたずねてひきううる　まつや千とせのはじめなるらん

(武隈《たけくま》にあった松の跡をたずねて植えます。松は一〇〇〇年も長生きするといいますが、これがそのはじめでしょうか)

武隈(宮城県岩沼《いわぬま》市)で、「国の人」、すなわち在庁官人《かんじん》が出迎えて、「昔、ここに松がございました。なくなって久しくなりましたが、新任の国司が入国なさるときには、必ず松の枝を求めて、このように立てます。これまで歌の心をご存じだった国司は、この場所で、和歌をお詠みになります」と言われたので、為仲も詠んだ。

このように、国境で国府《こくふ》の官人たちが、新任国司を迎える儀

12

●任国へ下る受領
従者を連れて、任国へ旅立つ受領。多くの国司が都を離れる寂しさと不安な気持ちを和歌に詠んで、都の恋人や知人に贈った。(『因幡堂縁起《いなばどうえんぎ》絵巻《えまき》』)

礼を坂迎《さかむかえ》という。「国務条々《こくむじょうじょう》」によれば、坂迎の方法は地方ごとに異なり、国府の官人たちは、受領《ずりょう》が賢いか否《いな》かを推し量った。官人たちは為仲に和歌の試験を課したのだ。

坂迎で著名なのが、「寸白信濃守《すばくしなののかみ》に任《にん》じて解《と》け失《う》する語《こと》」（『今昔物語集《こんじやくものがたりしゅう》』）である。寸白（サナダムシ）が信濃守になりすまし、坂迎を受けたが、挙動に不自然さを感じた国府の官人が、古酒（変質した酒）にすり下ろしたクルミを混ぜて飲ませたところ、信濃守は溶けてしまったという。古酒は下《げ》痢《り》を引き起こし、油分の強いクルミをすり入れれば効果倍増である。つまり、下剤を飲まされたのだ。

この説話は、新任国司が無能であることを国府の官人に見透かされ、恥をかかされたことを示すパロディだと考えられる。ちなみに、為仲が即興で歌を詠んで面目《めんぼく》を施した武隈は、代々の国司が坂迎で歌を詠んだ場所であったために、陸奥国での著名な歌枕（和歌に詠み込まれた名所）になった。歌枕というと、これまで歴史学からはほとんど問題にされなかったが、軽視すべきではない。

神拝と情報交換

橘為仲《たちばなのためなか》が多賀《たが》城（宮城県）へ到着したのちに、浮島《うきしま》の神（多賀城近くに現存）に祈った儀礼は、神拝《じんぱい》にほかならない。神拝とは、任国に到着した国司《こくし》が、国内の神社に参拝することである。もともとの意味は、国司が天皇の使者（クニノミコトモチ）として赴き、国内を巡行《じゅんこう》して著名な神社に奉《ほう》幣《へい》し、その土地の地主神と折り合いをつけることにあった。当時は、勧農など国内の繁栄を祈ったのだろう。為仲は浮島でも歌を詠んでいる。

うきしまにまいりて

いのりつゝなをこそたのめみちのおくに　しずめたまうなうきしまのかみ

（浮島の神に祈りながら、その名前にちなんであてにしております、このまま陸奥国で沈んだ〝落ちぶれた〟ままにさせないでください。「浮く」にちなんだ浮島の神よ）

この和歌がつくられた前後には、国内の神社を国府近くに集めて、国司の巡拝《じゅんぱい》の手間を省くようになった。これが総社《そうじゃ》とか六所《ろくしょ》神社と呼ばれるものである。現在でも、国府の近くには必ずといってよいほど、「総社」という神社や地名が残っている。

さて、為仲は、多賀城到着後、京にいる頼俊《よりとし》という人物に手紙を送っている。

くだりつきて、京へ、頼俊《よりとし》がもとへいひつかはす

わかれしはきのふばかりとおもえども　みちにてとしのくれにけるかな

（あなたとお別れしたのはきのうのことのように思いますが、任国への下向の道で年が暮れてしまったことです）

この頼俊こそが、大和源氏《やまとげんじ》の嫡流で、治暦《じりやく》三年から延久《えんきゅう》四年（一〇六七～七二）まで陸奥守《むつのかみ》をつとめた源《みなもと》頼俊である。彼は、第四章で述べたように、「衣曾別嶋《えぞわけしま》（北海道）の荒夷《あらえびす》」などを征討《せいとう》し、荒

夷の首領と捕虜を都に連行した著名な人物であった。そして和歌からみると、都でも会っていたことがわかる。為仲の後任は源義家《よしいえ》で、後三年《ごさんねん》合戦が始まることも考慮すれば、為仲が赴任に先立って頼俊と会い、多賀城到着と同時に手紙を送った理由は、たんなる和歌の贈答ではなく、北海道を含む東北地方の情勢や任国の経営方法などを相談するためだろう。

さらに彼は、都にいる人物はもちろん、出羽《でわ》守橘行房《ゆきふさ》、肥後《ひご》守源時綱《ときつな》、伊勢《いせ》守大江広経《おおえのひろつね》、大宰権《だざいのごんの》帥《そち》藤原資仲《ふじわらのすけなか》、若狭国《わかさのくに》の女性とも和歌の贈答をしていた。為仲は多賀城にいながら、北海道から九州に至る列島全域の情報を集めることができたのだ。多賀城というと、辺境というイメージがあるが、当時の受領《ずりょう》の情報ネットワークは、従来想定していたよりも、はるかに広範囲であった。

なお、為仲は、陸奥国内にしばしば出向き、和歌を詠んでいる。たとえば、前陸奥守源頼義《よりよし》が住んでいた館《たち》に紅葉《もみじ》狩りに赴いたり、塩竈《しおがま》神社も訪れた。また、延久《えんきゅう》元年（一〇六九）、彼が越後《えちご》守として赴任した際には、「しなの、かみたかもと（源隆基か）」が為仲のもとを訪れている。当時の受領は、国府でただじっとしていたのではなく、積極的に行動し、時には隣国にも足を延ばしていたのだった。ちなみに、この「たかもと」が信濃《しなの》守であったことは、従来、知られていなかった。このあたりからも、歴史史料としての和歌の重要性を裏付けることができる。

これまで『万葉集《まんようしゅう》』を除けば、和歌は歴史史料としてほとんど用いられてこなかった。しかし、その史料性さえふまえれば、一般的な文字史料からはうかがえない在地の機微《きび》を解明できることも事実であり、豊かな歴史像を描くには格好の素材であるといえるだろう。

コラム8

出土した銭弘俶八万四千塔

近年、奈良県天川村《てんかわ》にある大峰山寺《おおみねさんじ》の境内が発掘調査された。大峰山は金峯山《きんぷせん》とも呼ばれ、蔵王権現《ざおうごんげん》が出現した地。修験《しゅげん》の道場としても著名であった。発掘では、藤原道長《ふじわらのみちなが》の経塚埋納関係の資料とともに、経典を納入するために制作された銭弘俶塔《せんこうしゅくとう》の破片も出土した。

銭弘俶は呉越《ごえつ》国の王で、信仰心に篤《あつ》く、九五三年、荒廃していた天台山《てんだいさん》を復興するために、延暦寺《えんりゃくじ》天台座《ざ》主《す》延昌《えんしょう》のもとに使者を派遣した。そこで、日本側からは、僧日延《にちえん》が多くの経典類を携えてかの地に派遣され、新しい暦や多くの典籍を将来し、村上《むらかみ》天皇に献上した。銭弘俶が八万四〇〇〇基におよぶ銭弘俶塔を制作させたのは九五五年頃であるから、日延が日本へ持ち帰ったと考えられる。これまで日本では一〇例ほどが知られており、今回の発見が一一例目となる。

金峯山は、蔵王権現垂迹《すいじゃく》の地として中国でも知られていた。あるいは、銭弘俶自身がこの地に奉納するように、依頼した可能性もあるかもしれない。

◉銭弘俶八万四千塔
銭弘俶が、仏教を興隆させた阿《あ》育王《いくおう》（インドのマウリア朝アショカ王のこと）に倣って、制作させたようだ。高さ約二〇cm。

おわりに

平安時代とは何だったのか

「古代」というと、多くの方は、飛鳥《あすか》時代や奈良時代を想起するのではなかろうか。例をあげれば、奈良の法隆寺《ほうりゅうじ》の建築や東大寺《とうだいじ》・興福寺《こうふくじ》の仏像群などということになる。筆者自身も、東大寺法華堂《ほっけどう》の諸像や興福寺の阿修羅《あしゅら》像を、時間が経《た》つのを忘れて見入った経験が何度もある。

しかし、日本人が、飛鳥・奈良時代を「心のふるさと」と認識するようになったのは、それほど古いことではないらしい。端的にいえば、江戸時代の国学者の影響から始まり、古代を規範に据えた明治政府によって決定づけられたものである。

正岡子規《まさおかしき》は、『歌よみに与ふる書』のなかで、『古今和歌集《こきんわかしゅう》』をつまらぬものと断じ、『万葉集《まんようしゅう》』こそが人間の心性を素直に表現した最高の歌集と位置づけた。しかし、逆説的にいえば、それまでの和歌が『古今和歌集』に規範を求めていたことを示す事例である。

また、洋装する以前の天皇や公家たちは、束帯《そくたい》や直衣《のうし》をまとい、お歯黒・白粉《おしろい》をつけるといういでたちであった。平安時代と同じであったかどうかは別としても、明治時代より以前まで、少なくとも貴族階級以上の人々は、飛鳥・奈良時代よりも平安時代を身近に感じていたことは確かだろう。

その理由はいくつか考えられるが、ここでは貴族のイエが平安時代に成立し、幾多《いくた》の変遷を経つつも長いあいだ、場合によっては現代まで存続してきたことを指摘しておきたい。こうしたイエ成立の原動力として、本巻では、九世紀末から一〇世紀初めにおける社会の構成原理の変革を重視した。すなわち「公」のなかに「私」が入り込むことで近臣が公の場に現われ、連動してプライベートな「場」で公的な政務が行なわれるようになり、徐々に各階層に広がりを見せていった。この変化が、やがてイエを生み出し、家職の固定化をもたらしたと考えたのである。

そもそも正岡子規が批判した『古今和歌集』自体、王権近臣者の歌集であった。ある意味で、『古今和歌集』は、社会の構成変化を象徴する政治的な歌集であったといえる。今後、『古今和歌集』以後に編纂《へんさん》された勅撰和歌集の意味づけについても、もういちど考え直してみる必要があるだろう。

一方、一〇世紀の東アジアに眼を転じてみれば、朝鮮半島では新羅《しらぎ》、中国大陸では唐《とう》が滅亡し、小規模な国々が興亡を繰り返していた。結局、朝鮮半島では九三六年に高麗《こうらい》、中国大陸では九七一年に宋《そう》が、それぞれ統一国家を建設するが、日本列島に大きな影響を与えた形跡はない。平安時代の日本列島には、全域を巻き込んだ戦乱は起こらなかった。

この点は、日本の政務をみればよくわかる。たしかに、平安時代においても、政務の中心は天皇であり、最終的な決裁権をもっていた。しかし、同時期の唐・宋では、数日おきに皇帝と宰相以下の官僚が面談し、国政の重要案件を処理していたのに対し、九世紀なかば以降の日本では、天皇が加わった合議が行なわれることはほとんどなかった。

摂関《せっかん》期以降、陣定《じんのさだめ》が国家的な意思決定の中心に位置づけられるようになるが、天皇は出席せず、公卿《くぎょう》たちが合議の結果を記した定文《さだめぶみ》を奏上して、天皇の決裁を受けるのを恒例としていた。院政《いんせい》期には、公卿僉議《せんぎ》のような御前《ごぜん》会議がふたたび出現するものの、陣定は緊張感を欠いているといわざるをえない。裏を返せば、陣定で十分であったということでもある。

しかし、東アジアの動乱が直接影響を及ぼさなかったとはいっても、一〇世紀の前半、東国と西国でほぼ同時期に平将門《たいらのまさかど》の乱《らん》と藤原純友《ふじわらのすみとも》の乱が起きた。それらは、短期間のうちに平定されたが、その記憶は、貴族の心に長くもちつづけられた。乱がすぐさま武士を誕生させたわけではないが、乱の鎮圧者のなかから兵《つわもの》のイエが成立し、やがて前九年《ぜんくねん》・後三年合戦《ごさんねんかっせん》を経て、武家の棟梁《とうりよう》が誕生する。こうして武家政権の準備が始まったのである。武士の活躍とともに、日本列島がどのように変化するのかという点は、次巻以降で述べることになる。

新しい平安時代像を求めて

先に、明治以前までは奈良時代より平安時代に親近感を感じていたことを述べた。当然のことではあるが、時代観は、時間とともに変化する。現代でも同じであるが、社会というものは、見る者の立場や見方によってさまざまな顔をもって立ち現われる。まして、残された史料から、時代の表情を描き出そうとするのであるから、いろいろな描き方が可能だと思う。

ところが、平安時代のイメージは、飛鳥・奈良時代と比べて、かなり固定化しているように思われる。その理由は、九世紀末以降、『日本三代実録《にほんさんだいじつろく》』を最後にして正史がなくなり、ことに一〇世紀はまとまった史料群が存在しないこと、一〇世紀末以降、『小右記《しょうゆうき》』などの貴族の日記が現われるが、貴族内部の閉じられた世界しか描かれず、社会全体を見通すことが困難なこと、などがあげられる。

また、奈良時代以前では、平城京《へいじょうきょう》などの都城や国府などの官衙《かんが》の考古学的発掘調査が進展し、なかでも木簡《もっかん》を中心とする出土文字資料が、既存の史料が語らなかった人々の生活をいきいきと語っている。一方、平安京は、現在の京都市街と重なるため、大規模な発掘ができず、その立地上、木簡が残りにくいことも大きく影響している。

そこで、本巻では、新たな平安時代の構築のため、史料としては和歌を中心とする文学作品、視角としては自然災害や戦乱による被害を取り上げた。

前者について、今後、歴史学はこれまで以上に、文学・考古学・歴史地理学・地質学・民俗学・植物学などの分野と学際的協業をする必要があると考えている。その一環として、本巻では、考古学のみならず、これまでほとんど用いられなかった文学作品群を用いることにしたのである。一定程度の有効性は示すことができたのではないかと思う。

後者についていえば、歴史に現代的視点を持ち込むべきではないとの意見があることも、十分承知している。じつをいえば、二〇代ごろの筆者も、将来もし歴史叙述をすることがあれば、歌舞伎《かぶき》の黒子《くろこ》のように振る舞うべきだと考えていた。しかし、年齢を重ね、社会的責任が増すにつれて、歴史学は未来に資する学問であるとの思いがますます強くなってきた。その責務を果たすためには、社会に向けて、たえず意見を発信しつづける必要があると考えるようにもなった。その思いの一冊が本巻でもある。

今後とも、新たな古代史像、そして平安時代史像を求めて、研究を続けていきたいと思う。

第八章

- 石井正敏「いわゆる遣唐使の廃止について」『中央大学文学部紀要』136、1990年
- 石井正敏『日本渤海関係史の研究』吉川弘文館、2001年
- 石上英一「日本古代一〇世紀の外交」井上光貞ほか編『東アジア世界における日本古代史講座7』学生社、1982年
- 石上英一「古代東アジア地域と日本」朝尾直弘ほか編『日本の社会史1　列島内外の交通と国家』岩波書店、1987年
- エドウィン・O・ライシャワー、田村完誓訳『円仁唐代中国への旅』講談社、1999年
- 榎本淳一「『小右記』に見える「渡海制」について」山中裕編『摂関時代と古記録』吉川弘文館、1991年
- 亀井明徳「日宋貿易関係の展開」朝尾直弘ほか編『岩波講座　日本通史6　古代6』岩波書店、1995年
- 川尻秋生「古代東国における交通の特質」『古代交通史研究』11、2002年
- 河添房江『源氏物語時空論』東京大学出版会、2005年
- 岸本道昭『山陽道駅家跡』同成社、2006年
- 京都国立博物館編『特別展覧会　藤原道長』2007年
- 酒寄雅志『渤海と古代の日本』校倉書房、2001年
- 酒寄雅志「古代日本と蝦夷・隼人、東アジア諸国」佐藤信編『日本の時代史4　律令国家と天平文化』吉川弘文館、2002年
- 杉本宏『日本の遺跡6　宇治遺跡群』同成社、2006年
- 田島公「日本の律令国家の「賓礼」」『史林』68-3、1985年
- 田島公「大宰府鴻臚館の終焉」『日本史研究』389、1995年
- 奈良県立橿原考古学研究所附属博物館『大和を掘る』24、2006年
- 東野治之『遣唐使』岩波書店、2007年
- 森公章『古代日本の対外認識と通交』吉川弘文館、1998年
- 山内晋次『奈良平安期の日本とアジア』吉川弘文館、2003年
- 李成市『東アジアの王権と交易』青木書店、1997年

全編にわたるもの

- 石母田正『石母田正著作集6　古代末期の政治過程および政治形態』岩波書店、1989年
- 石母田正『石母田正著作集7　古代末期政治史論』岩波書店、1989年
- 大津透『律令国家支配構造の研究』岩波書店、1993年
- 大津透『古代の天皇制』岩波書店、1999年
- 朧谷寿『日本の歴史6　王朝と貴族』集英社、1991年
- 加藤友康編『日本の時代史6　摂関政治と王朝文化』吉川弘文館、2002年
- 川上多助『平安朝史　上』国書刊行会、1982年
- 川尻秋生『日本古代の格と資財帳』吉川弘文館、2003年
- 川尻秋生『古代東国史の基礎的研究』塙書房、2003年
- 北山茂夫『日本の歴史4　平安京』中央公論社、1965年
- 坂上康俊『日本の歴史05　律令国家の転換と「日本」』講談社、2001年
- 笹山晴生「平安初期の政治と文化」井上光貞ほか編『日本歴史大系2　律令国家の展開』山川出版社、1995年
- 瀧浪貞子『日本の歴史5　平安建都』集英社、1991年
- 棚橋光男『大系日本の歴史4　王朝の社会』小学館、1988年
- 玉井力『平安時代の貴族と天皇』岩波書店、2000年
- 土田直鎮『日本の歴史5　王朝の貴族』中央公論社、1965年
- 土田直鎮『奈良平安時代史研究』吉川弘文館、1992年
- 戸田芳実『日本領主制成立史の研究』岩波書店、1967年
- 西本昌弘『日本古代儀礼成立史の研究』塙書房、1997年
- 橋本義則『平安宮成立史の研究』塙書房、1995年
- 橋本義彦『平安貴族』平凡社、1986年
- 古瀬奈津子『古代王権と儀式』吉川弘文館、1998年
- 村井章介「王土王民思想と九世紀の転換」『思想』847、1995年
- 村井康彦『古代国家解体過程の研究』岩波書店、1965年
- 村井康彦『平安貴族の世界』徳間書店、1968年
- 京都市編『甦る平安京』京都市、1994年
- 森田悌『平安時代政治史研究』吉川弘文館、1978年
- 保立道久『平安王朝』岩波書店、1996年
- 吉川真司『律令官僚制の研究』塙書房、1998年
- 吉川真司編『日本の時代史5　平安京』吉川弘文館、2002年
- 吉村武彦『日本古代の社会と国家』岩波書店、1996年

- 佐伯有清『円仁』吉川弘文館、1989年
- 佐伯有清『伝教大師伝の研究』吉川弘文館、1992年
- 佐伯有清『最澄と空海』吉川弘文館、1998年
- 曾根正人『古代仏教界と王朝社会』吉川弘文館、2000年
- 薗田香融『平安仏教の研究』法蔵館、1981年
- 田村晃祐『最澄』吉川弘文館、1988年
- 奈良国立博物館編『特別展　神仏習合』2007年
- 西川杏太郎「高野山旧金堂諸仏関係資料」『仏教芸術』57、1965年
- 平雅行『日本中世の社会と仏教』塙書房、1992年
- 速水侑『平安貴族社会と仏教』吉川弘文館、1975年
- 速水侑『源信』吉川弘文館、1988年
- 堀一郎『空也』吉川弘文館、1963年
- 吉村稔子「三千院蔵阿弥陀聖衆来迎図考」『美術史』161、2006年
- 渡辺照宏・宮坂宥勝『沙門空海』筑摩書房、1967年

第六章

- 飯淵康一『平安時代貴族住宅の研究』中央公論美術出版、2004年
- 梅村恵子『家族の古代史』吉川弘文館、2007年
- 太田静六『寝殿造の研究』吉川弘文館、1987年
- 朧谷寿『平安貴族と邸第』吉川弘文館、2000年
- 加藤友康「朝儀の構造と特質」永原慶二ほか編『講座　前近代の天皇5　世界史のなかの天皇』青木書店、1995年
- 神谷正昌「九世紀の儀式と天皇」『史学研究集録』15、1990年
- 川本重雄『寝殿造の空間と儀式』中央公論美術出版、2005年
- 京都市埋蔵文化財研究所『平安京右京三条二坊十五・十六町』2002年
- 京都大学文学部博物館編『公家と儀式』思文閣出版、1991年
- 倉本一宏『摂関政治と王朝貴族』吉川弘文館、2000年
- 倉本一宏『一条天皇』吉川弘文館、2003年
- 黒板伸夫『藤原行成』吉川弘文館、1994年
- 近藤好和『装束の日本史』平凡社、2007年
- 佐藤宗諄先生退官記念論文集刊行会編『「親信卿記」の研究』思文閣出版、2005年
- 瀧浪貞子『日本古代宮廷社会の研究』思文閣出版、1991年
- 谷口昭「続文攷」『法制史研究』22、1973年
- 角田文衛『角田文衛著作集4　王朝文化の諸相』法蔵館、1984年
- 西山良平・藤田勝也編著『平安京の住まい』京都大学学術出版会、2007年
- 服部一隆「娍子立后に対する藤原道長の論理」『日本歴史』695、2006年
- 服部敏良『王朝貴族の病状診断』吉川弘文館、1975年
- 服藤早苗『平安朝の母と子』中央公論社、1991年
- 古瀬奈津子「摂関政治成立の歴史的意義」『日本史研究』463、2001年
- 松薗斉『王朝日記論』法政大学出版局、2006年
- 松本保宣『唐王朝の宮城と御前会議』晃洋出版、2006年
- 山中裕『藤原道長』吉川弘文館、2008年
- 山本信吉『摂関政治史論考』吉川弘文館、2003年

第七章

- 天野努「人名記載墨書土器からみた古代房総の地域様相点描」『考古学論究』真陽社、2007年
- 石川県埋蔵文化財センター 編、平川南監修『発見!　古代のお触れ書き』大修館書店、2001年
- 川尻秋生「寺院と知識」上原真人ほか編『列島の古代史3　社会集団と政治組織』岩波書店、2005年
- 共同研究「古代の集落」『国立歴史民俗博物館研究報告』22、1989年
- 黒田日出男『日本中世開発史の研究』校倉書房、1984年
- 柴田実編『御霊信仰』雄山閣出版、1984年
- 須田勉「古代村落寺院とその信仰」国士舘大学考古学会編『古代の信仰と社会』六一書房、2006年
- 高島英之『古代出土文字資料の研究』東京堂出版、2000年
- 舘野和己「市と交易」上原真人ほか編『列島の古代史4　人と物の移動』岩波書店、2005年
- 千葉県史料研究財団『千葉県の歴史　通史編古代』2001年
- 千葉県史料研究財団『千葉県の歴史　資料編古代』1996年
- 千葉県史料研究財団『千葉県の歴史　資料編考古3（奈良・平安時代）』1998年
- 寺崎保広『長屋王』吉川弘文館、1999年
- 西山良平『都市平安京』京都大学学術出版会、2004年
- 平川南『墨書土器の研究』吉川弘文館、2000年
- 平川南『古代地方木簡の研究』吉川弘文館、2003年
- 服藤早苗「遊行女婦から遊女へ」女性史総合研究会編『日本女性生活史I　原始・古代』東京大学出版会、1990年
- 吉田一彦『古代仏教をよみなおす』吉川弘文館、2006年

奈良～平安時代)』新人物往来社、1991年
• 吉田一彦「日本律の運用と効力（一）（二）（三）」『名古屋市立女子短大紀要』45・48・50、1990-93年
• 吉田一彦「日本律の運用と効力（四）」『名古屋市大学人文社会学部研究紀要』3、1997年
• 吉田孝『律令国家と古代の社会』岩波書店、1983年
• 利光三津夫『律の研究』明治書院、1961年
• 渡辺晃宏「平安時代の不動穀」『史学雑誌』98-12、1989年

第三章

• 秋田県教育委員会『秋田県文化財調査報告書14　胡桃館埋没建物発掘調査概報』1968年
• 伊藤和明『地震と噴火の日本史』岩波書店、2002年
• 指宿市教育委員会『橋牟礼川遺跡Ⅳ』1994年
• 内田武志編『菅江真澄随筆集』平凡社、1969年
• 阪口豊『尾瀬ヶ原の自然史』中央公論社、1989年
• 寒川旭『地震考古学』中央公論社、1992年
• 下山覚「災害と復旧」上原真人ほか編『列島の古代史2　暮らしと生業』岩波書店、2005年
• 高橋学ほか「秋田・胡桃館遺跡」『木簡研究』28、2006年
• 寺内隆夫「更埴条里遺跡・屋代遺跡群に見る災害と開発」『国立歴史民俗博物館研究報告』96、2002年
• 新里村教育委員会編『赤城山麓の歴史地震』1991年
• 能登健・内田憲治・早田勉「赤城山南麓の歴史地震」『信濃』42-10、1990年
• 宮瀧交二「村落と民衆」上原真人ほか編『列島の古代史3　社会集団と政治組織』岩波書店、2005年
• 義江彰夫ほか編著『十和田湖が語る古代北奥の謎』校倉書房、2006年

第四章

• 明石一紀『古代・中世のイエと女性』校倉書房、2006年
• 石井進『鎌倉武士の実像』平凡社、1987年
• 入間田宣夫『日本の歴史7　武者の世に』集英社、1991年
• 上野武「『陸奥話記』と藤原明衡」『古代学研究』129、1993年
• 川尻秋生『戦争の日本史4　平将門の乱』吉川弘文館、2007年
• 熊谷公男『古代の蝦夷と城柵』吉川弘文館、2004年
• 熊田亮介『古代国家と東北』吉川弘文館、2003年
• 斉藤利男「軍事貴族・武家と辺境」『日本史研究』427、1998年
• 坂本賞三『日本王朝国家体制論』東京大学出版会、1972年
• 下向井龍彦『日本の歴史07　武士の成長と院政』講談社、2001年
• 鈴木哲雄『中世関東の内海世界』岩田書院、2005年
• 鈴木尚『骨』学生社、1960年
• 関幸彦『戦争の日本史5　東北の争乱と奥州合戦』吉川弘文館、2006年
• 高橋昌明『武士の成立　武士像の創出』東京大学出版会、1999年
• 竹内理三『日本の歴史6　武士の登場』中央公論社、1965年
• 戸田芳実『初期中世社会史の研究』東京大学出版会、1991年
• 戸川点「前九年合戦と安倍氏」十世紀研究会編『中世成立期の政治文化』東京堂出版、1999年
• 野口実『坂東武士団の成立と発展』弘生書林、1982年
• 野口実『武家の棟梁の条件』中央公論社、1994年
• 林陸朗編『論集　平将門研究』現代思潮社、1975年
• 樋口知志「前九年合戦と後三年合戦」入間田宣夫・本澤慎輔編『平泉の時代』高志出版、2002年
• 北條秀樹『日本古代国家の地方支配』吉川弘文館、2000年
• 松原弘宣『藤原純友』吉川弘文館、1999年
• 三浦圭介ほか編『北の防御性集落と激動の時代』同成社、2006年

第五章

• 井上光貞『日本浄土教成立史の研究』山川出版社、1956年
• 追塩千尋『国分寺の中世的展開』吉川弘文館、1996年
• 岡直己『神像彫刻の研究』角川書店、1966年
• 小野勝年『入唐求法巡礼行記の研究』1-4、鈴木学術財団、1964-9年
• 小野勝年『入唐求法行歴の研究』上・下、法蔵館、1982・83年
• 河音能平『中世封建社会の首都と農村』東京大学出版会、1984年
• 群馬県史編纂委員会『群馬県史　通史編2』1991年
• 佐伯有清『最後の遣唐使』講談社、1978年
• 佐伯有清『慈覚大師伝の研究』吉川弘文館、1986年

参考文献

第一章

• 今泉隆雄『古代宮都の研究』吉川弘文館、1993 年
• 宇根俊範「氏爵と氏長者」坂本賞三編『王朝国家国政史の研究』吉川弘文館、1987 年
• 海野よし美・大津透「勧学院小考」『山梨大学教育学部研究報告』42、1992 年
• 川尻秋生「日本古代における「議」」『史学雑誌』110-3、2001 年
• 川尻秋生「紀家集と国史編纂」『史観』150、2004 年
• 木村茂光『「国風文化」の時代』青木書店、1997 年
• 黒田俊雄『日本中世の国家と宗教』岩波書店、1975 年
• 河内祥輔『古代政治史における天皇制の論理』吉川弘文館、1986 年
• 坂井秀弥「国府と郡家」上原真人ほか編『列島の古代史 3　社会集団と政治組織』岩波書店、2005 年
• 坂本太郎『菅原道真』吉川弘文館、1962 年
• 坂本太郎『六国史』吉川弘文館、1970 年
• 佐藤進一『日本の中世国家』岩波書店、1983 年
• 佐藤信『古代の地方官衙と社会』山川出版社、2007 年
• 佐藤信「宮都・国府・郡家」朝尾直弘ほか編『岩波講座　日本通史 4　古代 3』岩波書店、1994 年
• 曾我良成「官務家成立の歴史的背景」『史学雑誌』92-3、1983 年
• 滝川幸司『天皇と文壇』和泉書院、2007 年
• 田島公「「氏爵」の成立」『史林』71-1、1988 年
• 告井幸男「摂関・院政期における官人社会」『日本史研究』535、2007 年
• 仁藤智子『平安初期の王権と官僚制』吉川弘文館、2000 年
• 春名宏明「平安期太上天皇の公と私」『史学雑誌』99-2、1990 年
• 服藤早苗『家成立史の研究』校倉書房、1991 年
• 藤原克己『菅原道真と平安朝漢文学』東京大学出版会、2001 年
• 増田繁夫ほか編『古今和歌集研究集成 1』風間書房、2004 年
• 宮崎市定『宮崎市定全集 6　九品官人法』岩波書店、1992 年
• 村瀬敏夫『古今集の基盤と周辺』桜楓社、1971 年
• 目崎徳衛『紀貫之』吉川弘文館、1961 年
• 目崎徳衛『貴族社会と古典文化』吉川弘文館、1995 年
• 山口博『王朝歌壇の研究』宇多醍醐朱雀朝篇、桜楓社、1973 年
• 山中敏史『古代地方官衙遺跡の研究』塙書房、1994 年
• 山中敏史・佐藤興治『古代日本を発掘する 5　古代の役所』岩波書店、1985 年

第二章

• 阿部猛『尾張国解文の研究』大原新生社、1971 年
• 梅村喬「尾張国解文解説」『新修稲沢市史　資料編 3』、1980 年
• 大石直正「平安時代後期の徴税機構と荘園制」『東北学院大学論集　歴史学・地理学』1、1970 年
• 勝山清次『中世年貢制成立史の研究』塙書房、1995 年
• 加藤友康「上総国藻原荘について」『千葉県史研究』3、1995 年
• 川端新『荘園制成立史の研究』思文閣出版、2000 年
• 川本龍市「正蔵率分制と率分所」『弘前大学国史研究』75、1983 年
• 川本龍一「切下文に関する基礎的考察」『史学研究』178、1988 年
• 佐伯有清『伴善男』吉川弘文館、1970 年
• 坂上康俊「負名体制の成立」『史学雑誌』94—1、1985 年
• 坂上康俊「関白の成立過程」『日本律令制論集』下、吉川弘文館、1993 年
• 佐藤宗諄『平安前期政治史序説』東京大学出版会、1977 年
• 佐藤泰弘『日本中世の黎明』京都大学学術出版会、2001 年
• 玉井力「承和の変について」『歴史学研究』286、1964 年
• 寺内浩『受領制の研究 』塙書房、2004 年
• 虎尾俊哉『延喜式』吉川弘文館、1964 年
• 仁藤敦史『古代王権と都城』吉川弘文館、1998 年
• 早川庄八『日本古代の財政制度』名著刊行会、2000 年
• 林陸朗『上代政治社会の研究』吉川弘文館、1969 年
• 春名宏昭「太上天皇制の成立」『史学雑誌』99-2、1990 年
• 福井俊彦「承和の変についての一考察」『日本歴史』260、1970 年
• 山口えり「延喜臨時祭式祈雨神祭条の再検討」『延喜式研究』22、2006 年
• 山口英男「十世紀の国郡行政機構」『史学雑誌』110-9、1991 年
• 吉岡眞之「幼帝が出現するのはなぜか」吉村武彦・吉岡眞之編『争点　日本の歴史 3　古代編 2(

口絵復元図協力　網伸也
（京都市埋蔵文化財研究所）

スタッフ一覧

本文レイアウト　吉田剛
（ムーングラフィックス）
姥谷英子
校正　オフィス・タカエ
図版・地図作成　蓬生雄司
村田忠夫
小学館クリエイティブ
写真撮影　西村千春
索引制作　小学館クリエイティブ
編集長　清水芳郎
編集　阿部いづみ
宇南山知人
水上人江
田澤泉
一坪泰博
編集協力　青柳亮
服部一隆
木全英彦
小西むつ子
林まりこ
月報編集協力　㈲ビー・シー
関屋淳子
藤井恵子
制作　大木由紀夫
山崎法一
資材　横山肇
宣伝　中沢裕行
後藤昌弘
販売　永井真士
奥村浩一
協力　株式会社モリサワ

写真所蔵先一覧

所蔵先と写真提供者、撮影者が異なる場合は、（　）内にその旨を明記した。

カバー

東京国立博物館（提供：TNM Image Archives）

口絵

1 東寺（提供：便利堂）／2 宮内庁三の丸尚蔵館／3 大館市立中央図書館／4・5・6 東京国立博物館（提供：TNM Image Archives）／7 西本願寺／8 徳川美術館／9 知恩院

はじめに

1 宮内庁京都事務所／2 高野山正智院／3 西新井大師総持寺／4 出光美術館

第一章

1 大倉集古館／2 東京国立博物館（提供：TNM Image Archives）／3・4 宮内庁書陵部／5・6・8 宮内庁京都事務所／7 仁和寺／9 仁和寺（提供：京都国立博物館）／（コラム）前田育徳会

第二章

1・4・5 出光美術館／2 模写：東京大学史料編纂所／3・6・13 田中家（提供：中央公論新社）／7 文化庁／8 宮内庁書陵部／9 前田育徳会／10 宮内庁／11 石山寺／12 提供：東京大学史料編纂所／（コラム）奈良文化財研究所

第三章

1・5・6 新里村教育委員会編『赤城山麓の歴史地震』（1991年）より／2 国立国会図書館／3 北秋田市教育委員会／4 時遊館 COCCO はしむれ／7 大山崎町教育委員会／8 秋田市教育委員会／9 撮影：萩原秀三郎／10・12 東京国立博物館（提供：TNM Image Archives）／11 国立歴史民俗博物館

第四章

1 粉河寺／2 早稲田大学図書館／3 山口県防府天満宮／4 田中家（提供：中央公論新社）／5・11 東京国立博物館（提供：TNM Image Archives）／6 北野天満宮（提供：京都国立博物館）／7 金戒光明寺／8 佐川印刷／9 高山寺（提供：京都国立博物館）／10 青森市教育委員会／（コラム）矢田寺（提供：京都国立博物館）

第五章

1 東寺／2 一乗寺／3 園城寺／4・8 東寺（提供：便利堂）／5 神護寺（提供：京都国立博物館）／6 神護寺／7 比叡山延暦寺／9 多度大社／10 東京国立博物館（提供：TNM Image Archives）／11 前橋市教育委員会／12 金峯神社／13・14 平等院／15 六波羅蜜寺／16 聖衆来迎寺／（コラム）金剛峯寺（提供：文化庁）

第六章

1 提供：池 浩三／2 元慶寺／3 藤田美術館／4 和泉市久保惣記念美術館／5 国立歴史民俗博物館／6 徳川美術館／7 北野天満宮（提供：京都国立博物館）／8 宮内庁京都事務所／9 陽明文庫／（コラム）宮内庁京都事務所

第七章

1 四天王寺／2 東京国立博物館（提供：TNM Image Archives）／3 京都市立芸術大学芸術資料館／4・7 田中家（提供：中央公論新社）／5 北野天満宮／6 神泉苑／8 石清水八幡宮／9 千葉県教育振興財団／10 石川県埋蔵文化財センター／11・13 宮内庁三の丸尚蔵館／12 千葉県立房総のむら／（コラム）知恩院（提供：京都国立博物館）

第八章

1 高麗博物館（撮影：尾見重治、大塚敏幸）／2 高山寺（提供：京都国立博物館）／3 宇佐神宮／4 立石寺／5 シーピーシー・フォト／6・9 福岡市教育委員会／7 福岡市教育委員会（提供：京都国立博物館）／8 清凉寺（提供：京都国立博物館）／10 国立国会図書館／11 清浄光寺／12 東京国立博物館（提供：TNM Image Archives）／（コラム）誓願寺（提供：奈良国立博物館）

系　図

本巻に登場するおもな人物

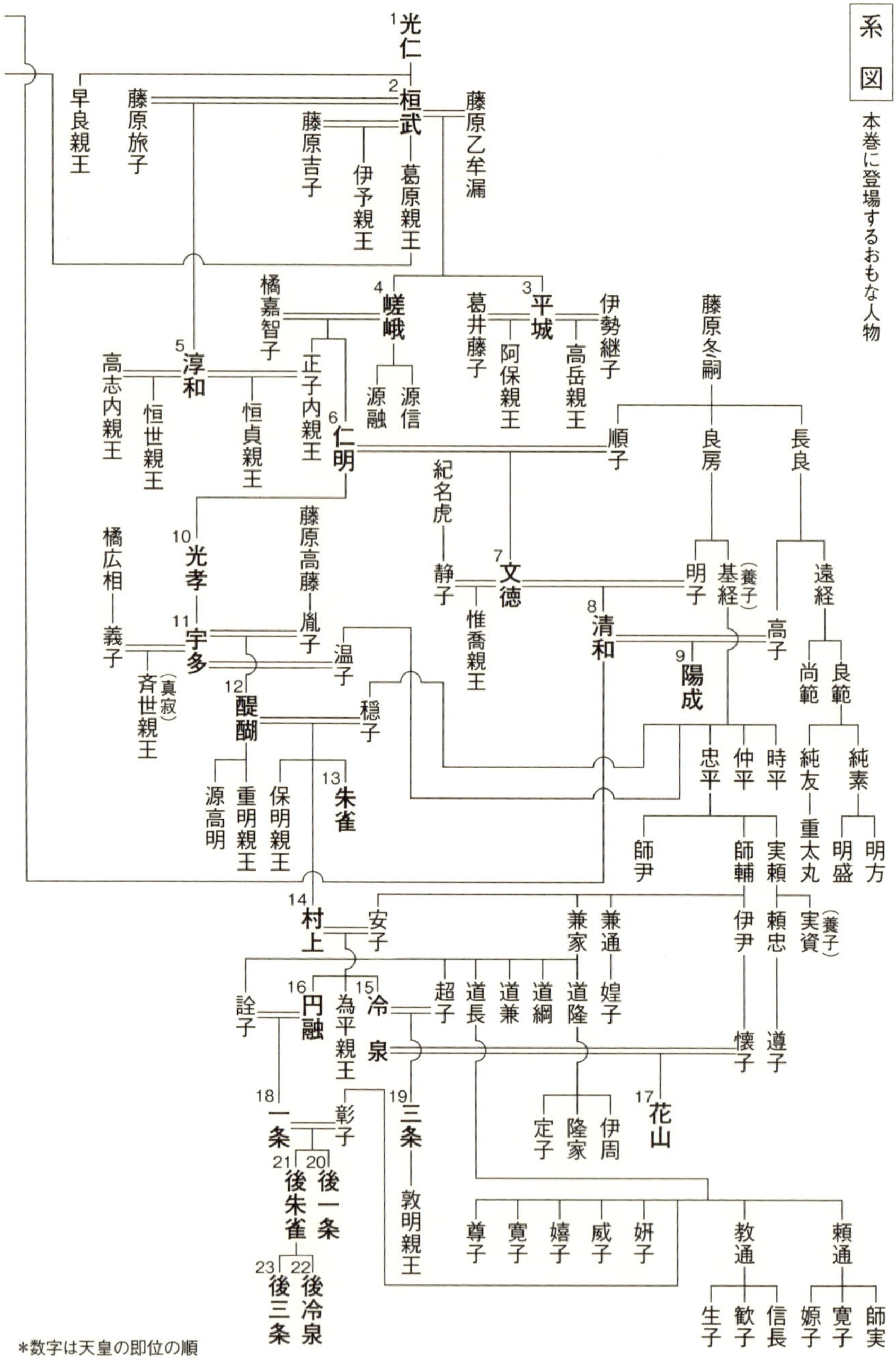

＊数字は天皇の即位の順

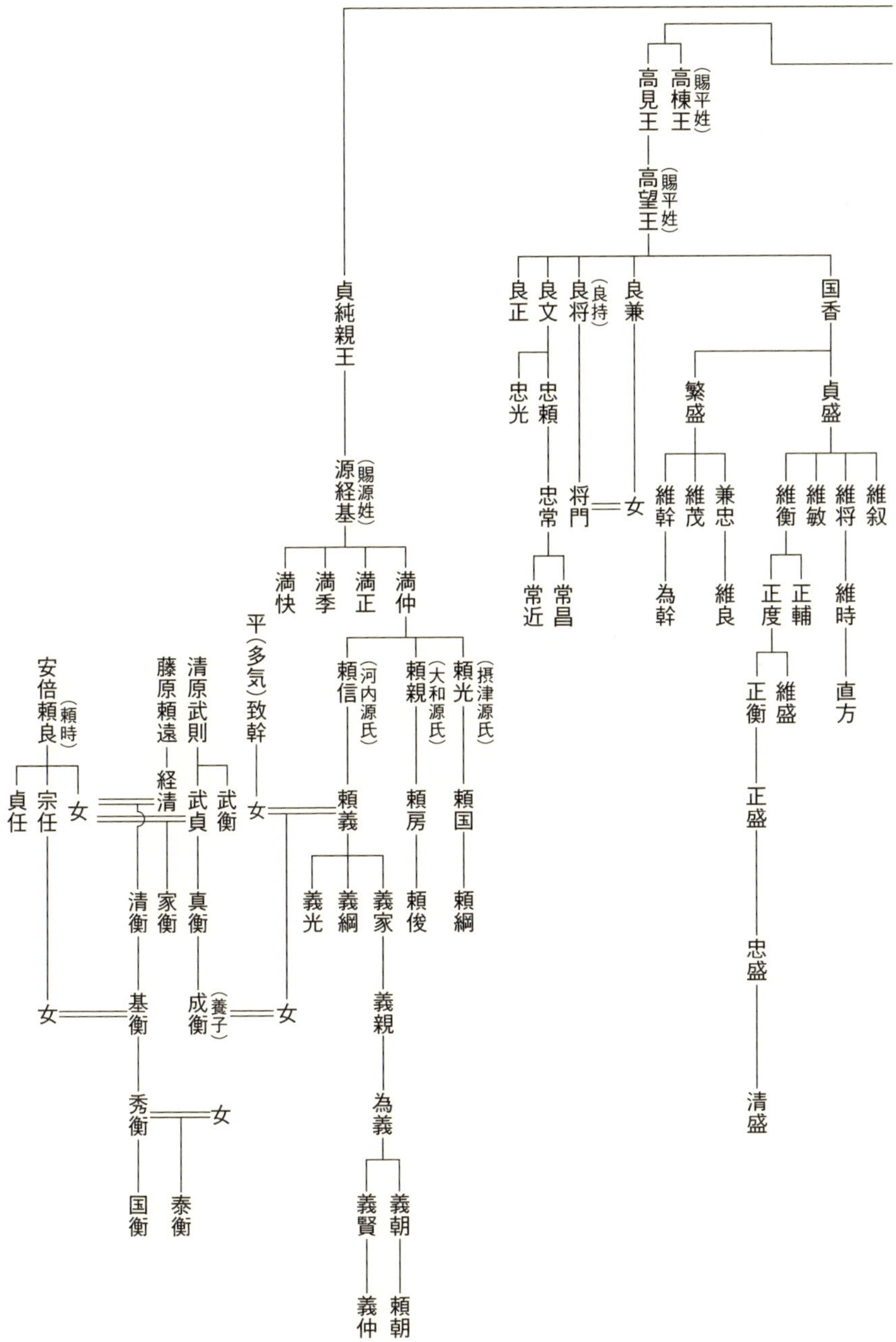
高棟王（賜平姓）
高見王
高望王（賜平姓）
国香
良兼
良将（良持）
良文
良正
繁盛
貞盛
忠頼
忠光
将門
女
忠常
常昌
常近
兼忠
維茂
維幹
維良
為幹
維叙
維将
維敏
維衡
維時
直方
正輔
正度
維盛
正衡
正盛
忠盛
清盛
貞純親王
源経基（賜源姓）
満仲
満正
満季
満快
頼光（摂津源氏）
頼親（大和源氏）
頼信（河内源氏）
頼国
頼綱
頼房
頼俊
頼義
義家
義綱
義光
義親
為義
義朝
義賢
頼朝
義仲
平（多気）致幹
女
清原武則
武衡
武貞
真衡
成衡（養子）
藤原頼遠
経清
家衡
清衡
基衡
秀衡
国衡
泰衡
安倍頼良（頼時）
宗任
貞任

1011	8 辛亥	三条	一条天皇譲位。三条天皇即位。	宋	
1012	長和 1 壬子		藤原遵子を太皇太后、中宮藤原彰子を皇太后、女御藤原妍子を中宮とする。		
1016	5 丙辰	後一条	三条天皇譲位。後一条天皇即位。藤原道長、摂政となる。		デーン人カヌート、イングランド王となる。
1017	寛仁 1 丁巳		藤原頼通、摂政に、藤原道長、太政大臣になる。		
1018	2 戊午		藤原彰子を太皇太后、藤原妍子を皇太后、藤原威子を中宮とする（藤原道長の 3 女立后）。		ブルガリア帝国、ビザンツ帝国に征服される。
1019	3 己未		刀伊の賊船、対馬・壱岐島・筑前などに来襲。藤原頼通、関白となる。		
1026	万寿 3 丙寅		藤原彰子、出家し、上東門院となる。		
1027	4 丁卯		藤原道長没。		
1028	長元 1 戊辰		前上総介平忠常、東国で反乱。検非違使の平直方らが追捕（平忠常の乱）。		
1031	4 辛未		源頼信、平忠常を追討。忠常、京へ連行途中没。		
1032	5 壬申		『小右記』の記述終わる。		
1035	8 乙亥		延暦寺と園城寺の僧徒が乱闘。		
1036	9 丙子	後朱雀	後一条天皇没。後朱雀天皇即位。		
1040	長久 1 庚辰		長久の荘園整理令。京に放火が頻発。		
1041	2 辛巳		藤原公任撰『和漢朗詠集』成立。		
1045	寛徳 2 乙酉	後冷泉	後朱雀天皇譲位。後冷泉天皇即位。前司任中以後の新立荘園を禁止（寛徳の荘園整理令）。		
1051	永承 6 辛卯		陸奥国の安倍頼良反乱し、源頼義、陸奥守となって頼良を従わせる（前九年合戦、始まる）。		
1052	7 壬辰		藤原頼通、宇治別業を平等院と称す。この年、末法元年。		宋、安南広源州の濃智高が広南に進撃。
1053	天喜 1 癸巳		陸奥守源頼義、鎮守府将軍を兼任。平等院阿弥陀堂（鳳凰堂）完成。		契丹、西夏と和す。
1055	3 乙未		寛徳 2 年以後の新立荘園を停止（天喜の荘園整理令）。		セルジューク朝トルコ、バクダード征服。
1057	5 丁酉		源頼義、安倍頼時を討つ。頼時の子、貞任・宗任が抗戦。頼義、貞任に大敗。		
1060	康平 3 庚子		このころ、菅原孝標女、『更級日記』を著わす。		宋、『新唐書』成立。
1062	5 壬寅		源頼義、厨川柵で安倍貞任を討つ。安倍宗任投降（前九年合戦、終わる）。		
1063	6 癸卯		源頼義、相模国由比郷に石清水八幡宮を勧請。このころ、『陸奥話記』成立。		
1065	治暦 1 乙巳		新立荘園を停止する（治暦の荘園整理令）。		宋、濮議起こる。
1068	4 戊申	後三条	禎子内親王を太皇太后、章子内親王を皇太后、藤原寛子を中宮、藤原歓子を皇后とする。後冷泉天皇没。後三条天皇即位。		
1069	延久 1 己酉		寛徳 2 年以後の新立荘園とそれ以前の荘園の券契不明のものを停止（延久の荘園整理令）。初めて記録荘園券契所を太政官庁朝所に置く。		宋、王安石が新法を実施。
1072	4 壬子	白河	僧の成尋入宋する。沽価法を定める。斗升法を定める（延久の宣旨升）。後三条天皇譲位。白河天皇即位。		宋、欧陽脩没。

941	4 辛丑	朱雀	小野好古ら、博多津で藤原純友を破る。	五代十国	
946	9 丙午	村上	朱雀天皇譲位。村上天皇即位。		947 後漢建国。
951	天暦 5 辛亥		撰和歌所を置く。清原元輔らに『後撰和歌集』を撰集させる。		郭威即位し、後周建国。
958	天徳 2 戊午		延喜通宝を改め、乾元大宝を鋳造（皇朝十二銭の最後）。		
960	4 庚申		初めて内裏が焼亡。		後周の趙匡胤、宋を興す。
966	康保 3 丙寅		京の桂川決壊し、五・六条が洪水となる。		961 宋、節度使の軍事権を削減。
967	4 丁卯	冷泉	村上天皇没。冷泉天皇即位。『延喜式』を施行。藤原実頼、関白となる（以後、摂関の常置）。		962 神聖ローマ帝国成立。
969	安和 2 己巳	円融	源高明、大宰権帥に左遷（安和の変）。藤原実頼、摂政に。冷泉天皇譲位。円融天皇即位。		ファーティマ朝、エジプトを征服。
972	天禄 3 壬申		空也没。高麗使、対馬に来着。		971 南漢、宋に降伏。
977	貞元 2 丁丑		藤原兼道、関白を藤原頼忠に譲り、右大将藤原		978 呉越国滅亡。
980	天元 3 庚辰		京に暴風雨。	宋	
982	5 壬午		藤原遵子を皇后とする。慶滋保胤、『池亭記』を著わす。		
984	永観 2 甲申	花山	円融天皇譲位。花山天皇即位。丹波康頼、『医心方』を著わす。破銭法を定め、延喜 2 年以降の荘園を停める。		
985	寛和 1 乙酉		源信、『往生要集』を著わす。		
986	2 丙戌	一条	花山天皇譲位。一条天皇即位。奝然、宋より帰国し、釈迦如来像・一切経を持ち帰る。藤原兼家、摂政として太政大臣・左大臣・右大臣の上位につく（寛和の例）。		宋、契丹に侵攻するが大敗。
987	永延 1 丁亥		諸寺に銭貨の流通を祈らせる。		
988	2 戊子		尾張国の郡司・百姓ら、国司藤原元命の非法を訴え、解任を要求（『尾張国郡司百姓等解文』）。		契丹、李継遷を夏国王に封じる。
991	正暦 2 辛卯		皇太后藤原詮子、出家し、東三条院の女院号を受ける（女院号の始め）。		女真、契丹に属する。
993	4 癸巳		慈覚大師門徒（山門派）、智証大師門徒（寺門派）と争う。		宋、四川均産一揆起こる。
994	5 甲午		疫病が全国に蔓延。京の死者多数。		
995	長徳 1 乙未		疫病流行し、関白の藤原道隆・道兼没。		
996	2 丙申		藤原道長、左大臣となる。		宋、任子の制を定める。
997	3 丁酉		奄美島の海賊、筑前・筑後・薩摩国に来襲。		宋、全国を 15 路に分ける。
999	長保 1 己亥		藤原道長の娘、彰子入内。		
1000	2 庚子		藤原遵子を皇太后、藤原定子を皇后、藤原彰子を中宮とする（1 帝 2 后の始め）。		宋、王均が成都で反乱。
1001	3 辛丑		このころ、清少納言『枕草子』成立。		
1004	寛弘 1 甲辰		『和泉式部日記』成立。		宋、契丹と和睦。
1007	4 丁未		藤原道長、金峯山に参詣し、金銅経筒を埋納。		
1008	5 戊申		尾張国の郡司・百姓ら、国司藤原中清を訴える。		宋、泰山で封禅を行なう。
1010	7 庚戌		このころ、『紫式部日記』成立か。		ベトナム、李朝成立。

866	8 丙戌	清和	応天門炎上。藤原良房、摂政となる。応天門の変。	唐	867　イラン、サッファール朝興る。
869	11 己丑		藤原氏宗ら、『貞観格』を撰上、施行される。新羅海賊、博多津に来襲。藤原良房ら『続日本後紀』を撰上。		イラク、ザンジュの乱。
871	13 辛卯		藤原氏宗ら、『貞観式』を撰上、施行される。		
872	14 壬辰		藤原氏宗・良房没。藤原基経、摂政となる。		875　唐、黄巣の乱。
876	18 丙申	陽成	清和天皇譲位。陽成天皇即位。		
878	元慶 2 戊戌		出羽国の夷俘が反乱（元慶の乱）。		
884	8 甲辰	光孝	陽成天皇退位。光孝天皇即位。		唐、黄巣の乱終わる。
887	仁和 3 丁未	宇多	京・諸国で大地震、死者多数。光孝天皇没。宇多天皇即位。藤原基経、関白となるが辞退。		
888	4 戊申		橘広相・藤原佐世、「阿衡」について論議し、藤原基経を関白に戻す（阿衡事件）。		
889	寛平 1 己酉		東国で賊首物部氏永、蜂起する。		
891	3 辛亥		菅原道真、蔵人頭となる。		新羅、弓裔が反乱。
894	6 甲寅		菅原道真を遣唐大使とするが、派遣を中止。		896　このころ、新羅、王建（高麗太祖）が弓裔に従い、その武将となる。
897	9 丁巳	醍醐	宇多天皇譲位。醍醐天皇即位。宇多上皇、『寛平御遺誡』を著わす。		
898	昌泰 1 戊午		宇多上皇、大和・河内・摂津国などに御幸。		
899	2 己未		藤原時平、左大臣に、菅原道真、右大臣になる。宇多上皇、出家（法皇の始め）。		900　新羅、甄萱が後百済を建て、新羅分裂。
901	延喜 1 辛酉		菅原道真を大宰権帥に左遷。藤原時平ら、『日本三代実録』を撰進。東国で群盗蜂起。		
902	2 壬戌		延喜の荘園整理令。		904 後三国時代始まる。
905	5 乙丑		紀貫之ら、『古今和歌集』を撰進。		
907	7 丁卯		藤原時平ら、『延喜格』を奏進（翌年施行）。	五代十国	唐滅亡、五代十国時代に。
914	14 甲戌		三善清行、『意見封事十二箇条』を奏上。		916　契丹、耶律阿保機が帝と称する。
915	15 乙亥		出羽国で十和田（湖）火山噴火により火山灰が降り、農作物を損なう。		918　高麗、王建が弓裔を倒して高麗を建てる。
921	21 辛巳		宇多法皇、春日社に御幸。		923　後唐、後梁を滅ぼす。
927	延長 5 丁亥		寛建、五台山巡礼のため中国に渡る。東大寺講堂の再建供養。藤原忠平ら、『延喜式』を奏進。		926　契丹、渤海を滅ぼし、東丹国を建てる。
930	8 庚寅	朱雀	醍醐天皇譲位。朱雀天皇即位。		
935	承平 5 乙未		平将門、伯父の常陸大掾平国香を殺害（平将門の乱）。将門、伯父の平良正を常陸に破る。このころ、紀貫之、『土佐日記』を著わす。		新羅、高麗に投降し、滅亡。936　高麗、朝鮮半島を統一。
938	天慶 1 戊戌		京で大地震。空也、京で念仏を勧める。		
939	2 己亥		出羽国で俘囚が反乱。平将門、常陸・下野・上野国府を攻略。新皇と称する。藤原純友、南海で反乱。		ベトナム、呉権が王と称し、中国支配から自立。
940	3 庚子		平貞盛・藤原秀郷ら、平将門を討つ。		

年表

西暦	年号 干支	天皇	日本	中国	世界
800	延暦 19 庚辰	桓武	大隅・薩摩 2 国で班田を行なう。	唐	
801	20 辛巳		征夷大将軍の坂上田村麻呂、エミシの地を平定。		
804	23 甲申		最澄、空海、橘逸勢ら、遣唐使に同行。		
805	24 乙酉		藤原緒嗣と菅野真道、天下徳政を相論、平安京の造営を中止（徳政相論）。		
806	大同 1 丙戌	平城	桓武天皇没。平城天皇即位。王臣・寺家らの山野占有を禁止。空海、真言宗を伝える。このころ、最澄、天台宗を開く。勘解由使の廃止。		新羅、仏寺の創建を禁止。
809	4 己丑	嵯峨	平城天皇譲位。嵯峨天皇即位。この年から弘仁11 年までに空海『文鏡秘府論』成立。		
810	弘仁 1 庚寅		初めて蔵人所を置く。藤原薬子の変。		
811	2 辛卯		文室綿麻呂、征夷大将軍となり、エミシを征討。		
814	5 甲午		万多親王ら『新撰姓氏録』撰上。『凌雲集』成立。		フランク、カール大帝没。
816	7 丙申		空海、高野山に道場（金剛峯寺）を開く。		
818	9 戊戌		東国に大地震、死者多数。		
820	11 庚子		藤原冬嗣ら、『弘仁格』『弘仁式』を奏進。		
821	12 辛丑		藤原冬嗣ら『内裏式』を撰上。冬嗣、勧学院を創建。		唐、吐蕃と会盟。
822	13 壬寅		比叡山に戒壇建立を許す。		
823	14 癸卯	淳和	空海、東寺を教王護国寺と改称。嵯峨天皇譲位。淳和天皇即位。		
824	天長 1 甲辰		渤海使の来訪を 12 年に 1 度とする。勘解由使を復す。		
828	5 戊申		このころから、各地に勅旨田の設置が盛んとなる。		829　イングランド諸国統一。
833	10 癸丑	仁明	清原夏野ら、『令義解』を撰進（翌年施行）。淳和天皇譲位。仁明天皇即位。		
834	承和 1 甲寅		藤原常嗣・小野篁らを遣唐使に任命（第 17 次遣唐使）。		
838	5 戊午		遣唐使に円仁ら同行。小野篁、入唐を拒否して隠岐に配流。		
840	7 庚申		藤原緒嗣ら、『日本後紀』を撰進。		ウイグル滅亡。
842	9 壬戌		承和の変起こる。		845　唐、会昌の法難。道教以外の宗教を禁止。白居易『白氏文集』成立。
850	嘉祥 3 庚午	文徳	仁明天皇没。文徳天皇即位。富豪の山野占有を禁止。		
853	仁寿 3 癸酉		各地に天然痘（疱瘡）流行、死者多数。		
857	天安 1 丁丑		藤原良房、太政大臣となる。五紀暦を施行。		
858	2 戊寅	清和	文徳天皇没。清和天皇即位（初の幼帝）。		唐、李商隠没。
861	貞観 3 辛巳		長慶宣明暦を採用。		859　南詔、国号を大礼とする。唐、裘甫の乱起こる。

ま行

や行

ら行

わ行

な行

は行

た行

さ行

索引

000 一詳しい説明のあるページを示す。
000*一写真・図版のあるページを示す。

あ行

か行

全集　日本の歴史　第４巻　揺れ動く貴族社会

2008年3月30日　初版第1刷発行

著者　川尻秋生
発行者　八巻孝夫
発行所　株式会社小学館
〒101-8001 東京都千代田区一ツ橋2-3-1
電話　編集　03(3230)5118
　　　販売　03(5281)3555
印刷所　凸版印刷株式会社
製本所　株式会社若林製本工場

造本には十分注意しておりますが、万一、落丁・乱丁などの不良品がありましたら、「制作局」(電話0120-336-340)あてにお送り下さい。

送料小社負担にてお取り替えいたします。

(電話受付は土・日・祝日を除く9:30〜17:30までになります。)

Printed in Japan ISBN978-4-09-622104-4

全集 日本の歴史 全16巻

編集委員：平川 南／五味文彦／倉地克直／ロナルド・トビ／大門正克

1	旧石器・縄文・弥生・古墳時代 **列島創世記** 出土物が語る列島4万年の歩み	**松木武彦** 岡山大学准教授
2	新視点古代史 **日本の原像** 稲作や特産物から探る古代の社会	**平川 南** 国立歴史民俗博物館館長 山梨県立博物館館長
3	飛鳥・奈良時代 **律令国家と万葉びと** 国家の成り立ちと万葉びとの生活誌	**鐘江宏之** 学習院大学准教授
4	平安時代 **揺れ動く貴族社会** 古代国家の変容と都市民の誕生	**川尻秋生** 早稲田大学准教授
5	新視点中世史 **躍動する中世** 人びとのエネルギーが殻を破る	**五味文彦** 放送大学教授 東京大学名誉教授
6	院政から鎌倉時代 **京・鎌倉 ふたつの王権** 武家はなぜ朝廷を滅ぼさなかったか	**本郷恵子** 東京大学准教授
7	南北朝・室町時代 **走る悪党、蜂起する土民** 南北朝の争乱と足利将軍	**安田次郎** お茶の水女子大学教授
8	戦国時代 **戦国の活力** 戦乱を生き抜く大名・足軽の実像	**山田邦明** 愛知大学教授
9	新視点近世史 **「鎖国」という外交** 従来の「鎖国」史観を覆す新たな視点	**ロナルド・トビ** イリノイ大学教授
10	江戸時代（一七世紀） **徳川の国家デザイン** 幕府の国づくりと町・村の自治	**水本邦彦** 京都府立大学教授
11	江戸時代（一八世紀） **徳川社会のゆらぎ** 幕府の改革と「いのち」を守る民間の力	**倉地克直** 岡山大学教授
12	江戸時代（一九世紀） **開国への道** 変革のエネルギーと新たな国家意識	**平川 新** 東北大学教授
13	幕末から明治時代前期 **文明国をめざして** 民衆はどのように“文明化”されたか	**牧原憲夫** 東京経済大学講師
14	明治時代中期から一九二〇年代 **「いのち」と帝国日本** 日清・日露と大正デモクラシー	**小松 裕** 熊本大学教授
15	一九三〇年代から一九五五年 **戦争と戦後を生きる** 敗北体験と復興へのみちのり	**大門正克** 横浜国立大学教授
16	一九五五年から現在 **豊かさへの渇望** 高度経済成長、バブル、小泉・安倍・福田政権へ	**荒川章二** 静岡大学教授